STYLISTIQUE COMPARÉE

DU FRANÇAIS ET DE L'ANGLAIS

BIBLIOTHÈQUE DE STYLISTIQUE COMPARÉE

Sous la direction de A. MALBLANC

I

J.P. VINAY
de la Société Royale
du Canada
Agrégé de l'Université

J. DARBELNET
de la Société Royale
du Canada
Agrégé de l'Université

STYLISTIQUE COMPARÉE

DU FRANÇAIS ET DE L'ANGLAIS

MÉTHODE DE TRADUCTION

1977

CHENELIÈRE ÉDUCATION

Stylistique comparée du français et de l'anglais

J.P. Vinay et J. Darbelnet

© 1984 **Groupe Beauchemin, Éditeur Ltée**
© 1958 Marcel Didier

CHENELIÈRE ÉDUCATION

5800, rue Saint-Denis, bureau 900
Montréal (Québec) H2S 3L5 Canada
Téléphone : 514 273-1066
Télécopieur : 514 276-0324 ou 1 888 460-3834
info@cheneliere.ca

ISBN 978-0-7750-0469-4

Dépôt légal : 3ᵉ trimestre 1984
Bibliothèque et Archives nationales du Québec
Bibliothèque et Archives Canada

Imprimé au Canada

4   5   6   7   8   ITM   16   15   14   13   12

Nous reconnaissons l'aide financière du gouvernement du Canada par l'entremise du Fonds du livre du Canada (FLC) pour nos activités d'édition.

Gouvernement du Québec – Programme de crédit d'impôt pour l'édition de livres – Gestion SODEC.

AVERTISSEMENT

La BIBLIOTHÈQUE DE STYLISTIQUE COMPARÉE, dont l'ouvrage de MM. VINAY et DARBELNET constitue le premier volume, s'adresse à un public varié.

Les élèves de l'enseignement secondaire qui entrent en propédeutique avec une connaissance généralement satisfaisante d'une langue étrangère, trouveront dans la présente collection, qui suppose connus la grammaire et le vocabulaire élémentaires, une comparaison systématique de la langue maternelle et de la langue étudiée ; ils y verront comment les divergences constatées peuvent se rattacher aux tendances respectives des deux langues. Par delà le vocabulaire et la grammaire, déjà assimilés, l'étude stylistique qui leur est proposée permet justement de pénétrer plus avant dans le génie de la langue étrangère et par voie de conséquence dans le génie de la langue maternelle. C'est dire que les étudiants de licence, et même d'agrégation, trouveront profit à utiliser la méthode exposée dans les pages qui vont suivre.

Les apprentis traducteurs pourront, de leur côté, constater que la stylistique comparée offre une technique nouvelle pour aborder les problèmes de la traduction, quelles que soient les langues considérées; il ne s'agit pas en effet d'une collection de recettes à appliquer automatiquement, mais bien de principes fondamentaux grâce auxquels peut être dressée la carte des cheminements qui permettent de faire passer tous les éléments d'un texte dans une autre langue.

L'homme cultivé enfin, curieux des divergences qui séparent deux langues de culture, trouvera certainement plaisir et profit à la lecture d'études où les acquisitions de la linguistique moderne sont mises à sa portée.

On sait que Charles Bally, explicitant la théorie linguistique de F. de Saussure, a créé l'étude de la stylistique française. MM. Vinay et Darbelnet ont appliqué l'esprit de l'école saussurienne aux problèmes de la traduction, tout en utilisant largement les travaux postérieurs à ceux de Ch. Bally. C'est dire que les auteurs sont convaincus qu'en traduction, les voies de l'art doivent être préparées par l'acquisition de connaissances précises.

Sans négliger les aspects classiques et littéraires du français et de l'anglais, les auteurs ont pris beaucoup d'exemples chez les écrivains modernes et ont particulièrement mis à contribution la langue de la vie quotidienne, celle des avis, des annonces, des journaux, bref le fonds vivant où les langues se renouvellent. Ce n'est pas là le moindre intérêt ni la moindre réussite de leur étude.

Écrite en français, cette Stylistique comparée est en fait utilisable à la fois du point de vue français et du point de vue anglais. Les observations et les exemples qui y sont consignés ont tantôt l'une, tantôt l'autre langue comme point de départ. Autant qu'aux Français, le présent ouvrage s'adresse donc aux anglophones étudiants ou professeurs de français.

A. Malblanc

SIGLES ET ABRÉVIATIONS

:   traduit par
/   opposition de termes
←   this   charnière de rappel
this   →   charnière de traitement
Br.   anglais britannique
Ex.   exemple
LA   langue d'arrivée (target language)
LD   langue de départ (source language)
MOD   modulation
TR   transposition
U.S.   anglais américain
UT   unité de traduction
var.   variante
CLG   Ferdinand de Saussure, *Cours de linguistique générale*. Paris, Payot, 1916.
LGLF Charles Bally, *Linguistique générale et linguistique française*. Berne, Francke, 1944 (2ᵉ édition).
TSF   Charles Bally, *Traité de stylistique française*. Paris, Klincksieck, 1951 (3ᵉ édition, nouveau tirage). 2 vol.
(*L'abréviation TSF renvoie toujours au Volume I*).
RDM   La Revue des Deux Mondes, Paris.

Les chiffres entre parenthèses renvoient aux paragraphes.
On s'est efforcé de laisser aux exemples en langue anglaise l'orthographe de leur pays d'origine.

GLOSSAIRE DES TERMES TECHNIQUES

EMPLOYÉS DANS L'OUVRAGE

N.B. — *Chaque terme est suivi d'une courte définition, parfois d'un exemple. On trouvera sous la rubrique OPPOSITIONS DES TERMES la liste des notions techniques comportant un contraire. Chaque fois qu'une définition fait appel à un terme technique qui figure dans ce glossaire, ce dernier est présenté en italiques.*

ACTUEL

Se dit d'un concept qui cesse d'être une catégorie de choses ou de procès pour devenir une entité individuelle qui s'insère dans la réalité. Le concept "maison", article du dictionnaire, est virtuel ; il le reste dans le syntagme "gens de maison". L'expression "une maison", malgré son indétermination, est actuelle.

S'oppose à *virtuel*.

ACTUALISATEUR

Signe, généralement de nature grammaticale, qui permet d'actualiser un *virtuel*. La situation peut jouer à elle seule le rôle d'actualisateur : ex. "Maison à vendre", c'est-à-dire : "la maison que voici est à vendre".

ACTUALISATION

Mécanisme qui consiste à transformer un *virtuel* en *actuel*.

ADAPTATION

Utilisation d'une équivalence reconnue entre deux situations.

Ex : dans un pays où le figuier est considéré comme une plante nuisible, on adaptera la parabole du figuier en utilisant une autre plante.

AFFECTIF

Se dit des mots qui reflètent ou intéressent la sensibilité. S'oppose à *intellectuel*. Ex. : "universel" est affectif dans "une renommée universelle" et intellectuel dans "l'Histoire universelle".

AMBIVALENT

Se dit de mots qui peuvent exprimer deux directions contraires, soit au sens propre (mouvement), soit au sens figuré (échange, rapport). Exemples : "hôte", "louer", "to climb". Les mots ambivalents s'opposent aux mots *vectoriels*, qui limitent le mouvement ou l'échange à une seule direction.

AMPLIFICATION

Cas où la LA emploie plus de mots que la LD pour exprimer la même idée. Ex. : "L'accusation portée contre lui : the charge against him". S'oppose à l'*économie*.

ANIMISME

Démarche de la langue qui tend à donner aux choses le comportement des personnes.

ARTICULATION

Utilisation, dans le déroulement de l'énoncé, de *charnières* qui ponctuent le raisonnement. Le procédé inverse est la *juxtaposition*.

ASPECT

La définition traditionnelle de ce terme est celle qu'en donne J. Marouzeau (*Lexique de terminologie linguistique*). « Manière dont est envisagée dans son développement l'action exprimée par le verbe, suivant par exemple qu'elle est instantanée, comporte une durée, etc. La notion d'aspect ne comporte pas toujours d'expression déterminée. ...Les langues slaves ont tout un jeu de ces procédés. »

On voit que la notion d'aspect s'applique particulièrement aux verbes, où elle marque les différentes modalités de l'action qui peut durer (aspect duratif), se répéter (itératif), commencer (inchoatif), finir (perfectif), etc. Dans le présent ouvrage, nous étendons cette notion aux noms verbaux et aux adjectifs. Une qualité peut en effet être constante (aspect duratif ou habituel) ou occasionnelle (aspect ponctuel). Nous distinguons également des aspects intellectuels et des aspects affectifs.

ASSOCIATIONS MÉMORIELLES

Associations des mots dans la mémoire et en dehors de leur emploi dans un énoncé. Ex. : "arbre" et "ombre".

ASSOCIATIONS SYNTAGMATIQUES

Rapprochement des mots dans l'énoncé et dans le cadre des *syntagmes*. Ex. : "Je ne lui en ai pas parlé".

ATTITUDE

Façon dont la langue reflète l'attitude du sujet parlant vis-à-vis du sujet dont il parle. L'attitude peut être objective, émotive, ironique, précieuse, dubitative.

CALQUE

Emprunt d'un syntagme étranger avec traduction littérale de ses éléments. Ex. : "fin de semaine" (pour : "week-end").

CARACTÉRISATION

L'ensemble des moyens servant à exprimer la qualité d'une chose ou d'un *procès*.

CHARNIÈRE

Mot ou groupe de mots qui marque l'articulation de l'énoncé. Ex. : "en effet", "car", "comme", "étant donné que". Il y a charnière zéro lorsque l'articulation est implicite. Ex. : le cas où "en effet" n'est pas traduit en anglais.

CHASSÉ-CROISÉ

Procédé de traduction par lequel deux signifiés permutent entre eux et changent de catégorie grammaticale.
Ex. : "He limped across the street : Il a traversé la rue en boitant".
Le chassé-croisé est un cas particulier de la *transposition*.

COMPENSATION

Procédé stylistique qui vise à garder la tonalité de l'ensemble en rétablissant sur un autre point de l'énoncé la nuance qui n'a pu être rendue au même endroit que dans l'original.

CONCENTRATION

Terme qui exprime la concentration de plusieurs *signifiés* sur un plus petit nombre de *signifiants*, ou même sur un seul. Ex. : "au fur et à mesure que : as". Procédé contraire : la *dilution*. La concentration aboutit à l'*économie*.

DÉCOUPAGE

Procédé qui consiste à délimiter les *unités de traduction*

DÉICTIQUE

Se dit d'un mot ou d'une expression qui semble montrer les objets du doigt. L'anglais est plus déictique que le français dans son emploi de "this" et de "that". C'est encore un exemple de sa préférence pour le *plan du réel*.

DÉMARCHE

Préférence que marque une langue entre des structures également possibles. Ex. : la préférence de l'anglais pour le passif relève de la démarche de cette langue. Les tournures idiomatiques sont des cas concrets de démarche.

DÉMONTAGE

Réduction de LD à la *langue neutre*. Le procédé peut également s'appliquer à LA pour fins de vérification (App. 2).

DÉPOUILLEMENT

Procédé inverse de l'*étoffement,* qui dégage l'essentiel du *signifiant* et l'exprime d'une façon condensée.

En allant du français à l'anglais, on aboutira à des prépositions simples en partant de formes étoffées : "Les hommes qui l'entouraient : The men around him". Le dépouillement est un cas particulier de l'*économie*.

DILUTION

Répartition d'un signifié sur plusieurs signifiants. La dilution est un phénomène prosodique. (v. *prosodie* ; voir aussi *concentration*).

DIVERGENCE

Tout écart entre deux langues rapprochées, qu'il s'agisse du sens, des valeurs stylistiques, de la structure ou de la métalinguistique. Le présent ouvrage étudie les divergences entre le français et l'anglais.

DOCUMENTATION

Recherches en vue d'une parfaite compréhension du sujet que traite le texte à traduire, et comprenant (a) sur le plan linguistique: la *nomenclature* des termes techniques ou fonctionnant comme tels. (b) sur le plan métalinguistique : l'intelligence de la situation que ces mots décrivent.

ÉCLAIRAGE

Façon dont un mot donné éclaire la réalité. Suivant le principe posé par Darmesteter dans *la Vie des mots,* le mot n'a pas pour fonction de définir la chose, mais d'en évoquer l'image. En passant d'une langue à l'autre on constate que les mots de même sens n'éclairent pas la même facette de la chose ou de l'idée qu'ils désignent. La *modulation* fait un large emploi des différences d'éclairage.

ÉCONOMIE

Notion de stylistique comparée. Une langue procède avec économie quand elle réussit à exprimer la même chose qu'une autre langue avec des moyens plus réduits. Ex. : "Je crois savoir pourquoi : I think I know why". L'économie peut également caractériser une tournure par rapport à une autre à l'intérieur d'une même langue : "He graduated from high school" réalise une économie par rapport à "He was graduated from high school".

EMPRUNT

Mot qu'une langue emprunte à une autre sans le traduire. Ex. : "suspense", "bulldozer" en français ; "fuselage", "chef" en anglais.

ENTENDEMENT, PLAN DE L'

Mode de représentation linguistique qui tend vers le général et l'abstrait, par opposition au *plan du réel* qui reste plus proche des images sensibles, et par conséquent serre de plus près les aspects concrets et particuliers. Ex. : "Un oiseau est entré dans la pièce" se situe sur le plan de l'entendement ; "a bird flew into the room" reste sur le plan du réel. Le plan de l'entendement utilise les *mots signes* et le plan du réel les *mots images*. Les images sensibles dominent sur le plan du réel, elles tendent à faire place aux rapports et aux idées sur le plan de l'entendement.

ÉQUIVALENCE

Procédé de traduction qui rend compte de la même situation que dans l'original, en ayant recours à une rédaction entièrement différente. Ex. : "the story so far : résumé des chapitres précédents".

ÉTOFFEMENT

Variété d'*amplification* appliquée aux prépositions françaises qui ont besoin d'être étoffées par l'adjonction d'un adjectif, d'un participe passé, ou même d'un nom, alors que les prépositions anglaises se suffisent à elles-mêmes. Procédé contraire : le *dépouillement*.

EXPLICITATION

Procédé qui consiste à introduire dans LA des précisions qui restent implicites dans LD, mais qui se dégagent du contexte ou de la situation.

FAUSSES ABSTRACTIONS

Mots abstraits et au pluriel auxquels l'anglais a recours pour éviter le terme concret particulier à la situation. Ex. : "facilities", plus vague que "installations".

FAUSSES PRÉCISIONS

Mots qui, malgré les apparences, ne représentent pas un gain d'information. Ex. : « le *présent* ouvrage ». Dans certains cas, les fausses précisions sont dues à des raisons de structure. Voir, par exemple, l'*étoffement* des pronoms démonstratifs.

FAUX AMIS

Mots qui, d'une langue à l'autre, semblent avoir le même sens parce qu'ils sont de même origine, mais qui ont en fait des sens différents par suite d'une évolution séparée. Les faux amis peuvent relever de la sémantique. Ex. : "actual: réel", ou de la stylistique, ex. : (de l'anglais au français) "populace: foule" ; (en sens inverse) "populace: rabble".

GAIN

Unité d'*explicitation*. Terme opposé : *perte* (entropie).

GÉNÉRALISATION

Procédé qui consiste à traduire un terme particulier (ou concret) par un terme plus général (ou abstrait). Le français généralise plus que l'anglais. Procédé contraire : la *particularisation*.

GRAMMATICALISATION

Procédé qui remplace les signes lexicaux par des signes grammaticaux. Ex. : "Il se peut que" suivi du subjonctif est la grammaticalisation de "peut-être". Les prépositions "à" et "de" sont essentiellement grammaticales ; "sur", "par", et "dans" ont une valeur lexicale.

GROUPE SYNTAXIQUE

S'oppose au composé en ce qu'il est formé d'éléments actuels. Ex. : "un fils de fonctionnaire" (composé) ; "le fils d'un fonctionnaire" (groupe syntaxique).

IMPLICITATION

Procédé qui consiste à laisser au contexte ou à la situation le soin de préciser certains détails explicites dans LD. Procédé inverse : *explicitation*.

JUXTAPOSITION

Procédé qui consiste à omettre les *charnières* de l'énoncé. La langue procède par juxtaposition ou par *articulation*.

LACUNE

Il y a lacune chaque fois qu'un signifié de LD ne trouve pas de signifiant habituel dans LA. Ex. : l'absence d'un seul mot pour rendre "shallow" (peu profond).

LANGUE

Au sens saussurien, l'ensemble des mots, tournures et constructions à la disposition du groupe qui parle une même langue. Cf. *parole*.

Langue d'arrivée: celle dans laquelle on traduit, abréviation : LA.

Langue de départ: celle que l'on traduit ; abréviation : LD.

Langue neutre: forme de l'énoncé obtenue par le *démontage* du texte, dans laquelle les mots sont dépouillés de leurs *actualisateurs* et réduits à leur valeur sémantique (monèmes), leur agencement étant indiqué séparément ; abréviation : LN.

MARGE

Voir *Réversibilité partielle*.

MARQUE

Sur le plan linguistique, est *marque* tout segment de l'énoncé qui identifie une fonction. Ex. : le *t* de "savant" dans "savant aveugle" permet l'analyse du syntagme. Plus particulièrement, nous employons *marque* pour désigner les mots qui identifient les espèces. Ex. : l'article est la marque du nom.

MESSAGE

Ensemble des significations de l'énoncé.

MISE EN RELIEF

L'ensemble des procédés qui permettent de faire ressortir un segment de l'énoncé.

MODULATION

Variation obtenue en changeant de point de vue, d'éclairage et très souvent de catégorie de pensée. On trouvera aux paragraphes 76 et 218-228 la liste des principaux cas de modulation.

Modulation figée: celle qu'enregistrent les dictionnaires bilingues. Ex. : "tooled leather: cuir repoussé".

Modulation libre: celle que les dictionnaires n'enregistrent pas encore, mais à laquelle les traducteurs ont recours lorsque la langue d'arrivée rejette la traduction littérale.

MOT IMAGE

Mot qui s'oppose au *mot signe* comme étant susceptible d'évoquer une image ou tout autre sensation.

MOT SIGNE

Mot qui tend vers l'abstraction du signe mathématique et s'adresse à l'esprit plutôt qu'à l'imagination ou aux sens.

NIVEAU DE LANGUE

Caractère stylistique d'une langue d'après le degré de culture de ceux qui la parlent. Voir aussi *spécialisation fonctionnelle*.

NOMENCLATURE

Liste des mots techniques ou fonctionnant comme tels, qu'offre un texte à propos du sujet étudié ; voir aussi *documentation*.

OBLIQUE

Se dit d'une traduction qui ne peut être littérale. La *modulation*, l'*équivalence* et l'*adaptation* aboutissent à des traductions obliques.

OPPOSITIONS DES TERMES

actuel/virtuel ; ambivalent/vectoriel ; amplification/économie ; articulation/juxtaposition ; dépouillement/étoffement ; dilution/concentration ; entendement (plan de l')/réel (plan du) ; explicitation/implicitation ; lexicalisation/grammaticalisation ; modulation figée/modulation libre ; mot signe/mot image ; option/servitude ; particularisation/généralisation ; perte (entropie)/gain (compensation) ; traduction/retraduction ; traduction littérale/traduction oblique.

OPTION

Le contraire de *servitude*. Il y a option lorsqu'une langue a le choix entre deux constructions de même sens. Par exemple, le français dira indifféremment (1) "dès son réveil", ou (2) "dès qu'il se réveillera". L'anglais est astreint à la deuxième tournure, ce qui est pour lui une servitude.

PAROLE

Au sens saussurien, manifestation individuelle et occasionnelle de la *langue*.

PARTICULARISATION

Procédé inverse de la *généralisation* : traduction d'un terme général (ou abstrait) par un terme particulier (ou concret).

PARTICULE

Terme qui englobe les prépositions et les postpositions de l'anglais.

PASSAGE

Procédé de traduction. Ex. : la *transposition,* la *modulation* sont des passages.

PERTE (ou ENTROPIE)

Dans le passage de LD à LA, il y a perte (ou entropie) lorsqu'une partie du *message* ne peut plus être explicitée, faute de moyens structuraux, stylistiques ou métalinguistiques. La lacune est un cas particulier de l'entropie ; par exemple la traduction de l'anglais "she" se heurte à une lacune en hongrois, langue qui ne connaît pas la distinction des genres. Cette perte peut être alors compensée (cf. *compensation*).

PRÉSENTATION, TOUR DE

Procédé par lequel la langue introduit dans l'énoncé une idée, une chose, une personne. Ex. : "*Il y a* des gens *qui*...".

PROCÈS

Déroulement d'une action dans le temps. Les mots de procès sont essentiellement les verbes, mais aussi certains noms et adjectifs exprimant une action.

PROSODIE

Phénomène étalé sur plusieurs segments de l'énoncé. Par exemple, sur le plan phonologique, l'intonation de : "Ça va ?" ; sur le plan du lexique : "Il n'a guère de temps à vivre" ; sur le plan grammatical : "Les belles pêches que vous nous avez apportées" ; sur le plan stylistique, voir *modulation* et *compensation*.

RAPPEL, CHARNIÈRE DE

Segment de l'énoncé qui renvoie à des parties déjà connues du message.

RAPPROCHEMENT

Mise en présence de deux langues pour traduire l'une par l'autre, ou pour comparer leurs procédés stylistiques. Le présent manuel rapproche l'anglais et le français pour étudier leurs divergences. Les langues rapprochées sont : la langue de départ (LD) et la langue d'arrivée (LA).

RÉEL, PLAN DU — Voir *entendement*.

RETRADUCTION

Procédé de vérification qui part de LA pour retrouver LD. Pour que cette opération soit pleinement valable, il faut qu'elle donne lieu d'abord à une réinterprétation en LN du texte LA. On mesurera la fidélité d'une traduction et la rigueur avec laquelle elle a été conduite si l'analyse de LA permet de retrouver les UT de LN. Voir l'article suivant.

RÉVERSIBILITÉ PARTIELLE

Cas où LD dispose de deux ou plusieurs tournures là où LA n'en a qu'une pour dire la même chose, de sorte qu'en revenant à la LD pour effectuer une retraduction, on peut ne pas retomber sur les mêmes mots. Ces tournures étant a priori considérées comme équivalentes, le choix qui s'offre au traducteur est considéré comme une *marge* et non comme un facteur de *divergence*.

SERVITUDE

Cas où le choix, la forme et l'ordre des mots sont imposés par la langue. Ex. : le subjonctif en français après "avant que". En principe, la servitude ne relève de notre étude que dans la mesure où elle confirme certains principes qui lui sont sous-jacents. Ex. : "Il a *le* teint pâle" ; l'emploi de l'article défini est une servitude qui confirme la préférence du français pour le plan de l'entendement.

SIGNE

Au sens saussurien, l'union du *signifiant* et du *signifié*.

SIGNIFIANT

Représentation matérielle, par des sons ou par des lettres, du *signe*.

SIGNIFICATION

Relève de la *parole* et s'oppose au *signifié*, qui relève de la *langue*. La signification est identique au signifié en traduction littérale, elle s'en écarte en traduction oblique.

SIGNIFIÉ

Contenu conceptuel du *signe*.

SITUATION

La réalité, concrète ou abstraite, que décrit l'énoncé. Dans certains cas, c'est la situation qui dicte la traduction, en réponse à la question : « Que dit-on dans la langue d'arrivée en pareil cas ?» On obtient alors une *équivalence*. Ex. : "The story so far : Résumé des chapitres précédents".

SPÉCIALISATION FONCTIONNELLE

Caractère stylistique d'une langue dépendant, non du *niveau de langue*, mais du domaine particulier dans lequel le sujet parlant utilise la langue. Ex. : langues juridique, administrative, commerciale, scientifique.

STYLISTIQUE

Nous distinguerons avec Bally (*Le Langage et la vie*, 2ᵉ éd., p. 88) la *stylistique interne* qui étudie les moyens d'expression en opposant les éléments affectifs aux éléments intellectuels à l'intérieur d'une même langue, et la *stylistique externe* (ou comparée) qui observe les caractères d'une langue tels qu'ils apparaissent par comparaison avec une autre langue. Le présent ouvrage se place indifféremment aux deux points de vue et, à l'occasion, établit en outre des rapprochements entre les moyens d'expression des deux langues en présence.

STYLISTIQUE COMPARÉE

Voir *stylistique externe*, article précédent.

SUBJECTIVISME

Tendance d'une langue à faire intervenir un sujet pensant dans la représentation de la réalité. Ex. : "*On sentait* courir des fraîcheurs humides".

SURTRADUCTION

Vice de traduction qui consiste à voir deux *unités de traduction* là où il n'y en a qu'une. Ex. : "simple soldat" ne doit pas être traduit par "simple soldier", mais bien par "private" ; "aller chercher" n'est pas "to go and look for", mais "to fetch" (U.S. go and get).

SYNTAGME

Au sens saussurien, segment d'énoncé comprenant un ou plusieurs mots, et dont les éléments sont régis par un rapport de subordination ou de coordination.

TERMINAISON, CHARNIÈRE DE

Cas particulier de la *charnière de traitement* annonçant la fin d'une partie du message. Ex. : "enfin".

TONALITÉ

L'ensemble des procédés stylistiques exprimant l'attitude, le niveau de langue, la *spécialisation fonctionnelle*.

TRAITEMENT, CHARNIÈRE DE

Segment de l'énoncé qui annonce une partie à venir du message.

TRANSPOSITION

Procédé par lequel un *signifié* change de catégorie grammaticale. Ex. : "He *soon* realized : Il *ne tarda pas à* se rendre compte".

UNITÉ DE TRADUCTION

Le plus petit segment de l'énoncé dont la cohésion des signes est telle qu'ils ne doivent pas être traduits séparément: ex. : "prendre son élan", "de demain en huit", "battre à coups précipités". (Abréviation : UT).

Les UT permettent d'effectuer le *découpage* d'un texte (App. 2).

VALEUR

L'ensemble des significations que peut prendre un mot suivant les contextes où il est susceptible de figurer. S'oppose à *signification*.

VECTORIEL

Se dit d'un mot qui exprime une direction, que ce soit au propre (mouvement) ou au figuré (échange, rapport), par opposition aux mots *ambivalents* qui peuvent impliquer deux directions contraires. Ex. : "hôte" est ambivalent, mais "host" est vectoriel. "Pass" correspond à "croiser" et à "dépasser", qui sont l'un et l'autre vectoriels.

VIRTUEL

Se dit d'un mot qui n'est pas *actualisé* et qui fait partie d'un *syntagme*. Ex. : "un fils d'officier", "se lever de table". Dans "aller à l'église", "église" peut être virtuel (to go to church) ou actuel (to go to the church).

PRÉFACE

L'histoire commence sur l'autostrade de New-York à Montréal. Après la cohue des rues encaissées de Manhattan, c'est soudain le calme, la sobre ordonnance d'un long ruban double, dans un cadre de verdure qui vaut à cette artère son nom de Parkway. Là, point d'affiches insolentes, point de panneaux-réclames fulgurants qui troublent la vue et déposent insidieusement dans l'esprit des formules publicitaires. L'auto roule toute seule à un rythme constant, la pensée peut vagabonder librement dans la nature.

Pas tout à fait cependant. Il y a en effet, de loin en loin, des écriteaux qui ponctuent la route. On les lit distraitement d'abord, pour vérifier si nous sommes dans la bonne voie, — moins distraitement ensuite, car on ne saurait renier longtemps son métier : nous sommes deux linguistes sur la route de Montréal et c'est de linguistique que nous parlons : *Linguistics will out!* Les écriteaux se multiplient et concurremment une impression se précise en nous : ce n'est pas la nature qui nous rappelle que nous sommes en Amérique, en pays anglo-saxon : c'est la stylistique. Car tous ces écriteaux sont très clairs, certes, mais ce n'est pas ainsi qu'on les rédigerait en français.

A partir de cette constatation, qui n'est sans doute pas neuve, la vérification de l'hypothèse s'imposait aussitôt. Pendant que le conducteur dicte, son compagnon note au dos d'une enveloppe les principaux textes que prodigue aux usagers de la route une administration bienveillante :

KEEP TO THE RIGHT. NO PASSING. SLOW MEN AT WORK. STOP WHEN SCHOOL BUS STOPS. THICKLY SETTLED. STAY IN SINGLE FILE. SLIPPERY WHEN WET. TRUCKS ENTERING ON THE LEFT. CATTLE CROSSING. DUAL HIGHWAY ENDS.

N'est-on pas frappé, à première lecture, du caractère presque paternel et doucement autoritaire de ces injonctions pararoutières ? On nous conseille de rester dans la même file de voitures, on nous enjoint de stopper si l'autobus scolaire (le scolobus ?) s'arrête aussi, de ralentir parce que plusieurs de nos contemporains sont en train de travailler, de noter enfin que le double ruban, séparé par un petit trottoir de verdure, va cesser dans quelques tours de roues. Pour des Français, tout cela n'a guère de résonance officielle. C'est plutôt comme si nous venions d'avoir, avec l'administration des ponts et chaussée de l'Etat de New-York, une courtoise conversation muette, sur des petits billets que nous glisserait subrepticement chaque nouveau massif d'érables rouges ou d'épinettes. — Charmante administration en vérité, qui a l'aimable attention de nous prévenir, au seuil d'une échappatoire pleine de promesses : THIS SIGN LEGALLY CLOSES THIS ROAD!

Engageons-nous cependant, avec l'esprit de contradiction qui caractérise notre race, sur cette route, d'ailleurs charmante, quoique dépourvue d'existence juridique, et faisons le point. Voilà, n'est-il pas vrai, une remarquable leçon de stylistique anglaise recueillie au hasard de la route ? Ne trouve-t-on pas dans ces textes, à la fois familiers dans leur substance et déconcertants par leur style, une illustration vivante de l'emploi par l'anglais de verbes concrets, collant à des concepts particuliers, exprimant des actions qui se déroulent devant nos yeux et semblent n'avoir de valeur que pour la minute présente...?

Sans doute ; mais creusons davantage : aurions-nous vraiment remarqué le caractère concret et ponctuel de ces écriteaux si nous étions nés sur les bords du Hudson, au lieu d'y arriver avec un peu de la traditionnelle terre de France à la semelle de nos souliers : on peut sérieusement en douter ; nous réagissons devant SLOW MEN AT WORK — (il n'y avait d'ailleurs personne en vue ; avions nous vraiment raison de supposer une virgule après SLOW ?) — parce que nous sentons là une conception fondamentalement étrangère à la nôtre.

Or, cette impression étrangère n'est pas celle qui découle des mots, des graphies, ni même des sons qui composent ces textes officiels ; il s'agit plutôt du choix des termes, du déroulement syntaxique, peut-être simplement de la présence d'un temps alors qu'on en attendait un autre. Nous pouvons donc poser que, s'il y a effet de surprise, c'est qu'en français la démarche intellectuelle présidant à la rédaction d'écriteaux semblables eût été très différente. Il faut en effet rappeler que les structures de l'anglais et du français ne sont point si dissemblables ; en raison même de la parenté qui unit les deux idiomes, et de leur longue coexistence en territoire anglais, les mots anglais ne sont pas faits pour nous surprendre. "Road", c'est notre route ; "superhighway", notre autoroute ; "trucks", ce sont des camions. Un angliciste pourra évidemment noter la présence de "trucks" (US) au lieu de "lorries" (Br.), mais ceci est une autre histoire. Par ailleurs, il ne peut s'agir de surprise sur le plan technique, car l'autoroute de l'Ouest (France) ressemble à s'y méprendre à ce Hudson Parkway (N. Y.) et comporte une signalisation en tous points comparables, réclamée par des contingences également comparables ; à Versailles comme à White Plains, la route traverse des agglomérations où les enfants doivent aller à l'école. Le motif qui pousse l'administration américaine à écrire SLOW CHILDREN ne doit donc pas nous surprendre, et de ce fait ce texte n'a jamais dû surprendre un anglophone, surtout s'il est monolingue. Mais il attire immédiatement notre attention, parce que notre démarche sémiologique nous aurait poussé à dire en français "Attention aux enfants" ou mieux encore à utiliser un panneau de signalisation représentant deux enfants marchant côte à côte, ce qui est la même chose, dit d'une toute autre manière.

Mais nous voici de nouveau en chemin : et c'est bientôt la frontière canadienne, où l'idiome de nos pères frappe agréablement nos oreilles. Une pause rapide à la douane et nous repartons. L'autoroute canadienne est bâtie sur le même principe que celle que nous venons de quitter, à cela près que la signalisation est bilingue. Après SLOW, tracé en énormes lettres blanches sur la chaussée, vient LENTEMENT, qui prend toute la largeur de la route. Quel adverbe encombrant ! Il est vraiment dommage que le français n'ait pas pratiqué d'hypostase sur l'adjectif LENT... Mais au fait, LENTEMENT est-il vraiment l'équivalent de SLOW ? Nous commencions à en douter, comme on doute toujours dès que l'on manie deux langues l'une après l'autre, lorsque notre SLIPPERY WHEN WET reparut au tournant de la route, suivi cette fois d'un écriteau français GLISSANT SI HUMIDE. Woâ ! comme dirait Séraphin, arrêtons-nous ici sur cette *soft shoulder* qu'heureusement aucune traduction ne déflore, et méditons sur ce "si", plus glissant à lui seul qu'un arpent de verglas. Il est bien évident que jamais un Français monolingue n'eût composé spontanément cette phrase, de même qu'il n'eût point barré la route avec un adverbe en -MENT. Nous touchons ici à un point névralgique, à une sorte de plaque tournante entre deux langues ; au lieu de LENTEMENT, il fallait mettre RALENTIR, parbleu !, et quant à notre route si humide, il n'y avait qu'à dire, pour respecter le génie de la langue...

Qu'eût-il fallu dire au juste ? La phrase, en vérité, ne nous venait pas spontanément à l'esprit. De toute évidence, nous nous trouvions devant une deuxième sorte de stylistique, reposant non plus sur une seule langue, mais sur deux à la fois. La réponse à notre problème suppose donc une étude comparative, une stylistique comparée. Le traducteur, lui, n'avait fait que de la traduction. Et nous-mêmes, imprégnés que nous étions de cette viscosité adjectivale et conditionnelle, nous hésitions avant de le corriger. C'est qu'en effet, pour faire une comparaison, il faut avoir deux objets à comparer, et nous n'en avions qu'un, le texte anglais, dont le caractère concret nous dominait totalement. Pour comparer il nous aurait fallu un texte français équivalent (il nous faudra aussi définir ce terme), qui ne soit pas influencé par une autre démarche sémiologique, un texte sorti spontanément d'un cerveau monolingue, en réponse à une situation en tous points comparable.

Notre hésitation était d'ailleurs amplement justifiée ; nous avancions sur une piste inhabituelle, à mi-chemin entre deux langues dont nous connaissions en principe les caractéristiques propres ; et pourtant, nous hésitions avant d'effectuer le passage de l'énoncé d'une langue à l'autre. Nos doutes portaient sur deux points : (a) le choix d'un texte français ne devant rien au texte anglais mais recouvrant la même réalité, (b) les raisons qui nous poussent à choisir telle traduction plutôt que telle autre.

D'où la conclusion, que l'on entrevoit déjà : le passage d'une langue A à une langue B, pour exprimer une même réalité X, passage que l'on dénomme habituellement traduction, relève d'une discipline particulière, de nature comparative, dont le but est d'en expliquer le mécanisme et d'en faciliter la réalisation par la mise en relief de lois valables pour les deux langues considérées. Nous ramenons ainsi la traduction à un cas particulier, à une application pratique de la stylistique comparée.

On peut envisager dès maintenant ce que doit être cette discipline: très vaste, de toute évidence, puisqu'elle s'appuie en premier lieu sur la connaissance de deux structures linguistiques : deux lexiques, deux morphologies ; mais aussi (peut-être surtout) parce qu'elle s'appuie sur deux conceptions particulières de la vie qui informent ces langues ou en découlent par voie de conséquence : deux cultures, deux littératures, deux histoires et deux géographies, bref — pour reprendre un terme que nous avons utilisé tout à l'heure un peu à la légère, deux génies différents.

Très vaste donc, mais cependant organique, reposant sur des constantes déjà dégagées par les linguistes pour chaque langue séparément et qui maintenant s'affrontent au cours du processus de la traduction. Cette dernière ne serait donc pas uniquement un art, résultat d'une inspiration qui permettrait seule de reconnaître la présence d'un équivalent véritable. Il y aurait, par delà la perception artistique de l'équivalence dont parle si éloquemment saint Jérôme et après lui Valery Larbaud — un ensemble de lois qui président au miracle d'une parfaite traduction. On peut entrevoir ainsi le visage de la stylistique comparée.

Une remarque s'impose tout de suite. De même que Bally fait justement remarquer que la stylistique ne peut se concevoir que sur le plan de la synchronie, de même la stylistique comparée ne devra pas mélanger les époques, mais opérer sur deux états de langues contemporains — ce qui explique que chaque époque ait toujours ressenti le besoin de refaire les traductions des époques précédentes. Il n'est pas certain a priori que les lois — s'il en est — qui se dégageront de la confrontation de l'anglais du xxᵉ siècle et du français du xxᵉ siècle, soient les mêmes que celles qui jailliraient du rapprochement de la langue de Chaucer et de notre français actuel.

Une deuxième remarque se présente alors : la traduction est indissociable de la stylistique comparée, puisque toute comparaison doit se baser sur des données équivalentes. Mais la reconnaissance de ces équivalences est un problème de traduction au premier chef. Les démarches du traducteur et du stylisticien comparatif sont intimement liées, bien que de sens contraire. La stylistique comparée part de la traduction pour dégager ses lois ; le traducteur utilise les lois de la stylistique comparée pour bâtir sa traduction. C'est pourquoi, devant la nécessité de traduire SLIPPERY WHEN WET, nous avons décidé d'écrire, non pas une simple lettre au traducteur, mais tout un manuel possédant, tel Janus Bifrons, le double caractère d'un ouvrage de stylistique comparée et d'un précis de traduction.

* * *

Qu'on ne cherche pas cependant dans les pages qui vont suivre un livre de recettes qui, convenablement appliquées, doivent aboutir infailliblement à un chef-d'œuvre de traduction. De même que chaque stylistique n'est pas entièrement explicable par une analyse fonctionnelle ou psychologique, de même certaines traductions relèvent plus de la création artistique que des méthodes strictes proposées par les linguistes. Et c'est fort heureux ainsi, car l'art est un choix, qui repose sur une certaine liberté.

Il y a cependant de nombreux cas où le passage de la langue A à la langue B est une porte étroite, qui n'admet qu'une solution. C'est alors qu'éclatent les divergences profondes entre les « génies » linguistiques qui se battent autour de notre pauvre écriteau (car nous ne l'oublions pas), planté là, frissonnant, sur le bord de la route. Et pour ces cas précis, il faudra que nous essayions de dégager la motivation profonde qui a poussé l'auteur du texte A, pour la transposer dans la langue du texte B. En d'autres termes, il nous faudra passer par-dessus les signes pour retrouver des situations identiques. Car de cette situation doit naître un nouvel ensemble de signes qui sera, par définition, l'équivalent idéal, l'équivalent unique des premiers. Ce que l'on pourrait schématiser comme suit :

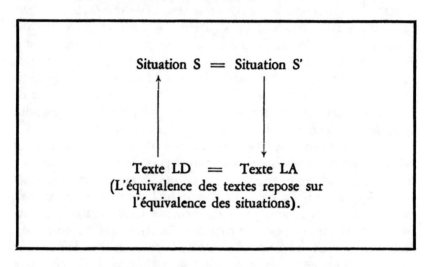

Situation S = Situation S'

Texte LD = Texte LA
(L'équivalence des textes repose sur l'équivalence des situations).

Et l'histoire finit en France, comme il se devait, sur l'auto.route de l'Ouest. Nous avons fait 5.000 kilomètres, soit 3.000 milles, pour vérifier notre hypothèse et retrouver la situation à l'état pur, en quelque sorte. Le voyage en valait bien la peine ! Nous quittons donc le Havre, Rouen, et les méandres de la Seine pour emprunter ce double ruban sobrement encadré d'une verdure séculaire. Là, point d'affiches insolentes, point de panneaux-réclames : l'auto roule toute seule à son rythme constant. Et voilà que défilent, sous nos yeux ravis, les traductions désirées :

DOUBLER A GAUCHE. PRIORITÉ A DROITE. DÉFENSE DE DOUBLER. RALENTIR TRAVAUX. RALENTIR ÉCOLE. ZONE URBAINE. CHAUSSÉE GLISSANTE SUR 3 KILOMÈTRES. ATTENTION CAMIONS. PASSAGE DE TROUPEAUX, FIN DE LA DOUBLE PISTE.

Et c'est déjà le tunnel de St-Cloud, c'est la Seine et le Bois de Boulogne. C'est Paris.

Montréal - Brunswick - Paris
Juillet 1954

INTRODUCTION

I — ARGUMENT

§ 1. On lit trop souvent, même sous la plume de traducteurs avertis, que la traduction est un art. Cette formule, pour contenir une part de vérité, tend néanmoins à limiter arbitrairement la nature de notre objet. En fait la traduction est une discipline exacte, possédant ses techniques et ses problèmes particuliers, et c'est ainsi que nous voulons l'envisager dans les pages qui vont suivre. Ce serait, croyons-nous, faire un grand tort à la traduction que de la classer sans examen parmi les arts — un huitième art en quelque sorte. Ce faisant, on lui refuse une de ses qualités intrinsèques, son inscription normale dans le cadre de la linguistique ; on écarte d'elle les techniques d'analyse actuellement à l'honneur en phonologie et morphologie, et que des précurseurs tels que Bally appliquaient déjà il y a cinquante ans dans le domaine de la stylistique.

Certes, si l'on a pu dire que traduire est un art, c'est parce qu'il est possible de comparer plusieurs traductions d'un même original, d'en rejeter certaines comme mauvaises, d'en louer d'autres pour leur fidélité et leur mouvement. Il y aurait donc pour un texte donné non pas une traduction unique, mais un choix devant lequel le traducteur a hésité avant de proposer sa solution. Et s'il y a eu choix, il y a eu par là même démarche artistique, l'art étant essentiellement un libre choix.

Mais on peut prendre le problème par l'autre bout et dire que s'il n'y a pas de traduction unique d'un passage donné, cette non-univocité[1] de la traduction ne provient pas d'un caractère inhérent

---

1). Les termes techniques de cet ouvrage sont définis au cours de la démonstration ; ils le sont également au glossaire placé en *tête* du volume pour la commodité des lecteurs, qui voudront bien s'y reporter le cas échéant.

à notre discipline, mais plutôt d'une exploration incomplète de la réalité. Il est permis de supposer que si nous connaissions mieux les méthodes qui gouvernent le passage d'une langue à l'autre, nous arriverions dans un nombre toujours plus grand de cas à des solutions uniques. Si nous possédions un critère quantitatif pour rendre compte de l'exploration du texte, nous pourrions même exprimer par un pourcentage le nombre de cas qui échapperaient encore à l'univocité.

Au lieu de constater la difficulté de manière désinvolte en parlant de "trahison" et en rejetant ainsi la traduction du domaine des sciences humaines [2], il nous a paru préférable de poser le principe de l'exploration méthodique du texte à traduire et de la traduction proposée. Après quoi, il nous sera loisible de montrer pourquoi l'utilisation des techniques est, de plein droit, un art apparenté à l'art de la composition qui préside à la rédaction du texte original. En d'autres termes la traduction devient un art une fois qu'on en a assimilé les techniques. Il suffit d'avoir eu à corriger des copies de version lors d'un concours de traducteurs pour savoir qu'en général le succès récompense surtout ceux qui ont du métier, et que ce métier leur a été enseigné par des anciens formés par l'expérience d'une profession souvent ingrate, et qui savent qu'il ne suffit pas d'être bilingue pour s'improviser traducteur.

§ 2. La méthode que nous proposons ne s'applique d'ailleurs pas uniquement aux travaux de professionnels, mais aux différents domaines de la traduction. On peut en distinguer au moins trois : le domaine scolaire et le domaine professionnel, déjà reconnus, auxquels nous ajouterons celui de la recherche linguistique.

La traduction scolaire peut être soit un procédé d'acquisition (aujourd'hui condamné) soit un procédé de vérification. Il permet alors de s'assurer si les élèves ont assimilé les mots et les tours de la langue étrangère (thème) ou s'ils sont capables de saisir et de rendre le sens et les nuances d'un texte étranger (version).

En dehors de l'école, la traduction a pour but de faire connaître à d'autres ce qui a été dit ou écrit dans la langue étrangère. Celui qui traduit ne traduit pas alors pour comprendre mais pour faire comprendre. Il a compris avant de traduire.

2). Il ne faut pas oublier que la linguistique est sans doute la plus exacte des sciences de l'homme, celle du moins qui a le plus d'avance sur les autres, par un concours de circonstances qui ne saurait être fortuit. Cf. Trager et Smith : "It is probably true that in linguistics, because of the extremely formal and handable nature of the data, the greatest progress in organization on the proper levels has been made." *Outline of English Structure* (1951), p. 81.

On peut considérer un troisième rôle de la traduction. La compa-raison de deux langues, si elle est pratiquée avec réflexion, permet de mieux faire ressortir les caractères et le comportement de chacune. Ici, ce qui compte, ce n'est pas le sens de l'énoncé, mais la façon dont procède une langue pour rendre ce sens. Dans quelle mesure, par exemple, révèle-t-elle la situation sous-jacente de l'énoncé ? Une simple phrase telle que "He went north to Berlin", recueillie dans un roman, ne peut guère se traduire littéralement en français. On peut le regretter, mais il vaut mieux se rendre compte, à la réflexion, que le français n'éprouve pas le besoin de donner la précision qu'exprime "north". Intuitif dans le concret, il laisse au lecteur plus de liberté pour reconstituer la réalité. Étant donné son point de départ, par exemple Munich ou Vienne, le voyageur en question ne pouvait gagner Berlin qu'en allant vers le nord. Il en est de même de "up in your room" que nous rendons simplement par "dans votre chambre". C'est là une question de gains et de pertes (151). Ce n'est pas la seule qui se trouvera ainsi élucidée. La comparaison du français et de l'anglais que nous venons de faire nous a permis de dégager du français, et par voie de contraste, de l'anglais, des caractères qui resteraient invisibles au linguiste travaillant sur une seule langue. Il semble donc que la traduction, non pour comprendre ni pour faire comprendre, mais pour observer le fonctionnement d'une langue par rapport à une autre, soit un procédé d'investigation. Elle permet d'éclaircir certains phénomènes qui sans elle resteraient ignorés. A ce titre elle est une discipline auxiliaire de la linguistique.

§ 3. Il est à souhaiter que la traduction ainsi pratiquée inspire également les travaux scolaires et la formation des traducteurs profes-sionnels. Mais dans la mesure où elle intervient dans l'enseignement des langues, il importe de bien délimiter sa place par rapport aux études de grammaire et de vocabulaire.

Si la traduction est avant tout une discipline comparée, il s'ensuit qu'elle suppose connus les objets qu'elle rapproche, à savoir les deux langues en présence. Il ne peut être question à l'école de connais-sances étendues, mais on s'est rendu compte, il y a déjà longtemps, que le thème et la version ne sont profitables que si on les pratique à l'intérieur d'un domaine préalablement exploré par d'autres procé-dés. Quant au traducteur de profession, il doit connaître toutes les nuances de la langue étrangère et posséder toutes les ressources de sa langue maternelle. Autant dire que la grammaire et le vocabulaire ne doivent avoir aucun secret pour lui. Le présent ouvrage s'adresse à ceux qui possèdent une bonne connaissance de la langue étrangère courante, que ce soit le français ou l'anglais. Son but n'est pas d'exposer des faits de grammaire ou de vocabulaire, mais d'examiner comment fonctionnent les pièces du système pour rendre l'idée exprimée dans l'autre langue. Des faits de langue ainsi examinés se dégagera une théorie de la traduction reposant à la fois sur la structure linguistique et sur la psychologie des sujets parlants [3].

Notre étude restera donc en marge de la grammaire et du lexique, mais elle y puisera néanmoins sa substance. Elle permettra aussi de faire la synthèse de notions qui restent souvent disparates. Elle offrira aux traducteurs de métier des points de repère précieux dans le classement des notions déjà acquises et des faits nouveaux.

§ 4. Pour arriver à ce résultat nous devrons :

a) essayer de reconnaître les voies que suit l'esprit, consciemment ou inconsciemment, quand il passe d'une langue à l'autre, et en dresser la carte. S'il y a toujours des moments où il est préférable de prendre à travers champs, il n'en reste pas moins vrai qu'un réseau de routes soigneusement tracées facilitera le transit de la pensée entre les deux langues.

b) étudier sur des exemples aussi précis et aussi probants que possible les mécanismes de la traduction, en dériver des procédés, et par delà les procédés retrouver les attitudes mentales, sociales, culturelles qui les informent.

Il n'est pas question de donner une collection de recettes dont l'application automatique aboutirait à une mécanisation de la traduction [4]. Comme il a été dit précédemment, nous ne croyons pas aux solutions uniques. Mais nous sommes persuadés qu'une confrontation

---

3). Cf. la remarque de J. Bélanger, dans son compte rendu du livre de H. Godin, *Les Ressources stylistiques du français contemporain* : "lorsqu'ils traduisent [les anglicistes] font plus ou moins consciemment de la stylistique comparée du français et de l'anglais. Les registres d'expression des deux langues coïncident exactement sur peu de points, en dépit des apparences." *Les Langues modernes* 44.5 (1950) p. 348.
Pour ce qui est de la préparation grammaticale et lexicologique du traducteur nous renvoyons à une bibliographie sommaire p. 318.

4). Par mécanisation de la traduction, nous voulons parler d'un automatisme des réflexes du traducteur qui le dispenserait de penser à la valeur totale de son texte ; nous ne faisons pas allusion ici aux efforts des cybernéticiens pour élaborer des machines à traduction, point sur lequel nous reviendrons (35, 151). Cependant, l'intérêt d'une certaine mécanisation n'est pas négligeable, et ne doit pas échapper au traducteur. Il nous est parfois arrivé de nous trouver devant un texte difficile, alors que la journée avait été longue et fatigante. Une application "mécanique" des techniques de la traduction permettait alors d'arriver sans difficulté à un premier jet correct, qu'il suffisait ensuite de relire pour corriger les raideurs inévitables du procédé.

des deux stylistiques, la française et l'anglaise, permet de dégager les lignes générales et même dans certains cas des lignes précises. Cette confrontation et la création de catégories de la traduction à laquelle nous sommes amenés, ne sont pas de purs jeux d'esprit. Il s'agit de faciliter au traducteur l'identification de difficultés auxquelles il se heurte et de lui permettre de les placer dans les catégories ad hoc, à côté de celles pour lesquelles une solution a déjà été proposée. Nous pensons par exemple que celui qui a traduit "École maternelle" par "Motherly School" aurait évité cette faute s'il avait su que "motherly" est un mot purement affectif, alors que "maternelle" peut être à la fois intellectuel et affectif. On verra plus loin que l'opposition des caractères intellectuels et affectifs permet de serrer de plus près les différences entre les faux amis.

§ 5. Écrivant en français pour des lecteurs en majorité francophones, nous serons naturellement portés à partir de l'anglais pour aboutir au français. Mais nous estimons cependant que la comparaison des deux langues doit se faire dans les deux sens. C'est pourquoi les expressions dont nous nous servirons : LD, **langue de départ** et LA, **langue d'arrivée**, s'appliqueront indifféremment à l'anglais et au français. C'est dire que nous ferons à la fois du thème et de la version, et les spécialistes de français dont l'anglais est la langue maternelle devraient pouvoir utiliser le présent ouvrage.

§ 6. Notre étude comprend trois parties qui correspondent à trois aspects de la langue : le **lexique**, l'**agencement** et le **message**. Dans l'Appendice on trouvera quelques textes permettant d'appliquer la méthode que nous proposons.

Avant de reconnaître les cheminements qui permettent de passer d'une langue à l'autre, il convient de proposer et de définir certaines notions dont nous aurons besoin au cours de notre étude.

II — NOTIONS DE BASE

§ 7. Le **signe linguistique** :

Un énoncé se compose de **signes**. Les signes relèvent du vocabulaire, de la grammaire, de l'intonation, etc. Ils donnent à l'énoncé un **sens global** que nous appelons le **message** et qui est la raison d'être de l'énoncé. A côté des signes il faut distinguer les **indices**. Le signe est employé à dessein par celui qui parle. L'indice est au contraire la révélation involontaire de sa condition sociale, de son caractère et de son humeur du moment. Celui qui lit ou écoute, s'il est observateur, remarquera les indices en même temps qu'il enregistrera les signes. De même qu'une bonne explication de texte doit dégager les indices aussi bien que les signes, la traduction doit tenir compte des uns et des autres. L'étude des indices fait partie de la **documentation**. (App. 1).

L'énoncé correspond à une ou à plusieurs situations. La **situation** est la réalité que les mots évoquent. On sait qu'il est dangereux de traduire sans tenir compte du contexte. Allant plus loin, nous dirons que le contexte ne prend tout son sens que lorsqu'on reconstruit mentalement la situation qu'il décrit. C'est là surtout une question de **métalinguistique** (246 sq.).

La notion de signe n'est pas simple. Selon la définition de F. de Saussure le signe est l'union indissoluble d'un concept et de sa forme linguistique, écrite ou parlée. La partie conceptuelle du signe s'appelle le **signifié**, et la partie linguistique, le **signifiant**. Quand, pour un contexte donné, un mot a un équivalent exact dans une autre langue, il n'y a, pratiquement, qu'un signifié pour deux signifiants. Ex. : "knife" et "couteau" dans le contexte "couteau de table : table knife". Mais les signifiés de deux signifiants jugés interchangeables peuvent ne pas coïncider entièrement. C'est le cas de "bread" et de "pain". Le pain anglais n'a ni le même aspect ni la même importance alimentaire que le pain français.

Le traducteur doit s'occuper du côté purement formel des signes, savoir, par exemple, la différence entre "booksellers" et "bookseller's", "it please" et "it pleases", "j'en doute" et "je m'en doute", et nous répétons que ces connaissances préalables sont sous-entendues au cours de la présente discussion. Il doit s'occuper aussi et surtout de leur aspect conceptuel, de leur signification, qui l'oriente, comme nous l'avons vu, vers une situation donnée. Le signe linguistique est donc une entité psychique à deux faces qui peut être représentée, comme dans le *Cours de linguistique générale,* par la figure suivante :

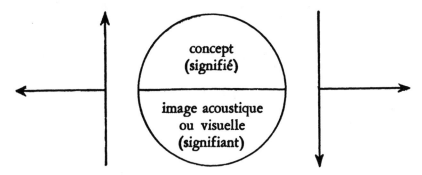

Les deux flèches verticales en sens inverse expriment l'interaction des deux moitiés du signe dans le continuum langue-pensée, qui constitue le message et que nous ne pouvons subdiviser en tranches que par une opération analytique difficile et arbitraire. Cette interaction est précisément le domaine par excellence du traducteur et elle s'opère non seulement sur le plan vertical, à l'intérieur du signe, pourrait-on dire, mais également de signe à signe, sur le plan horizontal, dans le déroulement du message, de telle sorte que la totalité du message est plus grande que la simple somme des signes qui le composent. C'est pour marquer ce deuxième plan de l'interaction que nous nous sommes permis d'ajouter les deux flèches horizontales aux flèches verticales de F. de Saussure, car en tant que traducteurs nous nous occupons surtout de message, et ce n'est que pour des raisons pratiques et pédagogiques que nous étudierons les signes séparés de ces messages.

§ 8. Le signifiant ne définit qu'exceptionnellement le signifié dans sa totalité. Le plus souvent il ne note qu'un aspect du signifié. Ce fait a été mis en lumière par Darmesteter dans son petit livre sur *La Vie des mots* (Delagrave, 1895) : « Le nom n'a pas pour fonction de définir la chose, mais seulement d'en éveiller l'image. Et, à cet effet, le moindre signe, le plus imparfait, le plus incomplet suffit, du moment qu'il est établi, entre les gens parlant la même langue, qu'un rapport existe entre le signe et la chose signifiée » (p. 43). Il en résulte que si les synonymes ont par définition des signifiés presque identiques, leurs signifiants évoquent des aspects différents. C'est ainsi que pour reprendre un exemple de Darmesteter, "vaisseau" met l'accent sur la forme, "bâtiment" sur la construction, et "navire" sur la flottabilité. Du moins il en a été ainsi à l'origine. Depuis, les sujets parlants, qui n'ont pas de raison de penser historiquement, ne ramènent pas les mots à leur aspect initial. L'oubli de cet aspect est normal, inévitable, et même nécessaire pour que le mot s'identifie avec la totalité de la chose qu'il représente.

Ce qui est vrai à l'intérieur d'une même langue l'est aussi d'un dialecte à l'autre.

Ex. : "Keyless watch" (Br.) : "stem winder" (U.S.)

Ces mots désignent le même objet, mais l'un le caractérise positivement et l'autre négativement.

Dans ces conditions, il serait surprenant que d'une langue à l'autre les mots évoquent invariablement les mêmes facettes des choses qu'ils désignent.

Ex. : "armored car" (U.S.) : "fourgon bancaire".

Le terme français désigne l'usage de ce véhicule et le mot américain, son aspect⁵. De même :

"équipe de dépannage : wrecking crew"

Notre théorie de la **modulation** repose sur cette constatation (37).

§ 9. **Signification et valeur :**

Nous retrouvons ici une autre distinction faite par Saussure à propos des signes. La **signification** est le sens d'un signe dans un contexte donné. La **valeur** est ce qui oppose un signe à d'autres, non pas dans un énoncé mais dans la langue. L'exemple que donne Saussure est celui de "mouton". Ce signe a le même signifié que "sheep" dans des contextes tels que "Le berger garde ses moutons", mais il n'a pas la même valeur puisqu'il peut désigner la viande de mouton (mutton) et, ce que Saussure n'avait pas prévu, la laine comme garniture de vêtement (en anglais "mouton") (*CLG*, p. 160).

§ 10. **Langue et parole :**

Cette opposition est également saussurienne (*CLG*, p. 30-31). La langue, ce sont les mots et les constructions à la disposition du sujet parlant, mais en dehors de l'usage qu'il en fait. Dès qu'il parle ou qu'il écrit, ses mots et ses tours relèvent de la parole. La distinction est importante, car il y a toujours une légère déformation de

---

5). Il n'est d'ailleurs pas sûr que la construction d'un fourgon bancaire français justifie l'épithète de "armored". Il y aurait dans ce cas un fait de métalinguistique.

la langue dans la parole. La langue évolue par la parole. La parole a précédé la langue et certaines des réalisations de la parole continuent à passer dans la langue. La langue correspond aux notions traditionnelles de lexique et de grammaire, la parole réside dans les faits de style — écrit ou parlé — qui caractérise tout énoncé. Le message relève surtout de la parole. Le rédacteur d'un message utilise les ressources de la langue pour dire quelque chose de personnel et d'imprévisible qui est un fait de parole. On voit tout de suite que nombre des difficultés de traduction tiennent plus à la parole qu'à la langue. Par ailleurs, la valeur relève de la langue, et la signification, de la parole.

§ 11. **Servitude et option.**

Dans la mesure où la langue nous est donnée, elle est un ensemble de **servitudes** auxquelles nous sommes contraints de nous soumettre. Par exemple, le genre des mots, la conjugaison des verbes, l'accord des mots entre eux. Dans ces limites il est possible de choisir entre les ressources existantes, et c'est cette liberté qui crée la parole. C'est un fait de langue que l'existence de l'imparfait du subjonctif. Ce n'est plus aujourd'hui une servitude et son emploi, devenu facultatif, représente donc une **option**. C'est d'ailleurs l'indice d'une certaine recherche, d'un souci de correction qui paraîtra désuet à certains.

Le traducteur devra donc distinguer entre ce qui est imposé au rédacteur et ce que celui-ci a utilisé librement. Sur les trois plans où va s'exercer notre analyse, le lexique, l'agencement et le message, la distinction entre servitude et option reste valable. En LD ce sont surtout les options qui doivent retenir l'attention. En LA le traducteur devra compter avec les servitudes qui entravent sa liberté d'expression et il devra aussi savoir choisir entre les options qui s'offrent à lui pour rendre les nuances du message.

§ 12. **Surtraduction :**

Le fait de traiter une servitude comme une option aboutit souvent à une **surtraduction**. Si par exemple nous traduisons "aller chercher" par "to go and look for" au lieu de "to fetch", nous agissons comme si "aller chercher" était la rencontre fortuite de deux mots autonomes, alors qu'il s'agit d'une expression consacrée par l'usage et représentant une servitude. Le français est en effet obligé d'employer deux mots pour rendre ce que l'anglais exprime aussi bien par un seul. C'est ce que n'a pas vu l'auteur d'un livre sur la Résistance dans le passage suivant qui utilise, après traduction, des informations de source française.

"The striking miners were given food by the occupation authorities, but they were not won over. It went so far that the families of the strikers were compelled to go to the City Hall to look for the soup which their men had refused." (H.L. Brooks, *Prisoners of Hope*, New York, 1942).

"Look for" est ici une surtraduction. Il aurait fallu dire : "to get the soup" ou "for the soup", ou mieux encore "for the food".

On voit que la surtraduction consiste essentiellement à voir deux unités là où il n'y en a qu'une (17-26).

§ 13. Langue et stylistique.

Le traducteur, avons-nous dit, doit se préoccuper davantage des faits d'option que des faits de servitude. On peut dire que la grammaire est le domaine des servitudes, tandis que les options constituent en grande partie celui de la stylistique, ou tout au moins d'une certaine stylistique, celle que Bally a étudiée dans son *Traité de stylistique française*. En fait, du point de vue où nous nous plaçons et comme le fait Bally lui-même[6], on peut considérer deux sortes de stylistiques. L'une cherche à dégager les moyens d'expression d'une langue donnée en opposant les éléments affectifs aux éléments intellectuels. C'est la **stylistique interne**. L'autre s'attache à reconnaître les démarches des deux langues en les opposant l'une à l'autre. Nous l'appellerons la stylistique comparative externe, ou **stylistique comparée**. Par exemple, la prédominance du verbe pronominal en français n'est apparente que pour celui qui compare le français à l'anglais. Elle permet de dégager, par voie de contraste, la préférence de l'anglais pour la voix passive. Par contre, l'étude des mots péjoratifs peut se faire à l'intérieur d'une langue donnée et sans comparaison avec une autre langue. Si le traducteur travaille surtout dans le domaine de la stylistique externe, il ne saurait ignorer les constatations de la stylistique interne. Bally, qui s'est surtout consacré à celle-ci, n'en a pas moins compris l'importance du point de vue comparatif. Il s'en est inspiré dans sa *Linguistique générale et linguistique française,* et A. Malblanc en a poursuivi l'application dans son étude sur la stylistique comparée du français et de l'allemand .

6) Cf. *Le Langage et la vie,* 2e éd., p. 80. Voir aussi Bally, *TSF,* p. 1-30 ; et Malblanc, à l'ouvrage ci-dessous, § 5-7.
7) *Pour une stylistique comparée du français et de l'allemand,* Paris, Didier, 1944. M. Malblanc a depuis publié sa *Stylistique comparée du français et de l'allemand* (Paris, Didier, 2e éd., 1963) qui s'inspire des normes du présent ouvrage.

Reprenant maintenant notre distinction entre servitude et option, nous dirons que, si les options dominent dans la stylistique interne, qui étudie surtout les faits d'expression, la stylistique externe traite à la fois de servitude et d'option. Beaucoup de démarches caractéristiques d'une langue sont des servitudes. Par exemple, l'**étoffement** des prépositions françaises (91) tient à une servitude du français qui limite l'autonomie des prépositions.

§ 14. Les niveaux de langue.

Dans toute la mesure du possible, le traducteur doit garder la **tonalité** du texte qu'il traduit. Pour ce faire, il doit dégager les éléments qui constituent cette tonalité par rapport à tout un ensemble de caractères stylistiques que nous appelons les **niveaux de langue**. Il est facile de distinguer des tonalités différentes suivant que le texte appartient à la langue parlée, à la langue écrite, à une langue technique, etc. Il est plus difficile, par contre, d'établir une structure de la tonalité [8].

Nous adopterons ici en grande partie la terminologie saussurienne telle que Bally l'a précisée dans son *Traité de stylistique française*, mais en faisant deux distinctions nouvelles : l'une entre le **bon usage** et la **langue vulgaire**, l'autre entre les préoccupations **esthétiques** et les préoccupations **fonctionnelles**, donc utilitaires.

Le système des tonalités est un système d'oppositions. Tel terme est administratif parce qu'une association mémorielle permet de l'opposer à un terme usuel désignant la même chose: ex. "décès/mort"; il suppose donc une option et par conséquent l'existence de variantes stylistiques.

Outre l'opposition des mots entre eux sur le plan de l'effet produit, on peut en établir une autre par rapport aux mots usuels qui, de ce fait, sont dépourvus de tonalité et constituent ce que nous appelons la **langue commune**, qui comme son nom l'indique, participe à toutes les catégories horizontales et verticales indiquées dans le schéma ci-après. La distinction entre bon usage et langue vulgaire peut varier suivant les époques ou les circonstances, mais on ne saurait nier cependant que même à une époque de relâchement linguistique

---

8). La tonalité n'est pas tout entière fonction du niveau, mais elle y puise une bonne part de ses effets stylistiques. Le niveau peut être apprécié indépendamment du message, bien qu'il s'exprime en fait par des signes concrets: mots spéciaux, syntaxe particulière, ordre des mots, etc. Il pourra, lors des opérations de découpage, être porté en marge du texte, un peu comme on inscrit la tessiture d'un morceau de musique à la clef.

comme la nôtre, une personne instruite hésitera à dire : "Je vous cause". Cette expression donne à un texte une certaine tonalité que le traducteur devra s'efforcer de rendre, ne serait-ce que par **compensation**, par exemple, en employant "me" pour "I", ou "It don't matter". Le fait que l'exemple : "Je m'en rappelle" est devenu moins concluant à cet égard témoigne des fluctuations de ces lignes de démarcation, mais n'infirme en rien leur existence.

Notre deuxième distinction reconnaît des préoccupations esthétiques par rapport à celles qui ne sont qu'utilitaires. A partir de la **langue familière**, qui est à la limite inférieure du bon usage, on peut affiner l'expression en s'élevant successivement au niveau des **langues écrite, littéraire, poétique.** En sens inverse, on descend au niveau de la **langue populaire** et de **l'argot.** Parallèlement à cet axe vertical, il y a un axe horizontal qui, à cet étage de la langue écrite, englobe les différentes **spécialisations fonctionnelles,** c'est-à-dire celles où la langue fonctionne au profit d'une spécialisation technique. Ces spécialisations obéissent à des nécessités pratiques et non à une intention esthétique : c'est là ce qui distingue essentiellement les deux axes.

Remarque : En regard de la langue familière et de l'argot, nous plaçons les **jargons**, langues à la fois familières et techniques, comme par exemple ceux des Grandes Ecoles ou de certains métiers. Nous retenons la distinction que fait Bally (*TSF* § 240), à savoir que les jargons diffèrent de l'argot en ce qu'ils ne sont compréhensibles qu'aux seuls initiés. Evidemment ils communiquent largement avec l'argot, mais restent liés à des activités particulières.

Les niveaux de langue

		tonalité esthétique	spécialisations fonctionnelles.			
Bon usage	Langue commune	langue poétique				
		langue littéraire				
		langue écrite	adminis-trative	juridique	scienti-fique	etc.
		langue familière				
Langue vulgaire		langue populaire	les jargons			
		argot				

§ 15. Si, par exemple, nous devons traduire le message : "Hello, John! How are you today?" il nous faut savoir à quel niveau il se situe. Nous saurons alors comment traduire l'exclamation ("Bonjour!" "Tiens!" "Bonjour, Jean!" "Salut!" etc.), décider s'il faut conserver le prénom ou l'omettre, opter pour une formule de politesse qui cadrera avec le niveau choisi, etc. C'est précisément faute d'apprécier correctement les niveaux que les étrangers commettent souvent des erreurs, tutoyant un inconnu par exemple, ou employant devant un supérieur des formules qui ne conviennent qu'à un inférieur.

§ 16. Par ailleurs, nous nous plaçons sur un plan synchronique, citant dans la mesure du possible des formes et des textes rapprochés provenant d'un même état de langue, sans émettre à leur sujet d'appréciations normatives. Le traducteur a du reste rarement l'occasion d'en faire et doit se montrer très prudent lorsque son texte lui révèle des faiblesses de style. Peut-il et doit-il les omettre dans sa traduction ? Notons simplement au passage que le choix adopté par nous d'une langue volontairement classique risque de confronter des éléments légèrement en retard sur l'évolution. Nous préférons considérer les cas extrêmes de "français avancé" ou de "progressive English" comme du ressort des spécialistes, et surtout des écrivains eux-mêmes, et constater une norme que nous ne discuterons pas.

III — UNITÉS - PLANS - TECHNIQUES

§17. Il convient maintenant, une fois rappelées les notions de linguistique applicables à notre propos, de serrer de plus près le travail du traducteur en examinant les unités sur lesquelles il opère, les plans sur lesquels se situent ces unités, et enfin les techniques qui permettent le **passage** d'une langue à l'autre.

A. Unités de traduction.

La recherche des **unités** sur lesquelles on doit opérer est l'une des démarches essentielles de toute science, et souvent la plus controversée. Il en va de même en traduction, où jusqu'ici on ne parlait que de mots, comme si ces segments de l'énoncé étaient si évidents qu'il ne fallait pas les définir. Or il suffit de parcourir les pages des principales revues de linguistique des vingt dernières années pour constater que rien n'est moins défini que la notion de mot ; certains linguistes sont allés jusqu'à traiter le mot de "nébuleuse intellectuelle" (Delacroix) ou même lui refusent toute existence concrète.

Aussi bien nous verrons que malgré son apparente commodité le mot n'est pas une unité satisfaisante. Sans doute nous ne pouvons nous en passer tout à fait, ne serait-ce que parce qu'un énoncé se divise en mots séparés par des espaces blancs et que nous retrouvons dans les dictionnaires les éléments ainsi délimités. Mais même dans la langue écrite les limites ne sont pas toujours très nettes. Nous pensons en particulier à l'usage capricieux du trait d'union. Ainsi on dit "face à face", mais "vis-à-vis", "bon sens", mais "non-sens" et "contresens", "porte-monnaie", mais "portefeuille", "tout à fait", mais "sur-le-champ". Les irrégularités ne sont pas moindres en anglais, le trait d'union étant plus fréquent en britannique qu'en américain. Son omission dans la phrase suivante paraît saugrenue à un lecteur britannique, mais représente l'usage courant aux Etats-Unis.

"His face turned an ugly brick red:
  Son visage prit une vilaine couleur rouge brique."

Si maintenant nous passons à la langue parlée, nous constatons qu'en français tout au moins les frontières entre les mots disparaissent, les unités que perçoit l'oreille étant les syllabes et les groupes de force (ou mots phonétiques). Le français possède en effet très peu de marques phonologiques permettant de délimiter les mots entre eux.

Le problème des unités existe donc et il avait déjà préoccupé Saussure : "La langue présente ce caractère étrange et frappant de ne pas offrir d'entités perceptibles de prime abord, sans qu'on puisse douter cependant qu'elles existent et que c'est leur jeu qui la constitue" (*CLG*, p. 149).

Au fond ce qui nous gêne pour adopter le mot comme unité, c'est qu'avec lui on ne voit plus clairement la structure double du signe, et que le signifiant prend une place exagérée par rapport au signifié. Le traducteur, répétons-le, part du sens et effectue toutes ses opérations de transfert à l'intérieur du domaine sémantique. Il lui faut donc une unité qui ne soit pas exclusivement formelle, puisqu'il ne travaille sur la forme qu'aux deux extrémités de son raisonnement. Dans ces conditions, l'unité à dégager est l'unité de pensée, conformément au principe que le traducteur doit traduire des idées et des sentiments et non des mots.

Nous considérons comme équivalents les termes : **unité de pensée, unité lexicologique** et **unité de traduction.** Pour nous ces termes expriment la même réalité considérée d'un point de vue différent. Nos unités de traduction sont des unités lexicologiques dans lesquelles les éléments du lexique concourent à l'expression d'un seul élément de pensée [9]. On pourrait encore dire que l'unité de traduction est le plus petit segment de l'énoncé dont la cohésion des signes est telle qu'ils ne doivent pas être traduits séparément [10].

§ 18. On peut distinguer plusieurs sortes d'unités de traduction selon le rôle particulier qu'elles jouent dans le message.

a) les **unités fonctionnelles** sont celles dont les éléments participent à la même fonction grammaticale :
"Il habite/Saint-Sauveur/à deux pas/en meublé/chez ses parents/".

[9]. Il serait plus exact de dire : l'élément de pensée prédominant dans tel segment de l'énoncé. Il peut, en effet, y avoir superposition d'idées à l'intérieur d'une même unité. Ex. : "to loom" comporte à la fois l'idée d'apparition agrandie et celle d'imminence ou de menace, mais ces deux idées ne peuvent pas se séparer sur le plan de l'agencement. Elles sont superposées. C'est ce que Bally appelle le cumul des signifiés. Il faut s'attendre en pareil cas à ce que la traduction ne garde qu'un des signifiés, celui que le contexte met en avant. C'est pourquoi il est à peu près impossible de traduire complètement un poème.

[10]. On touche ici très nettement à ce qui sépare notre analyse stylistique de l'analyse structurale. Etant donné que le traducteur doit se préoccuper davantage de sémantique que de structure, il nous a semblé préférable d'avoir une unité définie à partir du sens plutôt qu'à partir de la fonction.

b) les **unités sémantiques**, comme le nom l'indique, présentent une unité de sens :

"sur-le-champ : immediately" (cf. "on the spot")

"le grand film : the feature"

"avoir lieu : to happen" (cf. "to take place")

"prendre place : to sit" (ou "to stand")

c) les **unités dialectiques** articulent un raisonnement :

"en effet", "or", "puisque aussi bien"

d) les **unités prosodiques** sont celles dont les éléments participent à une même intonation :

"You don't say! : Ça, alors !"

"You're telling me! Vous ne m'apprenez rien ".

"You bet! Je vous crois!"

En fait les trois dernières catégories constituent nos unités de traduction. Les unités fonctionnelles, à moins d'être brèves, ne sont pas nécessairement limitées à une seule unité de pensée.

§ 19. Si nous considérons maintenant la correspondance entre les unités de traduction et les mots du texte, trois cas peuvent se présenter :

1) **unités simples :** chacune d'elles correspond à un seul mot. C'est évidemment le cas le plus simple, et nous le mentionnons d'abord parce qu'il est fréquent et ensuite parce qu'il permet de mieux définir les deux autres. Dans la phrase :

"Il gagne cinq mille dollars."

il y a autant d'unités que de mots et on peut remplacer chaque mot séparément sans changer la contexture de la phrase.

Ex. : "Elle reçoit trois cents francs."

2) **unités diluées :** elles s'étendent sur plusieurs mots qui forment une unité lexicologique du fait qu'ils se partagent l'expression d'une seule idée. Nous empruntons nos exemples aux deux langues :

simple soldat : private.

tout de suite : immediately.

au fur et à mesure que : as.

poser sa candidature à : to apply for.

in so far as : dans la mesure où.

to report progress : tenir (quelqu'un) au courant.

nooks and crannies : des recoins.

3) **unités fractionnaires :** l'unité n'est alors qu'une partie d'un mot, ce qui veut dire que la composition du mot est encore sentie par le sujet parlant.

Ex. : "relever quelque chose qui est tombé", mais non "relever une erreur" ; "recréation", mais non "récréation" ;
"brunette", en français "petite brune", mais non en anglais, où l'on peut dire "a tall brunette" ; "re-cover" (recouvrir), mais non "recover" (recouvrer).

On sait qu'en anglais l'accentuation indique si le mot a deux unités (black' bird') ou une seule (black'-bird).

§ 20. Mais l'identification des unités de traduction repose aussi sur une autre classification où intervient le degré de cohésion des éléments en présence. Malheureusement il s'agit là d'un critère variable, et les catégories que nous allons tenter d'établir sont surtout des points de repère entre lesquels il faut s'attendre à trouver des cas intermédiaires difficiles à classer.

1) Aux unités réduites à un seul mot (19) nous opposerons les **groupes unifiés** formés de deux ou de plusieurs mots offrant le maximum de cohésion. Dans cette catégorie entrent les expressions qu'on a coutume d'appeler **idiotismes.** L'unité de sens est très nette et elle s'appuie souvent sur une particularité syntaxique telle que l'omission de l'article devant le nom. En général les traducteurs les moins expérimentés décèlent sans peine ce genre d'unité.

Ex. : à bout portant : point-blank
    mettre à pied : to dismiss
    à mon corps défendant : in self-defence
    avoir le pas sur : take precedence over
    avoir lieu : take place
    s'en prendre à : blame
    faire fausse route : to go astray
    l'échapper belle : to have a narrow escape
    avoir maille à partir avec : to have a bone to pick with.

§ 21. Moins évidentes sont les alliances de mots où le degré de cohésion est moindre, mais dont les termes sont unis par une certaine affinité. On pourrait les appeler **groupements par affinité.**

a) les **locutions d'intensité**
    Elles sont centrées sur un nom :
        un hiver rigoureux : a severe winter
        un bombardement intense : severe shelling
        un refus catégorique : a flat denial

une connaissance approfondie : a thorough knowledge
d'une importance capitale : of paramount importance
une majorité écrasante : an overwhelming majority
une souveraineté pleine et entière :
a full and undiminished sovereignty
une pluie diluvienne : a downpour

ou sur un adjectif, un participe passé ou un verbe :

grièvement blessé : seriously injured
sourd comme un pot : stone deaf
diamétralement opposés : poles apart
formellement interdit : strictly prohibited
entièrement revu et corrigé : completely revised
battre à plate couture : to beat hollow
s'ennuyer à mourir : to be bored to death
savoir pertinemment : to know for a fact
réfléchir mûrement : to give careful consideration
s'amuser royalement : to enjoy oneself immensely

On voit que ces groupements existent dans les deux langues,
mais il est rare qu'ils se laissent traduire littéralement. L'anglais a
une façon à lui de renforcer un adjectif :

— Drink your coffee while it is nice and hot :
Buvez votre café pendant qu'il est chaud.
— He was good and mad : Il était furieux.
— A great big truck : Un énorme camion.

Le renforcement de "big" par "great" évoque le langage enfantin.
Certains adjectifs ont même un autre adjectif comme intensifi-
cateur :

stone deaf : sourd comme un pot
stark mad : complètement fou
stark naked : nu comme un ver
dead tired : éreinté
dripping wet : ruisselant

§ 22. b) les **locutions verbales** dans lesquelles un verbe suivi
d'un nom (ex. faire une promenade) est en principe l'équivalent d'un
verbe simple (ex. se promener) de la même famille que le nom :

faire une promenade : to take a walk
prendre note : to take note
remettre sa démission : to tender one's resignation
induire en tentation : to lead into temptation
apporter un changement : to make a change

mettre un terme à : to put an end to
pousser un soupir : to heave a sigh
pousser un cri : to utter a cry
porter un jugement sur : to pass judgment on

Le verbe simple n'existe pas toujours. Il faut considérer aussi comme unité de pensée les groupes formés d'un nom appelant un certain verbe pour sa mise en œuvre dans la phrase, et ce verbe n'est pas forcément le même dans les deux langues.

subir un échec : to suffer a setback
remporter un succès : to score a success
franchir une distance : to cover a distance
faire un somme : to take a nap
faire des vers : to write poetry
dresser une liste : to draw up a list
percevoir un droit : to charge a fee
établir un certificat : to make out a certificate
suivre un cours : to take a course
passer un examen : to take an exam

On verra d'autre part (87) que beaucoup de verbes simples anglais ne peuvent se traduire en français que par des locutions verbales.

Ex. : passer au crible : to sift
mettre en danger : to endanger
fermer à clef : to lock
faire bon accueil à : to welcome
interjeter appel : to appeal
faire écho à : to echo
donner de la bande : to list
mettre en italique : to italicize
faire une génuflexion : to genuflect

§ 23. c) De même beaucoup de nos **locutions adjectivales** et **adverbiales** (87, 112) constituent des unités, comme le montre le fait qu'elles se rendent en anglais par un mot simple.

capitulation sans condition : unconditional surrender
d'un air de reproche : reproachfully
d'un œil (air) critique : critically
à plusieurs reprises : repeatedly
à juste titre : deservedly

§ 24. d) Beaucoup d'unités sont formées d'un nom et d'un adjectif, sans qu'il y ait cette fois intensification de la qualité exprimée par le nom. L'adjectif est fréquemment un mot usuel à sens technique.

> les grands magasins : department stores
> sa bonne volonté : his willingness
> un haut fourneau : a blast furnace
> du fer blanc : tin
> un petit pain : a roll
> une petite voiture : a wheel-chair
> un simple soldat : a private
> la vitesse acquise : the momentum
> une longue-vue : a telescope

§ 25. e) Au delà de ces domaines assez faciles à délimiter on entre dans un maquis d'expressions où le traducteur doit dépister l'unité lexicologique. Les dictionnaires en donnent de nombreux exemples, mais il n'existe pas, et pour cause, de répertoires complets. Nous donnons ci-dessous des exemples pris au hasard pour montrer la variété de ces unités.

> le régime des pluies : the rainfall
> un immeuble de rapport: an apartment (ou "office") building
> mettre en chantier : to lay down
> mettre au point : to overhaul, to perfect, to clarify
> gagner du temps : to save time
> chercher à gagner du temps : to stall, to play for time

§ 26. En principe, la traduction d'un mot dépend de son contexte. L'unité de traduction est un contexte restreint ; c'est un syntagme dont l'un des éléments détermine la traduction de l'autre : "régime" se traduit par "fall" dans "régime des pluies". D'autre part, le contexte relève de la parole : les mots qui s'y rencontrent ont peu de chance de se retrouver de nouveau dans le même ordre. L'unité de traduction relève en même temps de la langue, car elle est aussi une association mémorielle (74).

La distinction que nous avons faite entre groupes unifiés et groupements par affinité n'exclut pas leur combinaison en unités complexes. Par exemple, "bonne" et "volonté" donnent par affinité l'unité "bonne volonté". Mais la bonne volonté ne vaut que si elle se manifeste. Il y a donc affinité de sens entre "bonne volonté", groupement par affinité, et "faire preuve de", groupe unifié. Cela nous donne "faire preuve de bonne volonté" que nous traduisons tout simplement à l'occasion par "to be co-operative". De même "à huis clos", groupe figé, forme avec "délibérer" ou "siéger" un groupement par affinité : "délibérer" ou "siéger à huis clos : to hear a case in camera".

B. Les trois plans de la stylistique externe :

Nous avons à plusieurs reprises fait allusion à une division tripartite de notre matière. Il convient maintenant de s'y attarder davantage

§ 27. a) Le premier plan englobe l'ensemble des signes considérés en eux-mêmes, c'est-à-dire abstraction faite des messages dans lesquels ils s'insèrent d'ordinaire. Le répertoire des signes, ou **lexique,** s'explore par substitution d'unités de traduction à l'intérieur de cadres syntaxiques de structure comparable. Il ne s'agit pas pour nous d'exposer séparément le contenu des deux lexiques, celui de LD et celui de LA, chaque lexique pouvant en effet s'ordonner par rapport à lui-même [11]. Notre but est de dégager de leur rapprochement certaines catégories lexicales permettant de rendre mieux compte de nos unités de traduction. Parfois le parallélisme entre LD et LA est frappant, et il suffit d'en profiter. Parfois les deux langues divergent nettement et il faut analyser ces divergences pour les comprendre et les surmonter. Les différences nous intéressent naturellement plus que les similitudes. Plus deux langues sont proches par la structure et la civilisation, et plus grand est le danger de confusion entre les valeurs de leurs lexiques respectifs, comme le montre, par exemple, la question des faux-amis (54 sq.). Mais même les mots qui ne souffrent pas de ressemblances fortuites et trompeuses présentent cependant des différences d'aire sémantique auxquelles le traducteur doit prendre garde.

Ainsi "street" recouvre, en américain, le sens du français, "chaussée" aussi bien que celui de "rue".

"Do not walk in [12] the street : Ne marchez pas sur la chaussée. "

11). J. Perrot note très justement à ce propos que l'application des principes fonctionnels, qui ont donné tant de faits nouveaux sur le plan phonologique, n'a jamais été tentée sur le plan du lexique (*La Linguistique*, p. 62)
12). Lorsque "street" s'emploie au sens de "chaussée" il s'emploie avec "in" et non pas "on". En britannique "chaussée" peut se rendre par "roadway".

Étant donné que les unités de traduction se substituent entre elles à l'intérieur de certains cadres syntaxiques tels que

there was	a noise
	a bang
	a thud
	a hiss, etc.

on peut dire que le lexique s'ordonne selon un axe vertical [13]

§ 28. b) Les unités de traduction s'ordonnent à leur tour sur un autre plan, horizontal cette fois, et qui est la trame de l'énoncé, auquel nous donnerons le nom d'**agencement** pour insister sur les faits de structure. La fonction, la valeur des UT est conditionnée à chaque instant du déroulement des énoncés par des **marques** particulières, par des variations de forme **(morphologie)** et par un certain ordre **(syntaxe)**. Ici, soulignons que nous ne nous arrêterons pas à des comparaisons morphologiques, qui seraient pourtant intéressantes, parce que le comportement formel des signifiants (par exemple, l'invariabilité de l'adjectif anglais), ne nous apprendrait rien sur le plan de la traduction. Là encore, nous partirons du sens, retrouvant la dichotomie qui est, pour J. Perrot, le domaine essentiel du linguiste : **lexique** et **syntaxe :** ..."car l'usage de la langue comme moyen de communication implique la connexion de deux fonctions : il y a communication d'énoncés... relatifs à des notions" (*La Linguistique*, p. 21).

§ 29. c) Nous sommes enfin amenés à considérer un troisième plan, celui du **message,** qui est en quelque sorte le cadre global dans lequel l'énoncé s'insère et se déroule jusqu'à sa conclusion. Le message est individuel : il relève de la parole et ne dépend des faits de structure que dans la mesure où le choix d'un système linguistique impose à l'usage certaines limites et certaines servitudes. Du message relèvent les éclairages particuliers **(tonalités),** le choix des **niveaux,** l'ordonnance des **paragraphes,** et des **charnières** qui en ponctuent le déroulement. Le message baigne tout entier dans la métalinguistique, puisqu'il est le reflet individuel des situations, qui sont des phénomènes extra-linguistiques. Il y a donc pour nous, dans l'exploration

---

13). C'est également suivant un axe vertical que s'ordonnent les composantes sémantiques d'un mot (voir note 9). Ex. : "casquette" : idée de coiffure, idée de classe sociale (à une époque donnée), idée d'occupation (travail manuel, chasse, etc...).

du texte, des faits qui ne s'expliquent pas par des considérations d'ordre lexical ou syntaxique, et qui relèvent d'une réalité plus haute, plus difficilement accessible, mais essentielle, que certains linguistes ont appelée "contexte", sans d'ailleurs jamais la définir complètement. C'est ce qu'a voulu exprimer G. Galichet dans un ouvrage très dense et qui nous a fourni de nombreuses suggestions, la *Physiologie de la langue française*, P.U.F., 1958, où nous relevons le passage caractéristique suivant :

« Dans la phrase, les mots se déterminent les uns les autres ; une sélection s'opère ainsi entre leurs diverses significations possibles. Et l'acception ainsi sélectionnée se module de certaines nuances que les mots se communiquent, déteignant ainsi... les uns sur les autres, nuances qu'imprime souvent aussi l'ensemble de la phrase. Ces nuances peuvent modifier considérablement la signification lexicale du mot. C'est dire qu'en fin de compte un mot n'a pas de sens en soi : il n'a de sens que dans et par un contexte. » (p. 40).

Voilà donc les axes selon lesquels s'ordonneront les trois parties principales du présent ouvrage. Le schéma ci-dessous résume graphiquement les cadres de notre recherche.

	I	II	III
MÉTALINGUISTIQUE	unités de pensée (monèmes)	syntagmes et molécules	tonalité charnières mise en relief "contexte"
FRONTIÈRE — — DE LA — — STYLISTIQUE	— LEXIQUE —	AGENCEMENT	— MESSAGE —
MICRO-LINGUISTIQUE	unités de traductions	morphologie et syntaxe	phrases paragraphes textes
	(VOCABULAIRE)	(GRAMMAIRE)	(COMPOSITION)
	1	2	3

TOTALITÉ DU SIGNE

C. Les procédés techniques de la traduction.

§ 30. Une fois posés les principes théoriques sur lesquels repose la stylistique comparée, il convient d'indiquer quels sont les procédés techniques auxquels se ramène la démarche du traducteur.

Rappelons qu'au moment de traduire, le traducteur rapproche deux systèmes linguistiques, dont l'un est exprimé et figé, l'autre est encore potentiel et adaptable. Le traducteur a devant ses yeux un point de départ et élabore dans son esprit un point d'arrivée ; nous avons dit qu'il va probablement explorer tout d'abord son texte : évaluer le contenu descriptif, affectif, intellectuel des UT qu'il a découpées ; reconstituer la situation qui informe le message ; peser et évaluer les effets stylistiques, etc. Mais il ne peut en rester là : bientôt son esprit s'arrête à une solution — dans certains cas, il y arrive si rapidement qu'il a l'impression d'un jaillissement simultané, la lecture de LD appelant presque automatiquement le message en LA; il ne lui reste qu'à contrôler encore une fois son texte pour s'assurer qu'aucun des éléments LD n'a été oublié, et le processus est terminé.

C'est précisément ce processus qu'il nous reste à préciser. Ses voies, ses procédés apparaissent multiples au premier abord, mais se laissent ramener à sept, correspondant à des difficultés d'ordre croissant, et qui peuvent s'employer isolément ou à l'état combiné.

§ 31. Traduction directe ou traduction oblique.

Notons tout d'abord qu'il y a, grosso modo, deux directions dans lesquelles le traducteur peut s'engager : la traduction **directe** ou **littérale,** et la traduction **oblique.**

En effet, il peut arriver que le message LD se laisse parfaitement transposer dans le message LA, parce qu'il repose soit sur des catégories parallèles (parallélisme structural), soit sur des conceptions parallèles (parallélisme métalinguistique). Mais il se peut aussi que le traducteur constate dans la langue LA des trous ou "lacunes" (52), qu'il faudra combler par des moyens équivalents (171 sq.), l'impression globale devant être la même pour les deux messages. Il se peut aussi que par suite de divergences d'ordre structural ou métalinguistique certains effets stylistiques ne se laissent pas transposer en LA sans un bouleversement plus ou moins grand de l'agencement ou même du lexique. On comprend donc qu'il faille, dans le deuxième cas, avoir recours à des procédés beaucoup plus détournés, qui à première vue peuvent surprendre, mais dont il est possible de suivre le déroulement pour en contrôler rigoureusement l'équivalence : ce sont là des procédés de traduction oblique. Les procédés 1, 2 et 3 sont directs. Les autres sont obliques.

§ 32. *Procédé N° 1 :* **l'emprunt**. Trahissant une lacune, généralement une lacune métalinguistique (technique nouvelle, concept inconnu), l'emprunt est le plus simple de tous les procédés de traduction. Ce ne serait même pas un procédé de nature à nous intéresser, si le traducteur n'avait besoin, parfois, d'y recourir volontairement pour créer un effet stylistique. Par exemple pour introduire une couleur locale, on se servira de termes étrangers, on parlera de "verstes" et de "puds" en Russie, de "dollars" et de "party" en Amérique, de "tequila" et de "tortillas" au Mexique, etc. Une phrase telle que : "the coroner spoke" se traduit mieux par un emprunt : "Le coroner prit la parole", que par la recherche plus ou moins heureuse d'un titre équivalent parmi les magistrats français.

Il y a des emprunts anciens, qui n'en sont plus pour nous, puisqu'ils sont rentrés dans le lexique et deviennent des servitudes : "alcool", "redingote", "paquebot", "acajou", etc. Ce qui intéresse le traducteur, ce sont les emprunts nouveaux et même les emprunts personnels. Il est à remarquer que souvent les emprunts entrent dans une langue par le canal d'une traduction, ainsi que les emprunts sémantiques ou faux-amis, contre lesquels il faut se prémunir soigneusement. (54 sq.).

La question de la couleur locale évoquée à l'aide d'emprunts intéresse les effets de style et par conséquent le message.

§ 33. *Procédé N° 2 :* **le calque.**

Le calque est un emprunt d'un genre particulier : on emprunte à la langue étrangère le syntagme, mais on traduit littéralement les éléments qui le composent. On aboutit, soit à un **calque d'expression,** qui respecte les structures syntaxiques de la LA, en introduisant un mode expressif nouveau (cf. "Compliments de la Saison"), soit à un **calque de structure,** qui introduit dans la langue une construction nouvelle (cf. "Science-fiction").

De même que pour les emprunts, il existe des calques anciens, figés, que nous citons au passage pour rappeler qu'ils peuvent, comme les emprunts, avoir subi une évolution sémantique qui en font des faux amis. Plus intéressants pour le traducteur seront les calques nouveaux, qui veulent éviter un emprunt tout en comblant une lacune (cf. "économiquement faible", calqué sur l'allemand) ; il y a avantage, semble-t-il, à recourir alors à la création lexicologique à partir du fonds gréco-latin ou à pratiquer l'hypostase (cf. Bally, *LGLF* § 257 sq.). On éviterait ainsi des calques pénibles, tels que: "Thérapie occupationnelle" (Occupational Therapy) ; "Banque pour le Commerce et le Développement" ; "les quatre Grands" ; "le Premier français", et autres calques qui sont, dans l'esprit de certains traducteurs, l'expression la plus concrète de l'abomination de la désolation ".

§ 34. *Procédé N° 3* : **la traduction littérale.**

La traduction littérale ou mot à mot désigne le passage de LD à LA aboutissant à un texte à la fois correct et idiomatique sans que le traducteur ait eu à se soucier d'autre chose que des servitudes linguistiques : ex. : "I left my spectacles on the table downstairs : J'ai laissé mes lunettes sur la table en bas" ; "Where are you?: Où êtes-vous?" "This train arrives at Union Station at ten. Ce train arrive à la gare Centrale à 10 heures."

En principe, la traduction littérale est une solution unique, reversible et complète en elle-même. On en trouve les exemples les plus nombreux dans les traductions effectuées entre langues de même famille (français-italien) et surtout de même culture. Si l'on peut constater un certain nombre de cas de traduction littérale entre le français et l'anglais, c'est que les conceptions métalinguistiques peuvent également souligner des coexistences physiques, des périodes de bilinguisme, avec l'imitation consciente ou inconsciente qui s'attache à un certain prestige intellectuel ou politique, etc. On peut aussi les expliquer par une certaine convergence des pensées et parfois des structures, que l'on observe bien dans les langues de l'Europe (cf. la création de l'article défini, le concept de culture et de civilisation, etc.) et qui a inspiré plusieurs articles intéressants aux tenants de la "General Semantics".

14). Autres exemples de calques : "Le mariage est une association à cinquante-cinquante..." (*Les Nouvelles Littéraires*, 6 octobre 1955) ; "l'homme dans la rue" (G. Gignoux, *Revue des Deux Mondes*, 15 mai 1955) — il faudrait dire "l'homme de la rue" ou mieux encore "le Français moyen" ; "compagnon de route" (pour "fellow-traveller") (*Le Monde*, Sélection hebdomadaire, 1-7 mars 1956) ; "...la plupart des grandes décisions sur le Proche-Orient ont été prises à un moment où Sir Winston Churchill affectait de considérer comme "vide" la "chaise" de la France sur la scène internationale." (*Le Monde*, Sélection hebdomadaire, 1-7 mars 1956) — dire : "la place" ou, à la rigueur, "le fauteuil".

§ 35. Jusqu'au procédé N° 3, on a pu traduire sans l'intervention de procédés stylistiques spéciaux. Si tel était toujours le cas, le présent ouvrage n'aurait pas de raison d'être et la traduction, ramenée au passage univoque de LD à LA, n'offrirait aucun intérêt. La solution, proposée par le groupe du *Massachusetts Institute of Technology*, de confier à des machines à mémoire électronique la traduction de textes scientifiques repose en grande partie sur l'existence, dans ces textes, de segments parallèles, correspondant à des raisonnements parallèles qui, comme on pouvait s'y attendre, se révèlent particuliè- rement nombreux dans le cas de la langue scientifique [15].

Mais si, une fois ce procédé N° 3 atteint, la traduction littérale est reconnue inacceptable par le traducteur, il faut recourir à une traduction oblique. Par inacceptable, nous entendons que le message, tel qu'il se laisse rédiger littéralement,

    (a) donne un autre sens
    (b) n'a pas de sens
    (c) est impossible pour des raisons structurales
    (d) ne correspond à rien dans la métalinguistique de LA
    (e) correspond bien à quelque chose, mais non pas au même
        niveau de langue.

Si, pour fixer les idées, nous considérons les deux phrases sui- vantes : (1) "He looked at the map" (2) "He looked the picture of health", nous pourrons traduire la première en appliquant les règles de la traduction littérale : "il regarda la carte" [16], mais nous ne pouvons traduire ainsi la seconde: "il paraissait l'image de la santé", à moins de le faire pour des raisons expressives (cas du personnage anglais qui parle mal français dans un dialogue). Si le traducteur aboutit à un texte tel que celui-ci : "Il se portait comme un charme", c'est qu'il reconnaît là une équivalence de messages, que sa position particu- lière, extérieure à la fois à LD et à LA, lui fait apparaître clairement. L'équivalence de messages s'appuie elle-même, en dernier ressort, sur une identité de situation, qui seule permet de dire que LA retient de la réalité certaines caractéristiques que LD ne connaît pas.

Normalement, si nous avions des dictionnaires de signifiés, il suffirait de chercher notre traduction à l'article correspondant à la situation identifiée par le message LD. Comme il n'en existe pratique-

15). Consulter à ce sujet les articles de la revue *Mechanical Translation*, Cambridge, Mass., M.I.T. (1944) ainsi que le livre de Locke, W.N. et A.D. Booth, *Machine Translation of Languages*, New York, John Wiley, 1955, dont Martin Joos a donné le compte rendu dans *Language*, avril-juin 1956.
16). On remarquera que le message n° 1 perd en clarté, puisque "carte" explicite moins que "map". Mais ceci n'infirme en rien la démonstration. Voir compensation (15).

ment pas, nous partons des mots ou unités de traduction, et nous devons les soumettre à des procédés particuliers pour aboutir au message désiré. Le sens d'un mot étant fonction de la place qu'il occupe dans l'énoncé, il arrive que la solution aboutisse à un groupement de mots tellement éloigné de notre point de départ qu'aucun dictionnaire n'en fait mention. Étant donné les combinaisons infinies des signifiants entre eux, on comprend pourquoi le traducteur ne saurait trouver dans les dictionnaires des solutions toutes faites à ses problèmes. Car lui seul possède la totalité du message pour l'éclairer dans son choix, et c'est le message seul, reflet de la situation, qui permet en dernière analyse de se prononcer sur le parallélisme des deux textes.

§ 36. *Procédé N° 4* : **la transposition.**

Nous appelons ainsi le procédé qui consiste à remplacer une partie du discours par une autre, sans changer le sens du message. Ce procédé peut aussi bien s'appliquer à l'intérieur d'une langue qu'au cas particulier de la traduction. "Il a annoncé qu'il reviendrait" devient par transposition du verbe subordonné en substantif : "Il a annoncé son retour". Nous appelons cette seconde tournure : tournure transposée, par opposition à la première, qui est tournure de base. Dans le domaine de la traduction, nous serons appelés à distinguer deux espèces de transposition : (1) la **transposition obligatoire** (2) la **transposition facultative.** Par exemple : "dès son lever" doit être non seulement traduit (Procédé N° 3) mais obligatoirement transposé (Procédé N° 4) en "As soon as he gets up" (ou "got up"), l'anglais n'ayant dans ce cas que la tournure de base. Mais en sens inverse, nous avons le choix entre le calque et la transposition, puisque le français possède les deux tournures.

Au contraire, les deux phrases équivalentes "après qu'il sera revenu : "after he comes back" peuvent être toutes les deux rendues par une transposition : "après son retour : after his return".

La tournure de base et la tournure transposée ne sont pas nécessairement équivalentes au point de vue de la stylistique. Le traducteur doit donc être prêt à opérer la transposition si la tournure ainsi obtenue s'insère mieux dans la phrase ou permet de rétablir une nuance de style. On voit en effet que la tournure transposée a généralement un caractère plus littéraire.

Le **chassé-croisé** (88) est un cas particulièrement fréquent de transposition.

§ 37. *Procédé N° 5* : **la modulation.**

La modulation est une variation dans le message, obtenue en changeant de point de vue, d'éclairage. Elle se justifie quand on s'aperçoit que la traduction littérale ou même transposée aboutit à un énoncé grammaticalement correct, mais qui se heurte au génie de LA.

De même que pour la transposition, nous distinguerons des modulations libres ou facultatives et des modulations figées ou obligatoires. Un exemple classique de la modulation obligatoire est la phrase : "The time when..." qui doit se rendre obligatoirement par : "le moment où"; au contraire, la modulation qui consiste à présenter positivement ce que la LD présentait négativement est le plus souvent facultative, bien qu'il y ait là des rapports étroits avec la démarche de chaque langue : "It is not difficult to show... : Il est facile de démontrer...".

La différence entre une modulation figée et une modulation libre est une question de degré. Dans le cas de la modulation figée, le degré de fréquence dans l'emploi, l'acceptation totale par l'usage, la fixation conférée par l'inscription au dictionnaire (ou la grammaire) font que toute personne possédant parfaitement les deux langues ne peut hésiter un instant sur le recours à ce procédé.

Dans le cas de la modulation libre, il n'y a pas eu de fixation, et le processus est à refaire chaque fois. Notons cependant que cette modulation n'est pas pour cela facultative ; elle doit, si elle est bien conduite, aboutir à la solution idéale correspondant, pour la langue LA, à la situation proposée par LD. Si l'on veut une comparaison, la modulation libre aboutit à une solution qui fait s'exclamer le lecteur : Oui, c'est bien comme cela que l'on s'exprimerait en français ; la modulation libre tend donc vers une solution unique. Et cette solution unique repose sur un mode habituel de pensée, imposé et non facultatif. On voit donc qu'entre la modulation figée et la modulation libre, il n'y a qu'une différence de degré, et qu'une modulation libre peut, à chaque instant, devenir une modulation figée dès qu'elle devient fréquente, ou dès qu'elle est sentie comme la solution unique (ceci ressort généralement de l'examen de textes bilingues ou de discussions au cours d'une conférence bilingue ou d'une traduction fameuse qui s'impose par sa valeur littéraire). L'évolution d'une modulation libre vers une modulation figée arrive à son terme lorsque le fait en question s'inscrit dans les dictionnaires et les grammaires et devient matière enseignée. A partir de cet instant, la non-modulation est une faute d'usage, condamnée comme telle [17].

17). G. Panneton, à qui nous empruntons le terme modulation, avait bien pressenti ce que l'on peut tirer d'une application méthodique de la transposition et de la modulation : "La transposition correspondrait en traduction à une

§ 38. *Procédé N° 6* : **L'équivalence.**

Nous avons souligné à plusieurs reprises qu'il est possible que deux textes rendent compte d'une même situation en mettant en œuvre des moyens stylistiques et structuraux entièrement différents. Il s'agit alors d'une équivalence. L'exemple classique de l'équivalence est fourni par la réaction de l'amateur qui plante un clou et se tape sur les doigts : s'il est français, il dira : "Aïe", s'il est anglais, il dira : "Ouch".

Cet exemple, quoique grossier, fait ressortir un caractère particulier des équivalences : elles sont le plus souvent de nature syntagmatique, et intéressent la totalité du message. Il en résulte que la plupart des équivalences, pour emporter notre adhésion, sont figées et font partie d'un répertoire phraséologique d'idiotismes, de clichés, de proverbes, de locutions substantivales ou adjectivales, etc. Les proverbes offrent en général de parfaites illustrations de l'équivalence : "like a bull in a china shop : comme un chien dans un jeu de quilles" ; "Too many cooks spoil the broth : Deux patrons font chavirer la barque" ; il en va de même pour les idiotismes : "to talk through one's hat", "as like as two peas" ne doivent se calquer à aucun prix ; et pourtant, c'est ce qu'on observe chez les populations dites bilingues, qui souffrent du contact permanent de deux langues et finissent par n'en savoir aucune. Il se peut d'ailleurs que certains de ces calques finissent par être acceptés par l'autre langue, surtout si la situation qu'ils évoquent est neuve et susceptible de s'acclimater à l'étranger. Mais la responsabilité d'introduire ces calques dans une langue parfaitement organisée ne devrait pas échoir au traducteur : seul l'auteur peut se permettre semblables fantaisies, dont le succès ou l'échec rejaillira alors sur lui. Dans une traduction, il faut s'en tenir à des formes plus classiques, car le soupçon d'anglicisme, de germanisme, d'hispanisme s'attachera toujours à tout essai d'innovation dans le sens du calque.

§ 39. *Procédé N° 7* : **L'adaptation.**

Avec ce septième procédé, nous arrivons à la limite extrême de la traduction ; il s'applique à des cas où la situation à laquelle le message se réfère n'existe pas dans LA, et doit être créée par rapport

---

équation du premier degré, la modulation à une équation du second degré, chacune transformant l'équation en identité, toutes deux effectuant la résolution appropriée". *La Transposition en traduction*, thèse de M.A., Université de Montréal, 1946.

à une autre situation, que l'on juge équivalente. C'est donc ici un cas particulier de l'équivalence, une *équivalence de situations*. Pour prendre un exemple, on peut citer le fait pour un père anglais d'embrasser sa fille sur la bouche comme une donnée culturelle qui ne passerait pas telle quelle dans le texte français. Traduire : "he kissed his daughter on the mouth" par "il embrassa sa fille sur la bouche", alors qu'il s'agit simplement d'un bon père de famille rentrant chez lui après un long voyage, serait introduire dans le message LA un élément qui n'existe pas dans LD ; c'est une sorte particulière de surtraduction. Disons : "il serra tendrement sa fille dans ses bras", à moins que le traducteur ne veuille faire de la couleur locale à bon marché.

Ce procédé d'adaptation est bien connu des interprètes qui travaillent en simultanée ; on raconte qu'ayant adapté "cricket" en "Tour de France" dans un contexte où l'on évoquait un sport particulièrement populaire, un interprète fut mis dans une situation difficile par la réponse du délégué français, qui remerciait l'orateur d'avoir évoqué un sport aussi typiquement français. Il fallut alors inverser l'adaptation pour retomber en anglais sur le "cricket"...

Le refus de procéder à des adaptations qui portent non seulement sur les structures, mais aussi sur le déroulement des idées et leur présentation matérielle dans le paragraphe, se trahit dans un texte parfaitement correct par une tonalité indéfinissable, quelque chose de faux qui décèle invariablement une traduction. C'est malheureusement l'impression que donnent trop souvent les textes publiés par les organisations internationales actuelles, dont les membres exigent par ignorance ou un souci mal placé de littéralité des traductions aussi calquées que possible. Le résultat est un galimatias qui n'a de nom dans aucune langue, mais que René Etiemble a fort justement traité de "sabir atlantique". Un texte ne doit être un calque, *ni sur le plan structural, ni sur le plan métalinguistique.* Toutes les grandes traductions littéraires ont reconnu implicitement l'existence des procédés dont nous venons de faire le recensement, comme l'a très bien montré Gide dans sa Préface de *Hamlet.* Et l'on peut se demander si les Américains ne refusaient pas de prendre la SDN au sérieux parce que beaucoup de ses textes étaient des traductions non modulées et non adaptées d'un original français, de même que le "sabir atlantique" ne s'explique que par des textes mal digérés à partir d'un original anglo-américain. Nous touchons là un problème extrêmement grave, que le manque de place nous empêche de traiter : celui des changements intellectuels, culturels et linguistiques que peut entraîner à la longue l'existence de documents importants, manuels scolaires, articles de journaux, dialogues de films, etc. rédigés par des traducteurs qui ne peuvent pas ou n'osent pas s'aventurer dans les traductions obliques. A une époque où la centralisation excessive et le manque de respect pour la culture d'autrui poussent les organisations internationales à adopter une langue de travail unique pour rédiger des textes qui sont ensuite traduits hâtivement par des traducteurs mal considérés et trop peu nombreux, on peut craindre de voir les quatre-cinquièmes du globe se nourrir exclusivement de traductions et périr intellectuellement de ce régime de bouillie pour les chats.

§ 40. Application des 7 procédés ci-dessus :

Au cours des chapitres suivants, nous aurons l'occasion de montrer que nos sept procédés s'appliquent également, quoique à des degrés divers, aux trois parties de cet ouvrage : lexique, agencement et message. Il est par exemple possible de procéder à des *emprunts* sur le plan du lexique : "bulldozer", "réaliser", "stopover" et sur le plan du message : "O.K.", "Five o'clock tea" C'est ce que nous avons voulu montrer par le tableau récapitulatif ci-après, qui donne un exemple typique pour chacun des procédés envisagés sur les trois plans de la stylistique.

Enfin, il est bien entendu que l'on peut, dans une même phrase, recourir à plusieurs de ces procédés, et que certaines traductions ressortissent parfois à tout un complexe technique qu'il est difficile de définir ; par exemple la traduction de "paper-weight" par "presse-papiers" offre à la fois une transposition et une modulation, figées bien entendu. De même, la traduction (sur une porte) de PRIVATE par DÉFENSE D'ENTRER est à la fois une transposition, une modulation et une équivalence. C'est une transposition parce que l'adjectif "private" se rend par une locution nominale ; une modulation, parce qu'on passe d'une constatation à un avertissement (cf. "wet paint. : Prenez garde à la peinture") ; enfin, c'est une équivalence puisque la traduction est obtenue en remontant à la situation sans passer par la structure.

TABLEAU GÉNÉRAL DES PROCÉDÉS DE TRADUCTION :

	Lexique	Agencement	Message
1. Emprunt · ····	F. Bulldozer A. Fuselage	F. Science-fiction A. (Pie) à la mode	F. Five o'Clock Tea. A. Bon voyage.
2. Calque ·······	F. Économiquement faible A. Normal School	F. Lutétia Palace A. Governor General	F. Compliments de la Saison A. Take it or leave it.
3. Traduction littérale ······	F. ink A. encre	F. L'encre est sur la table A. The ink is on the table	F. Quelle heure est-il ? A. What time is it?
4. Transposition ··	F. Expéditeur A. From:	F. Depuis la revalorisation du bois A. As timber becomes more valuable	F. Défense de fumer A. No smoking
5. Modulation ····	F. Peu profond A. Shallow	F. Donnez un peu de votre sang A. Give a pint of your blood	F. Complet A. No Vacancies
6. Equivalence ····	F. (Milit.) La soupe A. Br. (Milit.) Tea	F. Comme un chien dans un jeu de quilles A. Like a bull in a china shop	F. Château de cartes A. Hollow Triumph
7. Adaptation ····	F. Cyclisme A. Br. cricket A. U.S. baseball	F. En un clin d'œil A. Before you could say Jack Robinson	F. Bon appétit! A. U.S. Hi!

ORDRE DE DIFFICULTÉ CROISSANTE →

I

LE LEXIQUE

CHAPITRE I

LE PLAN DU RÉEL ET LE PLAN DE L'ENTENDEMENT

§ 41. La représentation linguistique peut se faire soit sur le **plan du réel,** à l'aide de **mots images,** soit sur celui de **l'entendement,** à l'aide de mots signes. Nous appelons **mot signe** tout ce qui tend au signe abstrait, c'est-à-dire à ce qu'est le chiffre dans le langage mathématique et qui par conséquent parle plus à l'esprit qu'aux sens.

Des termes comme "dress rehearsal", "way station", "unveil" (a statue), "unseat" (a member of Parliament) sont plus imagés que leurs équivalents français : "répétition générale", "arrêt intermédiaire", "inaugurer", "invalider". De même dans "He swam across the river : Il traversa la rivière à la nage", dont il sera question plus loin à propos du chassé-croisé, le mot "nage", qui sans doute n'est pas moins imagé que "swim", est subordonné au terme abstrait "traverser". Autrement dit, la phrase anglaise s'organise autour d'un mot image et la phrase française autour d'un mot signe.

Par plan du réel nous entendons le plan sur lequel la représentation linguistique côtoie la réalité concrète. Le plan de l'entendement est un niveau d'abstraction auquel l'esprit s'élève pour considérer la réalité sous un angle plus général. Il est à peine nécessaire de faire remarquer que les quatre termes que nous venons de définir ne doivent pas s'entendre absolument ; tout mot est déjà une abstraction, mais l'abstraction comporte des degrés. Et de même que "grincement" est plus concret que "son", nous disons que "scrub" est plus concret que "brosser".

L'idée et la terminologie du développement ci-dessus sont empruntées à A. Malblanc, dont le livre *Pour une stylistique comparée du français et de l'allemand* découle en grande partie de cette distinction.

§ 42. D'une façon générale les mots français se situent généralement à un niveau d'abstraction supérieur à celui des mots anglais correspondants. Ils s'embarrassent moins des détails de la réalité. La remarque de Bally comparant l'allemand et le français reste vraie si on oppose le français à l'anglais :

« ...la langue allemande, mise en présence d'une représentation complexe de l'esprit, tend à la rendre avec toute sa complexité, tandis que le français en dégage plutôt le trait essentiel, quitte à sacrifier le reste. » (*Le Langage et la vie*, 2e éd., p. 81).

Et avant lui Taine avait déjà dit : « Traduire en français une phrase anglaise, c'est copier au crayon gris une figure en couleur. Réduisant ainsi les aspects et les qualités des choses, l'esprit français aboutit à des idées générales, c'est-à-dire simples, qu'il aligne dans un ordre simplifié, celui de la logique. » (cité par A. Chevrillon, *RDM*, 1er mai 1908). Ce que Gide dira encore plus simplement dans cette remarque : « Il est du génie de notre langue de faire prévaloir le dessin sur la couleur. » (Lettre sur le langage, *Amérique française*, novembre 1941).

§ 43. On peut considérer que très souvent le mot français sert de dénominateur commun à des séries de synonymes anglais dont le terme générique fait défaut. C'est ainsi que l'anglais ne peut exprimer le concept de promenade ; il peut seulement en désigner les différentes sortes : à pied, "walk" ; à cheval et à bicyclette, "ride"; en voiture, "drive", "ride"; en bateau, "sail". De même "allée" au sens de "chemin" sert de dénominateur commun à "walk", "ride", et "drive" (ou : driveway). Au besoin le français précisera au moyen d'un adjectif : "allée cavalière", "grande allée".

Sans doute "here" traduit "ici", mais très souvent l'anglais ne s'en contente pas ; il veut exprimer l'opposition entre "ici" et l'endroit auquel "ici" s'oppose, d'où les : "up here", "down here", "in here", "out here", "over here", "back here", qui déroutent le Français au début, parce qu'il n'a pas l'habitude d'évoquer ainsi le réel. Un Anglais dira "out here" en Australie et "over here" au Canada (151).

"Où voulez-vous que je me mette ?" demandera un Français, laissant au contexte ou à la situation le soin de décider s'il sera assis ou debout. Ce terme général "se mettre" ne peut se traduire en anglais que par des mots particuliers. "Where do you want me to stand (ou : to sit) ?" Et de la même façon, nous nous contentons de dire que "le tableau *est* au mur", "la bibliothèque *est* dans un coin", "le livre *est* sur la table". Rien n'empêche l'anglais de faire de même, mais il préfère généralement remplacer "être", mot signe, par un mot image : "the picture *hangs* on the wall", "the bookcase *stands* in a corner", "the book *lies* on the table." Nous *enlevons* le tapis et les tentures ou les tableaux quand nous déménageons. L'anglais possède un mot général "remove", mais plus idiomatiquement il dira "*to take down* the pictures and the drapes and *to take up* the rugs."

Notre mot "coup" est très commode parce qu'il peut s'appliquer à quantité de phénomènes dont il exprime ce qu'ils ont de commun : une impression de choc. L'équivalent "blow" est loin d'être aussi étendu. Il est en effet concurrencé par toute une série de vocables particuliers : "cut" (de sabre), "thrust" (d'épée ou de lance), "shot" (de feu), "kick" (de pied), "clap" (de tonnerre), "gust" (de vent), "crack" (de fouet), "stroke" (de pinceau, de sang), etc.

§ 44. Mais c'est surtout dans le domaine des perceptions auditives et visuelles que s'affirme la supériorité de l'anglais pour le détail des notations.

"Grincement" est plus précis que "bruit", mais il fait figure de terme général en face de ses équivalents anglais : "grating" (d'une clef), "screeching" (d'un crayon d'ardoise), "squeaking" (d'un levier de pompe). De même "sifflement" ne peut se rendre en anglais sans préciser de quel sifflement il s'agit, à moins d'employer "sibilation" qui est un mot rare. On a le choix entre "whistle" (modulé), "hiss" (d'un serpent ou de la vapeur), "whiz" (d'une balle), "swish" (d'une baguette fouettant l'air). Il arrive que les Américains sifflent, au spectacle, pour applaudir. Mais ils sifflent aussi pour huer. Seulement ce n'est pas le même sifflement et leur langue ne leur permet pas de confondre ces deux variétés, puisqu'elle possède deux mots nettement distincts : "whistle" et "hiss".

Nous lisons sous la plume d'un écrivain impressionniste comme A. Daudet : "... un bruit de soie, de chaises..." C'est tout ce que le français lui permet de faire. L'anglais dira : "the rustle of silk, the scraping of chairs." De même "le bruit à peine perceptible des morceaux de glace dans un verre" (Julien Green) sera plus simplement mais aussi plus exactement : "the faint clink of ice in a glass". La gaucherie du français apparaît également chez un autre écrivain qui excelle cependant dans la description : "...les espadrilles font entendre de petits claquements mouillées, des floc, floc, d'eau battue." (P. Loti). L'anglais rendra tout cela avec un mot : "the rope-soled shoes squelch through the mud."

Souvent le français ne distingue pas entre le mouvement et le bruit : "coup de fouet : the crack of a whip (son) ou the lash of a whip (mouvement)". "De l'autre côté du mur un fiacre roulait sur le pavé." On ne voit pas le fiacre, on l'entend, mais le vocabulaire du mouvement supplée ici à celui du son. On entendra le roulement beaucoup mieux en anglais : "On the other side of the wall a cab rattled over the cobblestones." Ou encore : "...le silence des quartiers riches traversés seulement des voitures qui roulaient. (A. Daudet) : the quiet of high-class residential sections broken only by the rattle of carriages". Il n'est pas indifférent de noter que "broken" qui se rapporte à "quiet" a remplacé "traversé" (mot de mouvement) qui modifie "quartiers", complétant ainsi la substitution du son au mouvement. Dans une liste de bruits, une porte qu'on ferme deviendra "the slam of a door"; un bruit mat, "a thud"; un bruit confus de voix, "a buzz of voices" ; le bruit du barrage, "the plash of the weir" ; le bruit d'une bouteille qu'on débouche, "the pop of a cork"; un bruit de vaisselle remuée, "the clatter of dishes"; le bruit des arbres qui s'égouttent, "the dripping of trees".

Dans le domaine des sensations visuelles, nous pouvons prendre comme exemple notre verbe "luire" :

> luire: to glimmer (d'une lueur faible et tremblotante)
> to gleam (d'une lueur pâle)
> to glow (d'une lueur rougeoyante)
> to glisten (avec le luisant d'une surface mouillée)
> to glint (avec le luisant d'une surface sombre)

Ex. : "objets de cuivre qui luisaient doucement dans l'ombre : glinting in the dark".

Il y a là un domaine que la lexicographie est loin d'avoir complètement exploré. C'est ainsi que le grand dictionnaire de Mansion ne donne guère, les exemples mis à part, que "to shine" comme équivalent de "luire".

Autre exemple de sensation physique : l'humidité. Ici encore la sobriété du français contraste avec la luxuriance de l'anglais : "damp" (humide et froid), "humid" (humide et chaud) en parlant du temps, "dank" (humide et malsain), "moist" (humide et tiède en bonne part), "clammy" (humide et tiède au sens péjoratif, c'est-à-dire moite), "dewy" (terme poétique).

§ 45. Après avoir souligné la préférence de l'anglais pour le concret, il convient de noter que dans certains cas, beaucoup plus rares, c'est le français qui est plus concret. La traduction de "sir", par exemple, dépend de chaque cas particulier (ou situation): un soldat donnera à l'officier son grade : "mon lieutenant", "mon capitaine" ; un marin également, mais sans le faire précéder du possessif : "oui, commandant" ; un écolier dira "M'sieur", un professeur parlant à ses chefs hiérarchiques : "monsieur le Proviseur", "monsieur l'Inspecteur" ; un employé : "monsieur le Directeur" ; un député : "monsieur le Président", etc... Si l'anglais n'a pas de mot aussi abstrait que "promenade", le français manque d'un terme générique comme "bell" pour désigner "cloche", "clochette", "sonnette", "grelot", "timbre", etc... De même "size" est le dénominateur commun de "dimensions", "taille", "grandeur", "pointure", "module", "format". La terminologie de la rémunération est plus détaillée en français. L'anglais ne distingue pas entre "gages" et "salaire" (wages), "solde" et "prêt" (pay), "honoraires", "feux" et "cachet" (fees), etc.

La métalinguistique (246 sq.) peut avoir son mot à dire dans cet ordre d'idées, car la différentiation des termes correspond souvent à celle des fonctions et des métiers. En Amérique un "carpenter" fait le travail non seulement du charpentier mais aussi du menuisier ("joiner" ne s'emploie guère) ainsi que du maçon et du couvreur lorsque les maisons, ce qui est souvent le cas, sont entièrement en bois. De même le "supermarket", ou magasin d'alimentation, se généralise au point d'évincer de l'usage courant les mots qui traduisent "charcutier", "poissonnier", "fruitier", et même "boulanger" et "boucher" : On ne va pas à la boucherie, mais au rayon de la viande (meat counter). La simplification de l'existence aboutit à l'élimination de termes particuliers.

Par ailleurs l'anglais tend à généraliser par commodité et défaut de précision. Un certain nombre de mots passe-partout comme "conditions", "facilities", "development" se rendront chaque fois en français par le mot convenant au cas particulier. Ex. : "Glass subjected to such conditions is liable to break." Il s'agit du passage rapide du froid au chaud. Nous dirons donc : "Un verre soumis à de tels écarts de température se brise généralement". "We don't have the facilities for it · Nous ne sommes pas installés (ou outillés) pour cela". "There will be shopping facilities. (Il s'agit d'un aéroport en construction) : Des magasins sont prévus pour la commodité des passagers" (219).

CHAPITRE II

VALEURS SÉMANTIQUES

§ 46. Les dictionnaires donnent le sens des mots, mais ils n'ont pas la place nécessaire pour caractériser les différences de sens. Nous pensons qu'un traité de traduction doit proposer un répertoire de valeurs sémantiques permettant de mieux comprendre pourquoi certains mots jugés équivalents à première vue sont en fait sur des plans différents Une erreur de traduction provient parfois de ce que le traducteur n'a pas perçu l'écart entre deux termes qui paraissaient de prime abord interchangeables. Il importe de cataloguer ces écarts dans la mesure du possible, et c'est ce que nous tenterons de faire dans les pages qui suivent.

A. — DIFFÉRENCES D'EXTENSION D'UNE LANGUE A L'AUTRE.

§ 47. Les différences d'extension entre les mots de deux langues données constituent sans doute la distinction lexicologique la plus élémentaire. Il n'y a en fait aucune raison pour que deux équivalents aient la même extension, ou si l'on préfère, pour qu'ils recouvrent la même aire sémantique. Nous rejoignons ici la notion de valeur telle que l'entend F. de Saussure dans son *Cours de linguistique générale* ; l'exemple qu'il en donne avec le mot "mouton" a été cité plus haut (9). Un exemple encore plus probant nous est fourni par le mot "clerc" dont l'extension varie du français à l'américain en passant par l'anglais britannique. En français "clerc" ne se dit que du commis d'un officier ministériel ; en anglais britannique le "clerk" est l'employé qui manie une plume, le commis en général ; en américain, "clerk" ajoute aux sens français et britanniques celui de vendeur : "a shoe clerk : un vendeur dans un magasin de chaussures". "He made some money clerking in a store: Il a gagné de l'argent en travaillant comme vendeur dans un magasin". De la même façon, nous dirons que "sergent" a moins d'extension que "sergeant" parce qu'il est concurrencé par "maréchal des logis", tout comme en britannique "colonel" est concurrencé par "group captain" (colonel d'aviation). "Skin", c'est la peau, mais peau n'est pas nécessairement "skin", car la peau ou le cuir de certains animaux (vache, éléphant, etc.) se dit "hide". "Carte" paraît avoir plus d'extension que "map" parce qu'il correspond aussi à "chart" (carte marine), mais "map" traduit également "plan de ville". Les deux mots ont peut-être autant d'extension l'un que l'autre, mais leurs aires sémantiques ne coïncident pas. Dans le domaine médical le français s'accommode fort bien de "vaccination" là où l'anglais distingue soigneusement entre "vaccination" et "inoculation".

A propos des exemples ci-dessus on peut dire qu'il y a **particularisation** quand une langue emploie un terme de moindre extension (ex. "clerc" en français et "vaccination" en anglais et **généralisation** dans le cas contraire (ex. "carte" en français et "sergeant" en anglais). Nous donnons ci-dessous un certain nombre d'exemples courants empruntés aux domaines les plus divers, et dont la liste peut s'allonger indéfiniment.

Le français distingue entre :
"poêle" et "fourneau" (stove), "guichet", "fenêtre" et "devanture" (window), "autobus" et "car" (bus), "classe" et "cours" ("class", en américain), "ruines" et "décombres" (ruins), "écharpe" et "cache-col" (scarf), "éclairs" et "foudre" (lightning), "peindre" et "badigeonner" (paint), "remplacer" et "replacer" (replace), "différence" et "différend" (difference), "reflet" et "réflexion" (reflection), "os" et "arête" (bone), "cartouche" et "gargousse" (cartridge), "atterrir" et "débarquer" (land), "herbe" et "gazon" (grass).

L'anglais distingue entre :
"shovel" et "dustpan" (pelle), "gutter" et "brook" (ruisseau), "experience" et "experiment" (expérience), "human" et "humane" (humain), "stranger", "foreigner" et "alien" (étranger), "obscurity" et "darkness" (obscurité), "cot" et "bed" (lit), "paints" et "colours" (couleurs), "sticker", "label" et "tag" (étiquette), "beak" et "bill" (bec), "work" et "labour" (travail), "estimate" et "esteem" (estimer), "study" et "office" (bureau), "spectre" et "spectrum" (spectre), "isolate" et "insulate" (isoler), "ladder" et "scale" (échelle), "Arab", "Arabian" et "Arabic" (arabe). Remarquons à propos de ce dernier exemple que l'anglais ne fait pas de distinction entre "hébreu" et "hébraïque".

Certaines distinctions n'apparaissent pas en anglais parce qu'il y a ellipse, et l'ellipse est fréquente. L'anglais peut marquer la différence entre "arête" et "os" en employant "fishbone", mais le mot simple suffit quand le contexte est clair. De même "chair" peut vouloir dire "fauteuil" aussi bien que "chaise", et "coat" traduit "veston" ou "pardessus" suivant le cas.

Différences d'extension sur le plan stylistique.

§ 48. Sur le plan de la stylistique interne (13) où nous nous plaçons ici, la valeur stylistique d'un mot comprend essentiellement (a) les caractères affectifs naturels. (Ex. la valeur péjorative) et (b) les effets par évocation, c'est-à-dire par l'évocation d'un milieu ou d'une activité (mots vulgaires, techniques, etc.), ce que nous expliquons à la rubrique "niveaux de langue". (14-16) "Tank" a en français moins d'extension qu'en anglais parce que c'est un mot familier, concurrencé par le terme technique "char" (de combat) tandis que "tank" en anglais est à la fois le mot des spécialistes et des profanes. Nous pouvons renvoyer ici au § 55 sur les faux amis stylistiques.

Mots techniques et mots usuels.

§ 49. La remarque qui précède peut être reprise d'un point de vue légèrement différent. Il arrive en effet qu'une des deux langues possède deux synonymes dont l'un est technique et l'autre d'usage courant, alors que l'autre langue ne dispose que d'un terme, qui s'emploie par conséquent et dans le langage technique et dans la langue usuelle. C'est, nous l'avons vu, le cas de "tank". En voici d'autres exemples :

        private — simple soldat et soldat de 2ᵉ classe
        compass — boussole et compas
        brush — pinceau et brosse
        door-handle — bec de cane et béquille
        reed — roseau et anche

Inversement l'anglais rend "disque" (de phonographe) par "record" (usuel) et "disc" (technique).

L'opposition entre termes techniques et usuels se présente également sous un autre aspect : il existe des mots usuels ayant un sens technique. Ce sont des mots techniques déguisés. Il n'est d'ailleurs pas toujours facile de dire exactement quand un mot ordinaire devient technique. "Arroser" est un terme courant, comme la chose qu'il désigne, et personne ne songe à le ranger parmi les mots techniques.

En fait, du point de vue du jardinage on a le droit de le considérer comme tel. Mais sa technicité est plus apparente quand il désigne l'arrosage de la viande en train de cuire au four ou à la broche — en anglais, "to baste". "Hovel" a un sens technique : "hangar ouvert" que beaucoup d'Anglais ignorent parce que le mot a été accaparé par son sens affectif. "Croquer" est familier ; il devient technique dans "chocolat à croquer". De la même façon nous dirons que "frappé" dans "champagne frappé" (iced), "éventail des salaires" (spread, range), "recognize" dans "the chair recognizes" (le président donne la parole à) sont des mots techniques, et comme tels ils ne se traduisent généralement pas par leurs équivalents habituels.

Des adjectifs très courants peuvent prendre un sens technique. Ils sont généralement antéposés et forment avec le nom qu'ils qualifient une unité de traduction (24). C'est le cas entre autres de "grand", "long", "petit", "bon", "blanc", etc. Ex. :

les grandes lignes	the main lines (railway); outline
le grand film	the feature
le beau-père	the father-in-law, the step-father
du bois blanc	deal (Br.), pitchpine (U.S.)
les bas morceaux	the cheap cuts
du petit lait	whey

De même en anglais :

a long-boat	une chaloupe
small-ware	la mercerie
small glass-ware	la verroterie

Il y a également à considérer les différenciations de sens technique entre dérivés, qui ne se retrouvent pas sous la même forme dans l'autre langue. Nous distinguons entre "éclairage" et "éclairement" (là où l'anglais se contente de "lighting"), entre "étalage" et "étalement" ("display" et "staggering)", entre "adhérence" et "adhésion" (l'anglais donne au premier le sens du second et vice versa) (54), entre "moscovite" et "moscoutaire" (distinction que l'anglais n'est pas en mesure de marquer). Nous retombons comme on le voit dans le domaine des différences d'extension qui dominent toutes les considérations qui précèdent.

Sens propre et sens figuré.

§50. Cette opposition bien connue des traités de rhétorique mérite d'être retenue pour le classement des sens. Certains mots en vieillissant perdent leur sens propre et gardent leur sens figuré. Les dictionnaires ne marquent pas toujours les étapes de cette évolution et l'apprenti traducteur peut s'y laisser prendre. Rien n'indique à première vue que "dwell", "delve", et "shun" n'ont plus en anglais moderne que leur sens figuré, et qu'au sens propre il faut dire "live", "dig", et "avoid". "Motherly" veut bien dire "maternel", mais seulement au sens figuré, tandis que "maternal" a et le sens propre (ou intellectuel) et le sens figuré (ou affectif). "Thunderstruck" tend à céder la place à "struck by lightning" au sens propre. "Seething" ne s'emploie guère qu'au sens figuré. Ces différences peuvent être présentées sous forme de tableau :

sens	*français*	*anglais*
propre	ivresse	drunkenness, intoxication
figuré	ivresse	intoxication, rapture
propre	canal	canal, channel
figuré	canal	channel
propre	maigre	thin, lean
figuré	maigre	meagre

Sens intellectuel et affectif.

§ 51. Cette distinction sur laquelle repose le *Traité de stylistique* de Ch. Bally coïncide souvent avec la précédente. La distinction entre le mode **intellectuel** et le mode **affectif** est peut-être plus familière aux linguistes qu'au grand public. Rappelons que certains mots peuvent être purement intellectuels, ex. : "rémunération", "circonférence", "intermédiaire", "situer". D'autres sont uniquement affectifs : "inouï", "sordide", c'est-à-dire qu'ils ne peuvent jamais s'employer sans engager notre sensibilité. La plupart des mots, enfin, sont tantôt intellectuels, tantôt affectifs. C'est une question de contexte. On aurait pu croire que la valeur intellectuelle de "inférieure", était suffisamment protégée dans l'expression "Charente-Inférieure", mais apparemment, et surtout à l'étranger, le mot a dégagé une valeur émotive suffisamment forte pour que l'on ait cru devoir changer "inférieure" en "maritime". Et il en va de même de la Seine-Inférieure. Ici encore nous disposerons les exemples sous forme de tableau :

sens	*français*	*anglais*
intellectuel	sauter	jump
affectif	sauter	leap
intellectuel	grand (postposé)	large
affectif	grand (antéposé)	great, big
intellectuel	petit	small
affectif	petit	little

intellectuel	unique	only, sole
affectif	unique	unique
intellectuel	pleurer	cry
affectif	pleurer	cry, weep
intellectuel	rapide	fast
affectif	rapide	swift, rapid

Nous retrouverons cette distinction à propos des faux amis (55).

Lacunes.

§ 52. Puisque la représentation linguistique n'est jamais totale, il serait surprenant qu'elle soit rigoureusement la même dans deux langues différentes. Chaque langue a donc ses trous, qui ne sont pas forcément les mêmes que ceux de la langue dans laquelle on traduit. Tout traducteur doit s'attendre à ce qu'il y ait dans la langue de départ des mots qui cherchent en vain leur équivalent dans la langue d'arrivée. Ou bien la chose n'existe pas — ou n'est pas reconnue dans l'une des deux civilisations, ou bien elle existe dans les deux, mais une langue éprouve le besoin de nommer ce que l'autre passe sous silence. On peut d'ailleurs se demander si l'omission n'est pas ici un indice du peu d'importance que présente pour le groupe linguistique en question cette chose qui n'a pas de nom.

Il y aurait avantage à faire des répertoires aussi complets que possibles des lacunes existant actuellement. Certaines ne sont qu'apparentes, et si l'on pouvait tenir présents à l'esprit les deux registres, il est probable que certaines équivalences auxquelles on n'avait pas songé s'établiraient inopinément.

En fait beaucoup des remarques déjà faites ou à faire reposent sur des lacunes. Nous avons vu par exemple, à propos du général et du particulier, que souvent l'anglais, et quelquefois le français présentaient des lacunes dans le domaine des mots abstraits ou des termes génériques. S'il n'y avait pas de lacunes une bonne partie de ce livre serait à supprimer. Parmi les lacunes du français dans le domaine des termes génériques, nous pouvons citer :

"nuts", qui comprend les noix, noisettes, amandes, etc.

"awards", qui s'applique aussi bien aux prix qu'aux bourses d'études, d'une façon générale à tout ce qui reconnaît le mérite (distinctions honorifiques)

"utilities", qui englobe l'eau, le gaz, l'électricité, le téléphone. "Services publics", pourrait-on proposer. L'équivalence est possible dans certains cas, mais les transports en commun font partie des services publics et non des "utilities".

Comme exemples de lacunes dues à des raisons de métalinguistique, nous pouvons rappeler celui de "charcuterie" (au sens de magasin) qui se traduit facilement en britannique mais non en américain, ou citer celui de "mie" qu'on ne peut guère rendre que par "soft part of the bread" sans doute parce que le pain anglais est fait de telle sorte que l'opposition entre "mie" et "croûte" ne s'impose pas à l'esprit de ceux qui le consomment. "Crumb" traduit surtout notre mot "miette" et de ce fait s'emploie le plus souvent au pluriel ; et peut-être est-ce parce que "hocher la tête" n'est pas un geste anglo-saxon qu'il n'y a pas en anglais de traduction commode de cette expression. Par contre l'anglais reprend l'avantage dans le cas de "nod" en face duquel le français ne peut guère aligner que "dire" ou "faire oui de la tête". Nous aurons d'ailleurs l'occasion de revenir sur ces faits de métalinguistique (246-259).

Les cas où la lacune existe parce qu'une langue n'a pas poussé aussi loin que l'autre l'analyse de la réalité ne sont pas les moins intéressants. Nous n'avons pas de mot spécial pour "curb" (bordure de trottoir ou bord du trottoir) et l'anglais n'en a pas pour "margelle". Pour "chaussée" il hésite entre "roadway" et "street"; dans ce dernier cas il ne distingue pas comme nous le faisons entre "rue" et "chaussée". "Look both ways before stepping into the street: Regarder des deux côtés avant de descendre sur la chaussée". Nous n'avons pas de mot pour désigner un mouvement alternatif de montée et de descente, de faible amplitude. "On avait vu sa casquette en mouvement par-dessus la haie de tamarins. (G. Duhamel) : His cap could be seen bobbing above the hedge". Au mot "bob" correspond donc un trou qu'un bon écrivain français comble comme il peut. Parmi les mots courants en anglais qui n'ont pas d'équivalents commodes en français on peut citer : "pattern", "privacy", "emergency". Le cas de "facilities" a été vu précédemment.

Dérivation irrégulière.

§ 53. Moins sans doute que l'allemand, mais plus que le français, l'anglais présente un système de dérivation assez régulier. Il le doit à son jeu de suffixes, notamment "-ness" pour former des noms et "-ly" pour former des adjectifs et des adverbes, qui s'ajoutent facilement aux mots plus simples. A cet égard le français est moins souple, et beaucoup d'adverbes anglais ne peuvent se rendre en français que par des locutions adverbiales : "concisely" (avec concision), "shortly" (à brève échéance), "inadvertently" (par inadvertance) et il en va de même de certains adjectifs (112). De plus le français est encore handicapé du fait que les familles étymologiques existantes présentent souvent des dislocations sémantiques du type "meurtre meurtrir", "ménage/ménagerie", "aveugle/aveuglement", "courtisan courtisane", etc. (voir Bally, *TSF* § 45).

"The vastness of the hall below..." est une expression parfaitement naturelle en anglais, tout au moins dans la langue écrite. Sa traduction ne devrait présenter aucune difficulté, mais nous butons tout de suite sur "vastness". "Vastité" existe mais ne se dit pas. "Immensité" va trop loin. Il faut donc ou transposer par un adjectif, "le vaste hall en bas" (mais ceci contrarie la tendance du français à employer des substantifs qualificatifs) ou trouver un nom auquel peut s'adjoindre l'adjectif "vaste" : "les vastes proportions".

Le même procédé sera nécessaire pour rendre : "The admirableness of Lord Warburton and the impressiveness of his world are essential to the significance of Isabel's negative choice". (F. R. Leavis, *The Great Tradition*.) "Ce qu'il y a d'admirable chez Lord Warburton et d'imposant dans le monde où il évolue est essentiel pour comprendre la décision négative d'Isabelle."

"Unquestionable" se rend sans peine par "incontestable", mais dirons-nous "incontestabilité" pour "unquestionableness" même si le dictionnaire nous y autorise ? Cette "stately unquestionableness" des langues classiques dont parle P. G. Hamerton exige pour être rendue une transposition et une amplification. La transposition, ici le remplacement d'un nom par un adjectif, nous donne "incontestable" ou mieux encore, dans ce contexte, "indiscutable". Accolons-y "stately", "majestueux", ou "hautain" et ajoutons un substantif qui serve de support à ces deux adjectifs : "L'autorité hautaine et indiscutable des langues classiques", ou encore "le prestige indiscutable".

B. — LES FAUX AMIS.

§ 54. L'expression, variante des mots-sosies de Veslot et Banchet (*Les Truquenards de la version anglaise*), a été employée pour la première fois par Kœssler et Derocquigny dans leur livre *Les Faux Amis ou les trahisons du vocabulaire anglais*, Vuibert, 1928. Un supplément de J. Derocquigny, *Autres mots anglais perfides*, a paru en 1931, et Félix Boillot a repris la question dans son *Vrai ami du traducteur, anglais-français et français-anglais* (PUF, 1930 · 2ᵉ édition, Oliven, 1956).

Sont de faux amis du traducteur ces mots qui se correspondent d'une langue à l'autre par l'étymologie et par la forme, mais qui ayant évolué au sein de deux langues et, partant, de deux civilisations différentes, ont pris des sens différents.

Les livres cités plus hauts donnent des exemples abondants et précis de cette variété de mots. Nous ne saurions mieux faire que d'y renvoyer le lecteur. Mais les listes qu'il y trouvera ne sont qu'un point de départ et chacun aura l'occasion de les compléter. Il faut d'ailleurs envisager la question sous trois aspects différents :

§ 55. 1. l'aspect sémantique :

Les faux amis se distinguent par des différences de sens.

actuel : present	éventuellement : if need be
actual : réel	eventually : par la suite

C'est l'aspect auquel se sont surtout attachés Kœssler et Derocquigny, ainsi que Boillot. Ajoutons-y quelques exemples en donnant l'anglais en premier: "antiquary: amateur de choses anciennes", plutôt que "antiquaire", qui avait encore ce sens à l'époque de Balzac, mais qui a pris aujourd'hui celui de "antique dealer"; "maroon: (couleur) lie de vin" — cf. "marron: brown"; "intangible: imperceptible", c'est-à-dire qu'on ne peut pas toucher ou saisir, et non pas, comme en français, ce à quoi on ne doit pas toucher ; "delay : retard" et non pas temps requis pour faire quelque chose ; "vendor : marchand ambulant".

Dans ce genre d'étude, on pense surtout aux faux amis qui n'ont aucun des sens de leurs vis-à-vis étymologiques. Mais beaucoup plus nombreux sont les faux-amis partiels, c'est-à-dire qui ont des sens communs:

"correct" correspond à son homonyme français au sens de conforme à la grammaire ou aux convenances. Il a en plus le sens de "exact". "That's correct: c'est bien cela, c'est exact" — cf. l'anglicisme canadien "c'est correct".

"journal" peut traduire "journal" au sens de "périodique" mais il a généralement le sens de "revue savante".

"granary" a le sens figuré de "grenier", mais non le sens usuel qui se rend par "loft" ou "attic". C'est d'ailleurs le sens étymologique: "réserve de grain".

"pile" veut dire "pile" (a pile of boxes) mais aussi "tas", "amas". C'est "stack" qui correspond exactement à notre mot "pile".

"obliterate: effacer", au sens général, et non pas "oblitérer" qui se dit "to postmark" ou "to cancel".

"inspect : inspecter, passer en revue" mais aussi "regarder", "venir voir" : "You are cordially invited to inspect our collection of picture postcards".

"indicator": dans une gare anglaise, non pas l'indicateur, mais "le tableau des départs".

2. l'aspect stylistique :

Ici les faux-amis ont à peu près le même sens mais sont séparés par des différences d'ordre stylistique, c'est-à-dire se rapportant à des valeurs intellectuelles ou affectives (péjoratives ou laudatives ou neutres) ou à l'évocation de milieux différents. Les tableaux ci-dessous réunissent un certain nombre d'exemples typiques: le premier se rapporte aux caractères affectifs naturels et le second aux effets par évocation.

TABLEAU A

Sens intellectuels		Sens affectifs	
français	*anglais*	*français*	*anglais*
1. maternel	maternal	maternel	motherly, maternal
2. ennemi (adj.)	hostile	hostile	hostile, inimical
3.	juvenile	juvenile	juvenile
4. belligérant	belligerent	belliqueux	belligerent
5. rural	rural	de campagne	rural
6. foule	populace	populace	rabble

Ce tableau appelle certaines remarques :

1. "Motherly" a toujours une valeur affective.
2. "Hostile" est toujours affectif en français. En anglais il peut avoir le sens intellectuel: "hostile forces: forces ennemies".
3. "Juvénile" n'a jamais le sens intellectuel en français; en anglais il peut être intellectuel ou affectif, mais dans ce dernier cas il est souvent péjoratif.
4. "Belligérant", en français ne peut être qu'intellectuel ; son équivalent affectif est "belliqueux".
5. Exemple : "a rural church: une église de campagne".

TABLEAU B

Langue littéraire, administrative ou technique		Langue usuelle	
français	*anglais*	*français*	*anglais*
carié	carious	carié	bad
obsèques	funeral	enterrement	funeral
char de combat	tank	tank	tank
condoléances	condolences	condoléances	sympathy

Donc, "carious" est exclusivement technique, "obsèques" appartient au style écrit, "tank" est en anglais à la fois technique et usuel, tandis que "condolences" n'est pas le mot usuel.

3. l'aspect phraséologique ou syntaxique, dont il sera question plus loin à propos des faux amis de structure (154-155).

§ 56. Doublets savants et populaires :

Une importante différence stylistique entre l'anglais et le français est la préférence de l'anglais pour des mots simples tirés du vieux fonds germanique là où le français emploie un terme savant dont le sens n'est pas évident pour une personne peu instruite. Le fait qu'en anglais le nom peut s'employer comme adjectif élimine de l'usage courant un certain nombre d'adjectifs savants du type français *"oculaire"*. Tout Anglais comprendra du premier coup le composé *"eye-witness"*, tandis que *"témoin oculaire"* exige un effort de compréhension et une connaissance plus approfondie de la langue maternelle. Il arrive que les tests de vocabulaire en usage aux Etats-Unis soient plus faciles pour un Français que pour un Américain parce que le vocabulaire savant est presque le même dans les deux langues et est d'un accès plus facile en français.

Voici une liste de doublets savants et populaires :

concours hippique	: horse show
exposition d'horticulture	: flower show
exposition canine	: dog show
Compagnie générale transatlantique	: the French Line
arbre généalogique	: family tree
plan quinquennal	: five-year plan
empreintes digitales	: fingerprints
véhicule hippomobile	: horse-drawn vehicle
eau potable	: drinking water
calvitie	: baldness
réforme agraire	: land reform
papille gustative	: taste bud
isolation phonique	: sound proofing
frégate météorologique	: weather ship
domaine hydrographique	: watershed
heures supplémentaires	: overtime
miroir rétroviseur	: rear (or driving) mirror
charge alaire	: wing load
réaction caténaire	: chain reaction

quotidien	: daily	mensuel	: monthly
hebdomadaire	: weekly	trimestriel	: quarterly
cécité	: blindness	surdité	: deafness
myope	: short-sighted	inoxydable	: stainless

Le cas inverse, où le français est moins savant que l'anglais, existe, mais il est assez rare :

progressive education	:	l'éducation nouvelle
basic English	:	le français élémentaire
bifocal lenses (ou bifocals)	:	verres à double foyer

Cette distinction une fois comprise, on sera moins porté à commettre l'erreur qui consiste à traduire le mot français par son vis-à-vis anglais de même racine. Tout le monde sait que "éteindre" ne se traduit généralement pas par "extinguish" (encore que "extinguisher" traduise "extincteur"), mais il existe des cas moins évidents. "Confisquer", quand il s'agit d'un jouet d'enfant, ne se dira pas "confiscate", mot qui paraîtrait pompeux dans un tel contexte, mais simplement "take away". De même "condoléances" (voir plus haut) ne se rend pas ordinairement par "condolences". "He expressed the government's condolences", lisait-on cependant dans le *New York Times*. Sans doute, mais dans la vie privée ce haut fonctionnaire se contenterait du mot "sympathy": "Please accept my sympathy..." Dans la traduction anglaise d'un article de journal canadien-français nous lisons : "If we asked one or the other to consummate the divorce..." On reconnaît sous ces mots l'expression française "consommer le divorce". Mais la traduction anglaise n'est pas idiomatique Il serait mieux de dire "to go through with the divorce".

CHAPITRE III

ASPECTS LEXICAUX

A. — LA NOTION D'ASPECT APPLIQUÉE AU LEXIQUE

§ 57. Tel qu'on l'entend habituellement, l'aspect est une notion grammaticale afférente au verbe, en particulier dans les langues slaves. Nous montrerons ailleurs (132) que dans les langues occidentales, le verbe peut aussi avoir un aspect et que le traducteur doit en tenir compte. Nous voudrions, en attendant, étendre la notion d'aspect à d'autres parties du discours telles que le nom, l'adjectif, et le verbe en tant que mots, et montrer que la notion d'aspect existe dans le lexique aussi bien qu'en grammaire. Il y a en effet un aspect implicite dans les sens de certains mots, et dans sa *Linguistique générale et linguistique française,* Ch. Bally avait déjà reconnu la valeur aspective des suffixes "-age" et "-ment". Ainsi compris, l'aspect est une catégorie sémantique à côté de l'extension, de l'affectivité, des faux amis, etc...

L'opposition entre "dormir" et "s'endormir", "porter" et "mettre" (sur soi) est une différence d'aspect : aspect duratif dans un cas, inchoatif dans l'autre. Mais il y a des cas où "dormir" est inchoatif ; "dors!", et où l'anglais, plus logiquement, dit : "go to sleep!" De même quand une femme dit : "Je n'ai rien à me mettre", elle emploie "mettre" à l'aspect duratif : "I have nothing to wear". Les exemples ci-dessous montrent qu'il n'y a pas qu'une façon de rendre un aspect donné dans une certaine langue. Notre verbe "parler" a généralement l'aspect duratif, mais ce n'est pas le cas dans : "Il n'en a pas parlé. : He did not mention it", où il a l'aspect ponctuel. D'autre part, "speak" prend souvent un aspect inchoatif que "parler" ne rend pas. Il nous faut dans ce cas avoir recours à une tournure inchoative :

He never speaks to me. : Il ne m'adresse jamais la parole.

A man spoke to me on the street. : Un homme s'est adressé à moi dans la rue (m'a abordé).

He spoke at the meeting. : Il a pris la parole à la réunion.

Le dictionnaire propose "matinal" comme un équivalent de

"early", et en effet "an early walk" est "une promenade matinale".
Pourquoi cependant ne peut-on pas, le plus souvent, traduire "Il est
matinal" par "He is early"? Parce que si "matinal" est susceptible
d'avoir l'aspect ponctuel, il a plus souvent l'aspect habituel, que
"early" n'a pas. D'où la nécessité d'une traduction oblique : "he is an
early riser". Il peut arriver cependant que "matinal" ait l'aspect
ponctuel : "Vous êtes matinal aujourd'hui. : You are early today".

On trouvera ci-dessous un essai de classification des aspects
lexicologiques. Ici encore nous distinguerons l'intellectuel et l'affectif.
La plupart des aspects sont des notions intellectuelles : durée,
commencement, fréquence. Mais il y a aussi des aspects affectifs.
Les exemples sont tirés des deux langues.

B. — ASPECTS INTELLECTUELS

§ 58. 1) **L'aspect duratif** indique que l'action se prolonge ;
il est apparenté à l'aspect itératif et à l'aspect graduel (voir ci-
dessous).

Aux exemples données plus haut on peut ajouter :

— "voir", mais non "apercevoir", qui est toujours inchoatif.
— "être assis : to sit", mais non "s'asseoir : to sit down".
  Cependant "to sit" peut avoir l'aspect inchoatif. Ex. :
  "Where do you want me to sit? : Où voulez-vous que je me
  mette ?"
— "s'infiltrer : to seep"; "suinter : to ooze".
— "journée", "matinée", "soirée", "veillée", qui n'ont pas d'équivalents en anglais.
— "baigneur", au sens vieilli de celui qui fréquente une station
  balnéaire : "les baigneurs : the summer people".
— "blesser" dans "Cette chaussure me blesse : This shoe pinches
  me".
— "monter à cheval", au sens de "to ride" (U.S. "to go
  horseback riding").
— tous les mots désignant des bruits continus par opposition
  avec ceux qui sont discontinus. Cette distinction a servi de
  principe de classification dans le *Roget's Thesaurus*. Que
  l'on compare, par exemple "snap", "clap", "report", "thud",
  "shot", "bang" avec "roar", "rumble", "whirr", "tick",
  "din". "Rumeur" est duratif, "claquement" est ponctuel.
— "to stare" a l'aspect duratif, comme "dévisager" et "regarder
  fixement".

La particule "away", que nous retrouverons à l'aspect graduel, peut également exprimer la durée, la continuité.

Ex. : He looked at the little girl ironing away so quietly with her head bent over the board. (Betty Smith) :

Il regardait la petite tandis que, penchée sur la planche, elle maniait silencieusement son fer à repasser.

L'imparfait ne rend qu'en partie la nuance de "away", car il s'emploierait de toute façon dans la proposition subordonnée. C'est surtout "manier son fer à repasser" qui vise à marquer la continuité de l'effort exprimée par "away".

§ 59. 2) **L'aspect ponctuel** s'oppose à l'aspect duratif et est proche de l'aspect inchoatif (voir plus loin). Il caractérise des actions qui ne sont pas susceptibles de durer, qui prennent fin aussitôt qu'elles ont commencé. C'est le cas de "frapper : to strike", de "trancher : to cut, to sever", de "fendre : to chop", "d'avaler d'un trait : to gulp, to quaff", qui s'opposent à "battre : to beat", "tailler : to trim", "hacher : to chop", "grignoter : to nibble", "siroter : to sip".

"Mordre" a l'aspect ponctuel. De même "bite", son équivalent habituel. Cependant nous remarquons que "bite one's nails" correspond à "se ronger les ongles", ce qui montre que "bite" peut prendre l'aspect duratif.

"Jamais" évoque la durée, mais son correspondant "never" peut prendre l'aspect ponctuel dans des contextes tels que :

— We never asked. : Nous avons oublié de demander.
— He never thanked me. : Il ne s'est pas donné la peine de me remercier.
— There never was a trace of a tyre on that hard road.
(Il s'agit d'un seul incident.) :
Pas la moindre trace de pneu sur cette route empierrée.

Ce dernier exemple permet de serrer de plus près une différence d'extension entre "jamais" et "never". Comme on pouvait s'y attendre, la correspondance des aspects d'une langue à l'autre n'est pas absolue. Nous distinguons entre "impétrant" (ponctuel) et "titulaire" (duratif), "récipiendaire" et "académicien", ce que l'anglais ne fait pas. Par contre nous ne pouvons rendre la nuance qui sépare "graduate : diplômé" et "graduand". Ce dernier terme est parallèle à "impétrant" et à "récipiendaire" et désigne l'étudiant en train de recevoir son diplôme. De même "confirmand", celui qui reçoit la confirmation est comparable à "première communiante". C'est aussi une différence d'aspect qui sépare "votant" de "électeur".

§ 60. 3) **L'aspect inchoatif** marque le début de l'action, exclut donc la durée et s'oppose, autant que l'aspect ponctuel, à l'aspect duratif. Nous avons déjà vu comment "s'endormir", "mettre sur soi", "adresser la parole" contrastent respectivement avec "dormir", "porter sur soi", et "parler".

De même "monter à cheval" est inchoatif au sens de "se mettre en selle", et duratif quand il désigne l'action de "aller à cheval".

L'aspect de "to know" dépend du contexte :

— He must have known that it was so. :
Il ne pouvait pas ne pas le savoir.

— He was to know later that... :
Il devait apprendre plus tard que...

Nous verrons à la deuxième partie (134) que le passé simple et le passé composé prennent l'aspect inchoatif ou terminatif, alors que l'imparfait est duratif.

L'une des ressources de l'anglais pour marquer l'inchoatif et le distinguer du duratif est l'adjonction d'une particule telle que "off" ou "away" dans :

to doze off : s'assoupir (cf. to doze : sommeiller)
to go off (away) : s'en aller (cf. to go : aller)
to fly away : s'envoler (cf. to fly : voler)

— Des lumières *commencent* à s'allumer... Un phare à acétylène *éclôt* aveuglant et répand un dôme de jour (Barbusse) :
Lights begin to shine *forth*... An acetylene lamp flares *forth* blindingly, shedding a dome of light.

"To laugh" a souvent l'aspect inchoatif : "se mettre à rire".

Le suffixe "escent" existe dans les deux langues mais pas au même degré. "Obsolescent" et "obsolete" ne peuvent guère se rendre que par le même mot en français. Mais nous distinguons entre "archaïsant" et "archaïque".

Le suffixe "ir" en français a souvent une valeur inchoative et correspondrait au suffixe "en" (ex. "to redden") si les verbes en "en" étaient aussi fréquents que les verbes en "ir" et si le suffixe "en" était encore vivant. L'anglais supplée à cette insuffisance avec des locutions verbales telles que :

to turn yellow : jaunir
to grow old   : vieillir
to become rich : s'enrichir
to get narrower : se rétrécir

"To get" est un équivalent familier de "to grow" et de "to become" : "to get old", "to get rich", etc...

Il convient d'ailleurs de reconnaître à propos de ces derniers exemples qu'il n'est pas facile de faire le départ entre l'aspect inchoatif et l'aspect graduel.

§ 61. 4) **L'aspect itératif** se rapproche de l'aspect duratif et peut même se confondre avec lui quand l'action se répète à une cadence très rapide. "Ronger", "siroter", "grignoter" peuvent être considérés comme relevant de l'un ou de l'autre de ces aspects.

Autres exemples : "to pound : pilonner", "to hammer : marteler", "to beat : battre", "to whittle : tailler", "to din : faire un bruit assourdissant", "to nag : faire des reproches", "to crack : se fendiller", "to tug : tirailler". Ces deux derniers verbes combinent l'itératif et l'atténuatif.

"To whip", au sens de "fouetter", est itératif ; il est ponctuel sous la forme "whip up : enlever (le cheval) d'un coup de fouet", et il est perfectif au sens familier de "battre à plate couture".

§ 62. 5) **L'aspect graduel** offre avec l'aspect duratif et l'aspect itératif des affinités évidentes. Il évoque la durée ou la répétition accompagnée d'une transformation.

Il n'est pas sans intérêt de noter que "sink" a l'aspect graduel. C'est pourquoi il convient, le cas échéant, de le rendre par "baisser", "s'enfoncer", etc. De même "to sag", "to settle" indiquent des actions beaucoup plus lentes que "to collapse". "To work" a l'aspect graduel dans l'exemple ci-dessous :

The bar of the watch-guard worked through the button-hole. :
La barre de la chaîne de montre finit par sortir de la boutonnière.
"Dégrader" est ponctuel quand il signifie "reduce to the ranks"; il est graduel au sens de "détériorer", tout comme "s'effriter".

Le mur est dégradé. : The wall is defaced.
L'aspect graduel est également présent dans "to loom : grandir" (souvent d'une façon menaçante).

L'anglais marque souvent l'aspect graduel par l'adjonction de "away" au verbe. Cette particule s'oppose alors à "out" qui exprime l'aspect perfectif (64). Ainsi "to fade away" et "to die away" sont plus graduels que "to fade out" et "to die out". De sons qui meurent au loin nous dirons : "they die away", pour indiquer le prolongement de leur vibration. De même :

He is worn out. : Il est épuisé.
The steps are worn away. : Les marches sont usées.
He was cutting away on a stick. (Hemingway) :

Il taillait un bâton. (C'est aussi un aspect continu.)
Here too there is a haze rubbing away the edges of ideas :
Là aussi il y a une brume qui estompe le contour des idées
(J. B. Priestley).

A propos de ce dernier exemple on peut encore opposer "out"
à "away" : "The word was rubbed out. : Le mot a été effacé".
Nous saisissons ici une différence caractéristique entre les deux
langues : l'anglais marque par le jeu des particules une distinction
que le français ne peut rendre qu'en changeant de mot :

> to rub away : estomper
> to rub out : effacer

§ 63. 6) **L'aspect habituel** ou **chronique** marque une tendance,
une disposition habituelle, sans que la répétition de l'action envisagée
atteigne à la fréquence de l'aspect itératif. A l'exemple de "matinal",
examiné dans les remarques préliminaires (57), on peut ajouter :

— "frileux", que les dictionnaires traduisent souvent par "chilly",
ce qui ne satisfait pas, car "frileux" a l'aspect habituel tandis
que "chilly" s'applique à une occasion. Il faut dire, pour
"frileux", "susceptible to the cold".
— "sobre : abstemious, eating sparingly". "Sober", en anglais,
a l'aspect ponctuel : "When he is sober : Quand il est à jeun"
ou "Quand il n'a pas bu".
— "famélique" est habituel, ou chronique, à l'encontre de "affa-
mé" qui est ponctuel. Tous deux correspondent à "starving"
qui est surtout ponctuel.

Nous avons ainsi quatre adjectifs français dont l'aspect chronique
passe difficilement en anglais.

Le verbe "to thieve" se distingue de "to steal" en ce qu'il marque
uniquement l'habitude de voler. De même "to tipple" par rapport
à "to drink".

§ 64. 7) **L'aspect terminatif** ou perfectif indique que l'action est
achevée. Nous avons vu, à propos de l'aspect graduel, que "out"
peut, le cas échéant, marquer l'aspect perfectif. En fait on peut dire
que l'anglais utilise souvent ses postpositions pour rendre cet aspect.
Le français, par contre, préfère procéder par implicitation. Comparez :

> Je froissai les télégrammes. (Mauriac)
> Clare crumpled up the paper. (Th. Hardy)

Une phrase aussi usuelle que :

> I crumpled it up and threw it away.

sera traduite en français sans que soit explicitée la différence entre le perfectif et l'imperfectif :

> Je le froissai et je le jetai.

Celui qui traduit du français en anglais doit donc s'assurer qu'il rend suffisamment explicite ce que le français sous-entend.

La langue usuelle fournit de nombreux exemples :

souffler une bougie	:	to blow out a candle
vendre (tout ce qu'on a)	:	to sell out
fondre l'argenterie	:	to melt down the silver
raboter une porte	:	to plane a door down
On l'a gardé.	:	He was kept on.
donner un livre	:	to give away a book
s'écailler	:	to peel off
s'outiller	:	to tool up

L'anglais peut ainsi marquer la différence entre

Elle a déchiré sa robe. : She tore her dress.
Elle a déchiré la lettre. : She tore up the letter.
Elle a déchiré (arraché) une page de son carnet. :
She tore out a page of her notebook.

Quelquefois l'adjectif remplace la particule.

to wipe a knife clean : bien essuyer un couteau
He wiped the muddy roots clean in the current. (Hemingway) :
Il lava soigneusement dans le courant les racines pleines de boue.
He pushed the door open. : Il poussa la porte.

Il arrive aussi que la particule remplace le complément nominal du verbe.

He fell in.	:	Il est tombé à l'eau.
to light up	:	allumer les lampes (ou les cigarettes)
to saddle up	:	seller les chevaux
to wash up	:	faire la vaisselle
to fold up	:	plier bagages
to lock up	:	fermer la maison

Notre participe passé marque souvent l'aspect perfectif par rapport à l'adjectif de même famille. Nous opposons ainsi "jaune" à "jauni", "doux" à "adouci", "long" à "allongé". Sauf quand ce dont il s'agit a été effectivement allongé, adouci, etc. l'adjectif suffit en anglais. Il faut donc s'attendre à ce qu'il se traduise parfois par un participe passé (Voir le Texte 5).

§ 65. 8) **L'aspect collectif** est à l'espace ce que l'aspect itératif est au temps. Il peut s'exprimer en anglais au moyen d'un suffixe :
"tiling : le carrelage", "the brasswork (ou "brightwork") : les cuivres d'un bateau", "the paintwork : les peintures , "the stonework : la maçonnerie".

On voit que le français utilise tantôt un suffixe, tantôt le pluriel. Dans l'une et l'autre langue l'aspect peut être implicite et tenir au sens du mot. Ex. : "massacre : slaughter". En anglais le vocabulaire zoologique et surtout cynégétique abonde en termes de ce genre, dont la plupart sont sans équivalents en français.

un vol de canards sauvages	: a flight of wild duck
une compagnie de perdrix	: a covey of partridges
un essaim d'abeilles	: a swarm of bees
un couple de lapins	: a brace of rabbits

Certains sont d'ailleurs fantaisistes. (Voir Eric Partridge, *Usage and Abusage,* à l'article "Sports").

§ 66. 9) **L'aspect statique** caractérise les verbes de mouvement quand ils prennent un sens où le mouvement est figé. Ex. : "Cette montagne s'élève à 2.000 mètres". L'anglais fournit ici un équivalent exact : "This mountain rises to 6,000 feet". Mais dans : "Le paysage disparaissait derrière la brume", "disparaissait", verbe d'action à aspect statique, ne trouve pas son vis-à-vis en "disappear" qui reste dynamique. On dira donc : "The landscape was veiled in mist". Nous touchons ici à l'aspect grammatical, car "disparaître" reprendrait l'aspect dynamique au passé simple.

Dans une langue qui comme le français pratique la subjectivation (187) et anime l'inanimé (188), beaucoup de verbes d'action s'emploient au figuré et ont de ce fait l'aspect statique.

§ 67. 10) **L'aspect vectoriel** est celui des mots ayant une orientation déterminée, à l'encontre des mots ambivalents qui comportent une double orientation. Ainsi, "hôte" et "louer" sont ambivalents, mais "host" et "guest" sont vectoriels ; "rent" est ambivalent comme "louer", mais "hire" est vectoriel, au sens de "prendre en location", à moins qu'il ne soit suivi de "out". Autres exemples :

ambivalents	*vectoriels*
to pass (dans le même sens)	: dépasser, doubler
to pass (en sens contraire)	: croiser

to climb (up)	:	grimper
to climb (down)	:	dégringoler
to be in charge of (in command)	:	avoir la garde de, le commandement de
to be in charge of (in the care of)	:	être confié à
à mi-pente (en montant)	:	half way up
à mi-pente (en descendant)	:	half way down
tout à l'heure (passé)	:	a while back
tout à l'heure (à venir)	:	presently
cette nuit (passée)	:	last night
cette nuit (à venir)	:	to-night

"To go up to Oxford" (pour un étudiant d'Oxford), "to go down to Oxford" (pour un Londonien) sont des expressions vectorielles. Nous rejoignons ici la distinction entre mots signes et mots images. "Ici", en français, n'est pas vectoriel, c'est un absolu et un mot signe. En anglais "here" devient vectoriel quand il s'adjoint des particules telles que "up", "down", "out", "in", "over", "back", qui le polarissent et l'opposent chaque fois à un lieu particulier. En même temps et comme nous l'avons vu (43) "out here" fait davantage image que "ici".

Certains mots, sans changer de sens, changent d'orientation suivant les pays et suivant les époques. Ex. : "continent" : aux Etats-Unis, tantôt "l'Amérique", tantôt "l'Europe".

"réactionnaire" : homme d'extrême droite en France, d'extrême gauche au Canada

"tricolore", pour un Français, est limité aux couleurs du drapeau national

Logiquement, "gradé" devrait s'appliquer à quiconque a un grade ; en fait il est synonyme de "sous-officier". Historiquement, "succès", "chance" ont été jadis ambivalents, ils sont aujourd'hui vectoriels. "Tiède" et "frais", appliqués au temps, sont vectoriels. Ils peuvent correspondre au même degré de température, mais, à température égale, on parlera d'une journée tiède en hiver et fraîche en été.

C. — ASPECTS AFFECTIFS

§ 68. 1) **Aspect intensif ou augmentatif.**

Relèvent de cette catégorie les mots qui représentent une action, une chose ou une qualité portées à un haut degré d'intensité. Il y a de la force dans "to swing", "to swerve", et de la violence dans "to hurl", "to slash", "to crash", "to smash", "to dash". Si le mot de force égale n'existe pas en français il ne faut pas hésiter à ajouter l'adjectif ou la locution adverbiale nécessaire. C'est ainsi que "to sprawl", superlatif de "to spread", demandera, à l'occasion, à être rendu par "s'étaler" plutôt que par "s'étendre", et parfois même, par "s'étaler largement".

Nous voyons donc que la notion de superlatif — ou d'intensif — n'est pas liée uniquement aux formes grammaticales. Le lexique a lui aussi ses superlatifs et il est normal d'en faire état dans une étude de ce genre, puisque aussi bien c'est le sens et non la forme qui est le facteur déterminant. Dans le même rapport que "sprawl" et "spread" peuvent se placer quantité de mots, dont, à titre d'exemples :

> "icy" (glacial) et "cold"
> "broiling" (brûlant) et "hot"
> "to shatter" (fracasser, détruire) et "break"
> "filthy" (d'une saleté repoussante) et "dirty"
> "ravenous" (qui a une faim de loup) et "hungry".

L'intensité est également obtenue en renforçant le "positif" au moyen d'un adjectif ou d'un adverbe, ce qui donne les locutions d'intensité qui figurent parmi les unités de traduction.

> spotlessly clean : d'une propreté immaculée
> brand new : flambant neuf
> to watch closely : surveiller de près
> an unswerving loyalty : une fidélité à toute épreuve
> broiling hoct : bouillant (p. ex. pour le café)
> piping hot : très chaud (sortant du four)

§ 69. 2) **Aspect atténuatif ou diminutif.** Il s'oppose au précédent. Il peut être soit explicité au moyen d'un suffixe, soit être implicite dans le sens du mot.

> Ex. : "to trim", forme atténuée de "to slash"
> "to tug : tirailler" ou "tirer doucement"
> "maigriot, maigrichon : small and skinny"
> "brunette", qui a l'aspect diminutif en français, mais non en anglais (cf. "a tall brunette : une grande brune").

§ 70. 3) **aspect désinvolte**

> Ex. : "to pick up : ramasser négligemment" (ou du moins "sans peine"), et son contraire "to toss : jeter négligemment"

("The remark he tossed off the other day : Ce qu'il a dit l'autre jour sans avoir l'air de rien") ;

— "to lounge : avoir une attitude nonchalante"
("...lounging against the doorframe, with both hands in his pockets... : appuyé nonchalamment au chambranle, les deux mains dans les poches...") ;

— "to flick" ("at the flick of a switch : il suffit de tourner un bouton") ;

— "to nibble : manger du bout des lèvres" ;

— "to saunter : flâner"
("He came sauntering into the office : Il arriva tranquillement au bureau") ;

— "to glance through : feuilleter" ;

— "to scribble, to scrawl : griffonner".

§ 71. 4) aspect perfectionniste

Ex. : "Il aime fignoler : He is a bit finicky".

                   He likes the extra finishing touch".

"un style très travaillé : a carefully wrought style"

"déguster : to eat with relish"

"siroter   : to sip"

§ 72. 5) aspect honorifique

Nous touchons ici à la métalinguistique, car les distinctions honorifiques relèvent des usages. La traduction littérale est le plus souvent exclue.

"Monsieur le Directeur" devient simplement "Sir", "Madame votre mère", "your mother", ou "Mrs. Smith", ou même "Lady Smith". "Madame est servie" ne peut être rendu que par "Dinner is served". L'anglais ne dispose ni du tutoiement ni de la troisième personne employée pour la deuxième. Le traducteur devra donc procéder par compensation, employer par exemple le prénom comme équivalent du tutoiement, mais en tenant compte de ce que l'emploi du prénom est plus généralisé dans les pays anglo-saxons, surtout en Amérique, que le tutoiement ne l'est en France (172). La note familière ou formaliste devra donc être rétablie autrement, en fonction du contexte.

§ 73. Des exemples qui précèdent on peut conclure que l'aspect est une réalité lexicale et qu'il intervient dans la traduction. Il faut donc l'identifier, qu'il soit implicite comme dans "dormir" (duratif) ou explicite comme dans "toussoter" (itératif et diminutif), puis essayer de le rendre en ayant recours à l'un des trois moyens suivants :

1. par un mot simple dont le sens implique l'aspect en question.
   ex. : "to crash : s'écraser"

2. par une locution ou périphrase qui explicite l'aspect.
   ex. : "to sprawl : s'étaler largement"

3. par compensation, en rétablissant la nuance sur un autre point du texte.

CHAPITRE IV

LEXIQUE ET MÉMOIRE

A. — ASSOCIATIONS MÉMORIELLES

§ 74. Point n'est besoin d'une grande expérience de la traduction pour savoir que les mots doivent y être considérés non seulement individuellement, mais encore, et surtout, dans leurs associations. Celles-ci sont de deux sortes : les **associations syntagmatiques** et les **associations mémorielles.** Les premières groupent les mots en syntagmes dans la chaîne du discours, les secondes les associent dans la mémoire, en dehors du contexte.

Les associations syntagmatiques relèvent surtout de la syntaxe. Il en a été question à propos des unités de traduction (20-26) et nous en reparlerons à l'agencement (140-144) et au découpage (App. 2). Nous nous bornerons donc ici à considérer les associations mémorielles qui mettent en jeu les éléments du lexique en dehors de l'agencement.

On sait comment un mot, une expression, évoquent un synonyme ou un antonyme. A côté de ces catégories bien connues nous voudrions en établir une troisième, celle des **termes parallèles.**

Une série de termes parallèles est formée de mots qui ne sont ni synonymes ni antonymes, mais qui ont ceci de commun qu'ils représentent les aspects particuliers d'une idée ou d'une chose générale. La série parallèle appelle un terme générique qui la coiffe. Les mots qui la composent sont sur le même plan ; ils ne forment jamais une gradation du type "froid", "frais", "tiède", "chaud". En 1914, l'aéronautique était du même ordre que l'artillerie, l'infanterie, le génie, la cavalerie. Promue au rang d'aviation, elle devient parallèle à armée de terre et à marine. Le terme générique dont elle relève n'est plus l'armée de terre, mais les forces armées.

On voit l'utilité que présente cette notion pour l'étude du vocabulaire. Mais elle n'est pas sans intérêt pour le traducteur parce qu'elle crée un contexte mémoriel permettant d'identifier le sens auquel on a affaire. L'américain emploie "swim" là où nous disons soit "nager" soit "se baigner". Quand "swim" est parallèle à "walk, run, jump", etc. il se traduit par "nager". Quand il est parallèle à "go for a walk, read, play tennis", (série de distractions et non d'exercices physiques) il se traduit par "se baigner". Dans ce cas il apparaît souvent sous la forme "to go swimming". De même "taken orally", en parlant d'un médicament, s'oppose à "taken by injection"; la traduction qui s'impose est "par voie buccale" On voit que les associations mémorielles peuvent rendre le même service que le contexte.

B. — MODULATION LEXICALE

§ 75. Rappelons que la modulation est le terme que nous proposons (37) pour désigner un certain nombre de variations qui deviennent nécessaires quand le passage de LD à LA ne peut se faire directement. Nous avons montré que ces variations tiennent à un changement de point de vue. Tandis que la transposition opère sur les espèces grammaticales, la modulation s'exerce sur les catégories de la pensée. Les anciennes figures de rhétorique, métonymie et synecdoque, sont des modulations unilingues. On est amené à en effectuer de semblables d'une langue à l'autre.

Les exemples cités au § 76 sont des exemples de modulation lexicale. Ils montrent bien que celle-ci représente la même réalité sous un jour différent. De même "pompier" et "bateau-pompe" ont d'abord évoqué un moyen de combattre l'incendie ; leurs équivalents anglais "fireman" et "fire-boat" dérivent de la chose à combattre, mais le résultat est le même, et à part de légers détails techniques "fireman" et "pompier", "fire-boat" et "bateau-pompe" évoquent la même image.

Ces modulations, et celles qui vont suivre, sont figées. Elles sont consignées dans les dictionnaires. Mais le procédé qui les a créées est à la disposition du traducteur qui peut l'utiliser pour tourner une difficulté. On a alors affaire à une modulation de la parole qui, si elle se révèle utile, peut passer dans la langue. Au moment du blocus de Berlin en 1948, l'idée exprimée par le mot "airlift" a trouvé son signifiant français dans l'expression "pont aérien" qui illustre le passage caractéristique du dynamique au statique et du mot concret à la métaphore. C'est là une modulation libre, mais dans la mesure où l'occasion de l'employer se répéterait, elle se figerait et passerait dans le lexique. Il en est de même de ces autres expressions de la guerre froide dont la traduction est plutôt calquée que modulée : "containment : endiguement" et "roll-back : refoulement".

Une modulation peut se définir par ses termes, c'est-à-dire par les points de vue qu'elle oppose. Ramenées à un certain niveau d'abstraction, ces différences d'éclairage fournissent un principe de classement dont on trouvera l'application à propos des exemples donnés ci-dessous, sans qu'il soit toujours possible de faire une distinction absolue entre la modulation du lexique et celle de la syntaxe (216 sq.).

§ 76. Exemples de modulation

Nous laissons de côté comme relevant de la syntaxe une modulation très courante qui consiste à moduler par la négation du contraire.

1. *l'abstrait et le concret :*
   le dernier étage : the top floor
   un film en exclusivité : a first-run movie
   jusqu'à une heure avancée de la nuit :
   until the small hours of the morning

2. *cause et effet :*
   the sequestered pool : l'étang mystérieux
   a stubborn soil : un sol ingrat
   baffles analysis : échappe à l'analyse

3. *moyen et résultat :*
   tooled leather : cuir repoussé
   firewood : bois de chauffage
   firing party : peloton d'exécution
   vacuum bottle : bouteille isolante

4. *la partie pour le tout :*
   livre de classe : school book
   envoyer un mot : send a line
   to wash one's hair : se laver la tête
   sawdust Caesar : César de carnaval

5. *une partie pour une autre :*
   the keyhole : le trou de la serrure
   offhand : au pied levé

6. *renversement du point de vue :*
   entered the highway : déboucha sur la route
   a retaining wall : un mur de soutènement
   draft beer : de la bière sous pression
   folder : dépliant

7. *intervalles et limites* (ou durée et date, distance et destination):
   three flights of stairs : trois étages
   How long? : Depuis quand ?
8. *modulation sensorielle :*
   a) couleur
      goldfish : poissons rouges
   b) son et mouvement
      the rattle of a cab : le roulement d'un fiacre
      rattled his sabre : agita son sabre
   c) toucher et poids
      the intangibles : les impondérables
9. *forme, aspect, usage :*
   a high chair : une chaise d'enfant
   a box car : un wagon couvert
   papier peint : wall paper
10. *modulation géographique :*
    lanterne vénitienne : Chinese lantern (Br.)
                              Japanese lantern (U.S.)
    porcelaine de Saxe : Dresden china
    encre de Chine : India ink
11. *changement de comparaison ou de symbole :*
    saut de mouton : cloverleaf intersection
    d'une autre trempe : of another calibre
    sous-fifre : second fiddle
    fond de tiroir : bottom of the barrel
    de la première page à la dernière : from cover to cover
    d'une mer à l'autre : from coast to coast
    white as a sheet : pâle comme un linge

L'analyse et le classement des exemples ci-dessus donne une idée de la diversité du procédé. C'est que la modulation utilise essentiellement les associations des mots et celles-ci peuvent être très nombreuses. Elles forment autour de chaque mot un champ associatif que le traducteur a intérêt à explorer car il y trouvera de nouvelles modulations qui lui permettront de tourner la difficulté lorsque la traduction directe se refusera à lui.

II

L'AGENCEMENT

"A complete study of the differences of idiom between any two languages alone could hardly be made by one man in a lifetime, yet it is a pity that no real attempt has ever been made to tackle the problem, for it is certain that differences could be largely classified and reduced to rules."

T.C. MACAULAY, Interlanguage,
Society for Pure English, Tract 34.

NOTIONS PRÉLIMINAIRES

ESPÈCES ET CATÉGORIES

§ 77. Le chapitre précédent a été consacré à l'étude des notions (êtres ou choses, qualités ou procès). Il convient maintenant d'examiner sur quels points caractéristiques les deux langues diffèrent dans la constitution des énoncés, c'est-à-dire dans la mise en œuvre du lexique le long de la chaîne du temps. Nous appellerons plus commodément cette distribution l'**agencement**.

Reprenant la distinction saussurienne entre langue et parole, nous dirons que l'agencement est l'actualisation du lexique. C'est ce qu'exprime bien la citation suivante de J. Perrot : « L'usage de la langue comme moyen de communication implique la connection de deux fonctions : il y a communication d'énoncés (assertions, interrogations, ordres, etc.) relatif à des notions (êtres, choses et procès) »[1]. C'est la première de ces deux fonctions, celle qui élabore les énoncés, dont nous devons maintenant traiter.

§ 78. 1.) **Espèces et catégories :**

Pour M. Galichet (*Physiologie de la langue française*, p. 48 sq.), l'expression du point de vue du sujet parlant se concrétise en quelque sorte par le jeu des valeurs grammaticales, qui « encadrent, qui informent les valeurs sémantiques ». D'où la distinction faite par cet auteur, et qui se révèle très pertinente, entre les « espèces » et les « catégories » ; nous retiendrons ces deux termes, en notant qu'ils permettent un nouveau classement des faits morphologiques et syn-

---

(1) *La Linguistique*, Paris, PUF, 1953, p. 121. On sait que l'actualisation, suivant la formule de Bally (*LGLF* § 119), fait passer la langue dans la parole. C'est une idée semblable qu'exprime Charles Fries (*The Structure of English*, p. 256) en ces termes : "Speech acts that are language always consist of lexical items in some kind of structure." Nous verrons dans la IIIᵉ partie qu'il y a cependant d'autres considérations résultant en somme de la conjonction des deux fonctions, qui les dépassent toutes deux et doivent être traitées à part. C'est ce que nous avons appelé le *message*.

taxiques à la lumière du sens, démarche essentiellement propre à la stylistique comparée.

Rappelons que sous le vocable général d'espèces, G. Galichet comprend ce que la grammaire traditionnelle appelle les parties du discours. L'avantage de ce terme est de permettre leur regroupement sous une forme plus rationnelle. C'est ainsi que les espèces nominales comprennent le nom et le pronom ; les espèces adjointes, l'adjectif et l'adverbe ; les espèces de relation, la préposition et la conjonction.

D'autre part, chaque espèce relève de catégories différentes ; le genre dans le cas du nom, de l'adjectif et du pronom ; le nombre dans le cas de toutes les espèces variables, etc.

§ 79. Enfin, une troisième notion intéressant les espèces est celle des fonctions grammaticales, telles que les fonctions épithète, apposition, sujet, etc. En principe, ces considérations ne nous intéressent pas au premier chef, puisque le présent manuel n'est pas une grammaire. Comme nous l'avons déjà dit, on ne traduit pas pour comprendre, mais pour faire comprendre; le traducteur est censé partir, à pied d'œuvre, avec la double connaissance des fonctions LD et des fonctions LA. Cependant, dans la mesure où les techniques du démontage (App. 2) relèvent de la traduction, l'analyse des fonctions est importante : pour le stylisticien et le traducteur, l'analyse de l'opposition passif/actif, ou transitif/intransitif est essentiellement une opposition de démarche (183 sq.) entraînant des différences de valeur grammaticale. Là où le grammairien constate ces différences, le stylisticien et le traducteur peuvent aller plus loin, et les considérer comme des reflets d'une attitude linguistique qu'il faut dès lors cerner et définir dans la mesure du possible. C'est dire que notre dernière partie traitera, au moins indirectement, des fonctions dans leur incidence sur le message.

§ 80. Nous étudierons, dans cette deuxième partie, certains problèmes de stylistique soulevés par l'opposition, dans les deux langues, des espèces et des catégories. Dans une première subdivision, nous passerons en revue ceux qui ont trait à l'espèce nominale, à l'espèce verbale et aux espèces secondaires : espèces adjointes et espèces de relation. Dans une deuxième subdivision, nous étudierons les catégories principales communes à l'anglais et au français : le genre, le nombre, le temps, la voix, la modalité et l'aspect. Le détail des paragraphes qui suivent fera mieux comprendre cette répartition de l'énoncé dans des cadres peut-être nouveaux pour certains, mais qui ont en tout cas le grand avantage d'être suffisamment souples pour retenir l'attention du traducteur. Ce dernier n'est, répétons-le, ni un grammairien, ni même un linguiste, au sens français du mot.

CHAPITRE I

LA TRANSPOSITION

§ 81. Parler d'espèces, c'est reconnaître implicitement que, dans le rapprochement de deux langues, les mêmes valeurs sémantiques peuvent se cacher sous des espèces différentes. Si le traducteur travaillait sur une **langue neutre,** uniquement faite de concepts et complètement dégagée des servitudes linguistiques (par exemple, rédigée en formules algébriques ou symboliques), nous n'aurions pas à parler d'espèces et, par conséquent, il n'y aurait aucune transposition à effectuer. On se souvient en effet que la transposition (36) est un procédé qui consiste à remplacer une partie du discours par une autre sans changer le sens du message.

Mais la réalité qui s'offre au traducteur est tout autre : si le message (sens global) de "He almost fell" est bien équivalent de "Il a failli tomber", il faut reconnaître que le détail des réalisations diffère considérablement, puisque "almost" (adverbe) est ici rendu par "failli" (verbe). Nous sommes là devant le passage d'une partie du discours à une autre ; "almost" et "failli" appartiennent à deux espèces différentes. Notre chapitre II traitant de la stylistique comparée des espèces, nous aurons l'occasion de noter à chaque instant des transpositions. C'est même, sans nul doute, le type de "passage" le plus fréquent auquel doit faire face le traducteur. Qu'il suffise d'en montrer ici le mécanisme[2].

----

(2) Nous attirons l'attention du lecteur sur le fait que nombre de transpositions d'espèces s'accompagnent également d'un déplacement dans la chaîne de l'énoncé.

DIFFÉRENTS TYPES DE TRANSPOSITION:

§ 82.

a) adverbe/verbe :

— He *merely* nodded : *Il se contenta de* faire oui de la tête.
— Situation *still* critical (titre de journal) : La situation *reste* critique.
— He will *soon* be back : Il *ne tardera pas à* rentrer.
— He was very nearly given in charge :
Il a bien *failli* se faire arrêter.
— Depuis 1952, notre commerce avec l'étranger *n'a cessé* de s'améliorer (*Le Monde*) :
Since 1952 our foreign trade has improved *steadily*.

b) verbe/nom :

— As soon as he *gets up*. : Dès son *lever*.
— When Parliament *reconvenes*... : A la *rentrée* du Parlement...
— The French have indeed *pioneered* in producing the modern book de luxe (Ph. Hofer) :
Les Français ont été vraiment *les premiers* dans le domaine du livre d'art moderne.
— Before he *comes back* : Avant son *retour* (ce qui entraîne la TR de "he" en "son").
— ...grown *wearisome* from *constant repetition*... :
qui finit par *lasser à force d'être répété* (triple TR : adjectif/ verbe, adjectif/locution adverbiale et nom/verbe).
— *Any attempt* to be arbitrary at once involves one in inconsistencies (*The Spectator*, 13 août 1954) :
Dès qu'on essaie d'être arbitraire, on est tout de suite aux prises avec des contradictions. (Double TR : adjectif indéfini/conjonction et nom/verbe).

c) Nom/participe passé

— *With the loss* of active *allied* support, the anti-bolshevist rebellion collapsed (C. Hayes) :
— *Privée* de l'appui actif *des Alliés*, la révolte anti-bolchevique s'effondra (Double TR : nom/participé passé et adjection/nom).
Cette transposition s'effectue régulièrement après *with* dans des expressions telles que : "with the able assistance of : secondé admi-

rablement par" (2 TR) ; "with the help of... : fort de l'appui de, nanti de, accompagné de ; équipé de, muni de, etc." ; "with the help of a blow torch he was able to open the safe : muni d'un chalumeau il réussit à ouvrir le coffre" ; "with an abundance of worldly goods : bien pourvu des choses de ce monde".

d) verbe/préposition :

— "Reports reaching here *indicate that...* : *D'après* des informations reçues ici... (Egalement : D'après *nos* informations...)". On notera que la deuxième traduction transpose *"reaching here"* par *"nos"*.
— "Two priests *over* a glass of beer at a café (S. Lewis) : Deux ecclésiastiques *attablés devant* un bock à la terrasse d'un café." On notera l'étoffement de "at", justifié par la situation indépendamment de celui de "over" qui résulte de la transposition (91).
— "Darkness *flooded up round them* out of the ground (R. Hughes): Ils furent *enveloppés* par une *nappe* d'obscurité qui *montait* du sol *de toutes parts* (TR complexe, "round" étant transposé et modulé par un nom) Cf. aussi tout le passage de D. H. Lawrence, cité au Texte N° 4 (p. 292), "up hill and down dale, through... to the terminus."

e) Nom/adverbe :

— "He spoke *well* of you. : Il a dit *du bien* de vous.'
— "It is *popularly* supposed that... : *Les gens* se figurent que..."

f) participe passé/nom :

— He sheltered his cigarette in his *cupped* hand. :
  Il abritait sa cigarette dans le creux de sa main.
— Easily *rubbed off* : Qu'un léger *frottement* suffit à *enlever*
  (triple TR: adverbe/adjectif ; verbe/nom ; particule/verbe). "Easily" est de plus rendu par dilution dans "léger" et "suffit".
— *Easily blown* away : Qu'un *souffle* pourrait emporter
  ("Souffle" rend à la fois "easily" et "blown").

g) adjectif/nom :

— He constantly refers to his own sources which are understandably but nevertheless annoyingly *anonymous* :
  Il se reporte constamment à ses propres sources, dont l'*anonymat* est compréhensible mais néanmoins agaçant.
— In the *early* XIXth century : au *début* du XIX° siècle.
— As timber *becomes more valuable...* : avec la *revalorisation* du bois.

h) **Locution prépositive ou adverbe/adjectif :**

— It is *easy* to see you don't pay for the coal :
 On voit *bien* que ce n'est pas vous qui payez le charbon.
— The *full* purchase price will be refunded :
 Le prix d'achat sera remboursé *intégralement.*
— ...grown wearisome *from constant* repetition :
 ...qui finit par lasser *à force* d'être répété.
— The evening was *oppressively* warm :
 La soirée était d'une chaleur *accablante.*

i) **Adjectif/verbe**

— "The *proper* authority to issue this document is the bank :
 Il *incombe* à la banque d'établir ce document".
 Notons en passant que "incombe" transpose à la fois "proper"
 et "authority".

j) **Etoffement des démonstratifs par transposition :**

On étudiera cette transposition particulière au chapitre de l'étoffement (92). C'est un passage très caractéristique, dont l'ignorance
est la cause de nombreux anglicismes.
This may reach you before I arrive : Il se peut que *ce mot* vous par-
vienne avant mon arrivée.
This text is intended for... : *Le présent* Manuel s'adresse à...

§ 83. On a pu voir par les exemples précédents que les transpositions peuvent se combiner les unes aux autres. On devait s'y attendre,
étant donné l'interdépendance des parties du discours. Pour bien s'en
rendre compte, il est nécessaire de numéroter les éléments sujets à
transposition, ce que nous faisons dans l'exemple ci-dessous :
"...the principle of fixing the total tonnage within which each nation
may build what it requires... : Le principe qui consiste (1) à fixer
un tonnage global avec la possibilité (2) pour chaque pays d'y répartir (3) les constructions jugées nécessaires (4)..."

(1) L'étoffement de "of" entraîne la transposition mineure
 "fixing/fixer";
(2) "may : avec la possibilité", soit forme verbale/locution nominale;
(3) "within : d'y répartir", préposition/verbe ;
(4) "what it requires : les constructions (TR nominales) jugées
 nécessaires", explicitation de "it".

§ 84. La traduction des **avis et affiches officielles** fournit de bons exemples de transposition et de modulation (216 sq.) lorsque, comme il arrive fréquemment, la conception à la base de ces avis et affiches diffère totalement d'une langue à l'autre :

Staff only	:	Réservé au personnel.
We deliver	:	Livraison à domicile.
We rent typewriters	:	Location de machines à écrire.
Cattle crossing	:	Attention aux troupeaux (ou : Passage de troupeaux).
Winding Road	:	Virages (sur tant de kilomètres).

Ces deux derniers exemples montrent bien comment la TR peut se confondre avec la MOD ; il y a là à la fois un changement d'espèces et un changement de point de vue. Il est difficile de dire si ceci est la cause de cela. Dans le cas des avis qui se rencontrent fréquemment et ont tendance par conséquent à se fixer, le passage est donné à l'avance : c'est une équivalence (230) qui s'impose, par exemple au cours d'une visite à l'étranger : POST NO BILLS : DEFENSE D'AFFICHER. Dans les pays bilingues, où les deux langues s'influencent mutuellement et où ces avis et affiches sont souvent la traduction de textes rédigés dans la langue principale ou prépondérante, ces avis peuvent être l'occasion de nombreuses erreurs. Nous avons déjà cité, pour le Canada, les libellés suivants, qui représentent des calques ou si l'on veut, qui sont des anglicismes : SLIPPERY WHEN WET : Glissant si humide (Chaussée glissante par temps humide) ; NO PARKING : Ne stationnez pas (Défense de stationner) ; WET PAINT : Frais peinturé (Attention à la peinture), etc.

Etant donné la place privilégiée qu'occupe le substantif en français — et qui fera l'objet des pages suivantes — il n'est pas étonnant de constater que la plupart de ces libellés qui comportent en anglais un verbe à l'impératif, se transposent en français vers le substantif.

§ 85. Remarque : On pourra objecter que la langue des avis et affiches est de nature un peu particulière, comportant de nombreuses ellipses, et relevant d'une stylistique de la langue de la technique (Cf. dans le même ordre d'idées le livre de R. Catherine, *Le Style administratif*, Albin Michel, 1947 : "La rédaction administrative est un genre littéraire"). Cela ne veut pas dire, toutefois, qu'une telle langue doive être en contradiction avec la langue commune, et nous pensons que les raccourcis qu'elle offre présentent au contraire le grand avantage de ne laisser apparaître que l'essentiel des tendances structurales et de la démarche d'une langue. Ce n'est donc pas par hasard que le style des avis et affiches est en anglais plus personnel, plus direct, plus totalement sur le plan du réel, que ne l'est celui des affiches et avis équivalents en français. D'ailleurs, indépendamment des considérations de stylistique, il reste que la traduction de ces textes est en majeure partie affaire d'équivalence, comme nous l'avons noté plus haut : par conséquent, les conclusions qu'il est possible de tirer du rapprochement de deux rédactions équivalentes sont d'autant plus sûres et d'autant plus significatives [3].

(3) Nous reverrons la langue des avis à propos du message (243).

CHAPITRE II

STYLISTIQUE COMPARÉE DES ESPÈCES

A. PRÉDOMINANCE DU SUBSTANTIF EN FRANÇAIS.

§ 86. Le rôle prépondérant du substantif en français a été constaté maintes fois, aussi bien par les hommes de lettres que par les linguistes. Dans ses *Querelles de langage,* André Thérive fait remarquer que l'accent de la phrase tend à porter sur le substantif plutôt que sur le verbe, de sorte que si « se démettre » devient archaïque, c'est « donner sa démission » qui doit le remplacer, et non « démissionner », « création barbare, artificielle, ridicule ». Sans se placer à un point de vue étroitement grammatical, André Chevrillon avait déjà noté que : « le français traduit surtout des formes, états arrêtés, les coupures imposées au réel par l'analyse. L'anglais peut rendre bien plus facilement ce que M. Bergson appelle du *se faisant...* » (*Trois Études de littérature anglaise*, Plon, 1921, p. 222). Par ailleurs, au terme d'une savante comparaison du français et de l'allemand, Charles Bally note que le caractère statique du français se reflète dans la prédominance du substantif sur le verbe : « bien loin de rechercher [comme le fait l'allemand] le devenir dans les choses, il [le français] présente les événements comme des substances. » (*LGLF* § 591).

« Traduire les coupures imposées au réel par l'analyse », « présenter les évènements comme des substances », on ne saurait mieux dire pour caractériser la manière dont le français, mentalement et linguistiquement, se place en face de la réalité, et ces citations pourraient servir d'épigraphe à ce qui va suivre. Il faut cependant noter que ces coupures imposées au réel pour les besoins de l'analyse peuvent être suivies d'une relance sur le plan de l'entendement, relance où se marque la tendance du français à l'interprétation du réel. (187-8).

§ 87. L'outillage de la langue révèle à chaque instant cette primauté du substantif :

1) le français a résisté au cours de son histoire à la formation de certains verbes dérivés de noms. "Recruter" était encore banni au grand siècle ; "progresser" a choqué Stendhal, "poster" commence seulement à concurrencer "mettre à la poste" ; sans doute faut-il s'attendre à la diffusion de "tester" (au sens de "faire subir un test") et quelqu'un a même risqué "être agressé" pour "être victime d'une agression" (voir *Le Monde* du 21 octobre 1953), ce qui représente la pointe extrême de cette tendance. L'anglais n'a pas ce scrupule, et de ce fait bon nombre de ces verbes simples ne peuvent se traduire que par des **locutions verbales** :

to collide : entrer en collision ; to surface : remonter à la surface ; to review : passer en revue ; to scruple : se faire scrupule ; to pillory : clouer au pilori ; to retreat : battre en retraite ; to secede : faire sécession ; to ford : passer à gué ; to total : atteindre le total de ; to enfilade : prendre en enfilade ; to erupt : entrer en éruption ; to tabulate : mettre sous forme de tableau.

D'autre part, il arrive souvent qu'un verbe anglais subordonné se rend plus naturellement en français par un substantif :
— People cheered as the troops marched by :
Les gens ont applaudi sur le passage des troupes.
— The natives opened out as he came up :
Les indigènes s'écartèrent à son approche.
— When he gets up : à son lever.
— After he comes back : après son retour.
— As soon as he arrives : dès son arrivée.

Sans doute la tournure verbale est possible en français, mais la tournure nominale paraît plus naturelle, alors que c'est généralement le contraire en anglais quand la chose est possible. On peut traduire littéralement "après son retour", mais il paraît plus simple de dire "after he comes" que "after his arrival", et la construction "dès son arrivée" n'a pas d'équivalent littéral en anglais.

2) De même l'adjectif anglais, pour des raisons qui seront examinées plus loin (109), se rend souvent par une **locution adjectivale** construite autour d'un nom :

a hopeless undertaking	:	une entreprise sans espoir ;
an orderly withdrawal	:	une retraite en bon ordre ;
a Pyrrhic victory	:	une victoire à la Pyrrhus.

3) La caractérisation des procès se fait parallèlement à celle des substantifs, et la **locution adverbiale** (112) est une caractéristique du français par rapport à l'anglais :

gruffly	:	d'une manière bourrue
movingly	:	en termes émus

4) Le **substantif** français peut également jouer le rôle d'un **qualificatif** (110). Plus proche du réel, l'anglais préfère l'adjectif ou le participe passé :

— The French were prevented from advancing by their insufficient force (par leur infériorité numérique).

— In reporting the strengthened Seventh Fleet patrols yesterday, nationalist sources said... : En annonçant hier le renforcement des patrouilles de la septième escadre, on déclarait dans les milieux nationalistes...

Tous ces faits seront repris à propos de la **caractérisation**.

5) La préposition anglaise aboutit souvent en français à une **locution prépositive** (91). Il n'est pas rare que cette locution soit construite autour d'un nom, ce qui permet une plus grande précision : "pour cause de...", "à destination de..." sont plus explicites que "pour".

— He will board the night express for Germany :
  Il montera dans le rapide de nuit à destination de l'Allemagne.
— Within two weeks : Dans un délai de deux semaines
— From: J.B. Smith , : Expéditeur: J.B. Smith
— From a friend : De la part d'un ami
— Within the city : A l'intérieur de la ville

6) Enfin la répugnance du français à employer "ceci", "cela" pour renvoyer à une phrase précédente aboutit à l'introduction de substantifs qui précisent de quoi il s'agit et varient avec chaque contexte (92).

— This does not surprise me :
  Cela ne me surprend pas (ou, dans un style plus soutenu :
  Cette attitude ne me surprend pas.)
— This does not mean that...
  Les remarques qui précèdent ne signifient pas que...
— This proved very helpful :
  Cette mesure (cette initiative, cette démarche, etc.) a grandement facilité les choses.

B. LE VERBE ET LE FILM DE L'ACTION.

§ 88. Le chassé-croisé :

Dans la description du réel l'anglais suit généralement l'ordre des images, le déroulement ou si l'on veut le film de l'action. Même dans le domaine du concret, le français préfère un ordre qui n'est pas nécessairement celui des sensations.

Soit, par exemple, la phrase :

Il a regardé dans le jardin par la porte ouverte.

Le français va tout de suite au résultat, dans ce cas, la chose regardée. Ensuite il indique la façon dont l'action s'est accomplie, dans ce cas, l'itinéraire du regard. C'est là une démarche à peu près constante de l'esprit français : d'abord le résultat, ensuite le moyen. Par contre, l'anglais suit l'ordre des images ; or il est évident que le regard a traversé la porte avant d'aboutir au jardin. D'où la traduction:

He gazed out of the open door into the garden.

Il s'établit ainsi entre les deux langues un **chassé-croisé**. Le résultat est marqué en anglais par la particule (préposition ou postposition) occupant dans la phrase la même place que la locution adverbiale qui en français indique la modalité de l'action. Cette modalité est rendue en anglais par le verbe lui-même, alors que le verbe français indique le résultat. Le chassé-croisé apparaît clairement dans le tableau suivant :

moyen :	blown	par le vent
résultat :	emporté	away

ou plus graphiquement :

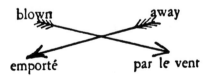

— An old woman hobbled in from the back:
   Une vieille femme arriva en boitant de l'arrière-boutique.
— We jogged back in the short winter twilight:
   Nous revînmes au petit trot dans le court crépuscule d'hiver.
— Blériot flew across the Channel:
   Blériot traversa la Manche en avion.

— He crawled to the other side of the road:
Il gagna en rampant l'autre côté de la route.
— She tiptoed down the stairs:
Elle descendit l'escalier sur la pointe des pieds.
— Through the wide open window streamed the sun on to the
    yellow varnished walls and bare floor:
Par la fenêtre grande ouverte, le soleil entrait à flot et inondait
    les murs vernissés en jaune et le parquet sans tapis.

Il n'est pas toujours possible d'appliquer le procédé du chassé-croisé. Une simple phrase telle que "Come out of the rain!", qui est une façon typiquement anglaise de rendre la réalité, ne peut se traduire en français sans recourir à une modulation:
"Ne restez pas sous la pluie!"

Le point de départ de cette traduction est que nous disons "être sous (et non : dans) la pluie". Il n'est donc pas possible de sortir de la pluie. D'où la modulation par contraire négativé (224) : "come : ne pas rester".

Dans d'autres cas le chassé-croisé est incomplet parce que le français omet la modalité de l'action comme allant de soi. Ex. :
— The horsemen rode into the yard :
Les cavaliers sont entrés dans la cour.

Il est parfaitement clair pour un Français que les cavaliers sont entrés à cheval. Autrement, on le dirait. De même :
— The ship was steaming up the Hudson :
Le navire remontait le Hudson.
— As she lay awake : Comme elle ne dormait pas...

"Lay" est ici un de ces mots-images que le français ne retient pas dans la traduction, et "awake" donne lieu à une modulation par contraire négativé. Un oiseau se déplaçant le plus souvent en volant, nous nous contenterons de rendre "A bird flew into the room" par "Un oiseau est entré dans la pièce". Par contre la traduction de "A bird hopped into the room" exigerait le chassé-croisé :
"Un oiseau est entré dans la pièce en sautillant".

Autre exemple :
— They drove onto the scene of the accident :
Ils arrivèrent sur les lieux de l'accident.

Nous savons par le contexte que les personnes en question sont en auto. Le français n'éprouve pas le besoin de le rappeler. Il en résulte, comme nous le verrons par la suite (151), une perte d'information : prise séparément la phrase française en dit moins que la phrase anglaise sur la situation dont elles ont à rendre compte.

Mais il serait contraire au génie de la langue française d'entrer dans ce genre de détail, puisqu'elle préfère le plan de l'entendement.

Le chassé-croisé tel que nous l'avons décrit représente une différence de comportement entre les deux langues. On ne peut guère l'éviter dans le genre de phrases que nous venons d'étudier. Toutefois il reste en partie implicite chaque fois que le français juge inutile de préciser la façon dont l'action s'est accomplie.

§ 89. Transpositions inverses

Nous avons vu que le substantif occupe dans le système français une place prépondérante parce qu'il permet de rendre les états ou formes arrêtées, chers à l'esprit français. Mais il importe de noter que le rôle du verbe reste quand même très important et que, contrairement à ce qu'un développement précédent pourrait laisser supposer, il y a des noms anglais qui ne peuvent se rendre en français que par des verbes, et qui donnent lieu à ce que nous appellerons des **transpositions inverses.**

Ce sont généralement des noms qui expriment des actions et non pas des états. De plus, il leur arrive de s'articuler sur des prépositions suivant un patron dont le français ne peut guère s'accommoder.

En voici un exemple caractéristique :

"Canada has publicly demonstrated its inevitable involvement in the problem of Asia by accepting membership on the Indochinese truce commission".

Sans doute l'impossibilité du mot à mot tient-elle en partie à ce que "involvement" n'a pas d'équivalent simple en français. Nous touchons ici à une déficience qui a déjà été observée : la chaîne de dérivation est moins complète qu'en allemand et même qu'en anglais (53). Mais il peut arriver qu'il existe en français un substantif correspondant, sans que la difficulté en soit résolue pour autant. C'est le cas de :

"The West German demands for full equality status stand little chance of early Allied acceptance".

"With Eden's disclosure that..."

Nous disposons de "acceptation" et de "révélation" comme équivalents respectifs de "acceptance" et de "disclosure", mais nous sentons néanmoins que l'emploi de ces substantifs irait contre le génie de la langue. En fait les trois exemples précédents devront être traités de la même manière. Il faut transposer tous ces substantifs par des verbes, dans le premier cas parce que de toute façon nous

nous heurtons à une lacune du français ; dans le second cas, comme d'ailleurs dans le premier, parce que les substantifs considérés s'appuient sur des prépositions ou des conjonctions.

Nous dirons donc :

"Le Canada a démontré publiquement, en acceptant[4] de faire partie de la commission d'armistice en Indochine, qu'il ne pouvait rester en dehors des affaires d'Asie."

"Les revendications de la République fédérale en matière d'égalité des droits ont peu de chance d'être acceptées par les Alliés dans un avenir immédiat."

"Quand M. Eden a révélé que..."

De même :

"The extent of Britain's involvement in the Goa dispute, especially the fact she has taken the risk of India's displeasure, is something of a surprise to many persons here:

Beaucoup de gens ici trouvent assez surprenant que l'Angleterre soit mêlée d'aussi près à l'affaire de Goa et surtout qu'elle accepte le risque de mécontenter le cabinet de Delhi."

Ou encore :

"But the singular value of this present book as a manual for English students of university age, lies (as it seems to me) in its enlargement of the vision to see our own literature, magnificent as it is, in European perspective — and this not through direct comparison, but more winningly, almost insensibly, through the operation upon it of two critical minds trained in another great literature which, more than ours, conforms with logic and measure" (Arthur Quiller-Couch, Préface de *A History of English Literature* par Legouis et Cazamian.)

Les substantifs rebelles à la traduction littérale sont ici "enlargement" et "operation". Ils demandent à être transposés en verbes : "Mais le singulier mérite du présent ouvrage comme manuel à l'usage des étudiants anglais, c'est, il me semble, d'élargir leur vision de notre propre littérature, déjà si riche en elle-même, en la plaçant dans une perspective européenne — et cela non pas par une comparaison directe, mais d'une façon plus séduisante et presque imperceptible, en la soumettant à la réflexion de deux esprits critiques formés par une autre grande littérature qui, plus que la nôtre, respecte la logique et la mesure".

Un autre cas où le substantif anglais demande à être traduit en français par un verbe est celui du substantif virtuel, assez fréquent

---

(4) A noter que le français indique la cause en premier (185).

dans la langue abstraite, qui se place sur le plan de l'entendement. Ici, contrairement à ce qui arrive d'habitude, c'est le français qui préfère descendre sur le plan du réel et qui actualise au moyen d'un verbe.

Exemples :

— He was safe from recognition: Il ne risquait pas d'être reconnu.
— The enclosed thesis is sent to you for examination and report :
    J'ai l'honneur de vous donner communication de la thèse ci-jointe en vous demandant de bien vouloir l'examiner et donner votre avis.
— He found himself constantly accused of concealment:
    Il se vit continuellement accusé de ne pas dire toute la vérité.
— Communication was imperative:
    Il était indispensable d'établir une liaison entre les deux villes.
    (Il s'agit de Paris et de Tours en 1870.)
— He even thought he saw in Poupin's face the kind of conscious-ness that comes from detection, or at least interruption, in a nefarious act (Henry James) :
    Il crut même voir sur le visage de Poupin cet air que donne le sentiment d'être pris sur le fait, ou du moins d'être interrompu dans l'accomplissement d'une vilaine action.

C. L'ÉTOFFEMENT.

§ 90. **L'étoffement** est le renforcement d'un mot qui ne se suffit pas à lui-même et qui a besoin d'être épaulé par d'autres. C'est pour le français une nécessité d'étoffer par un substantif certains mots-outils qui en anglais se passent fort bien de cet appui, sans doute parce que dans cette langue ils sont susceptibles de recevoir l'accent tonique. Nulle part l'étoffement n'apparaît plus clairement que dans le domaine des prépositions.

"Nous sommes avec eux, non d'eux". C'est ainsi que *Le Monde* du 13 octobre 1953 traduit les paroles prononcées par Churchill aux Communes le 11 mai 1953 : "We are *with* them, not *of* them". Le français se plie mal à cette concision. Le "de" est trop mince par lui-même, et d'ailleurs ne peut recevoir l'accent comme "of" en anglais. Il aurait fallu dire : "mais nous ne sommes pas des leurs". Paul Bourget reste fidèle au génie de la langue quand il fait dire à Landri dans *l'Emigré* : " Il existe une France contemporaine, cependant. Il y est. Il n'en est pas". (He is *in* it, but not *of* it.)

§ 91. 1.) **Etoffement des particules** (prépositions ou postpositions) :

a) *par un nom.*

— Excursions *au départ d'*Annecy : Outings *from* Annecy
— *To* the station : *entrée* (ou *direction*) *de* la gare
— *To* the trains : *accès* aux quais
— The news was announced in headlines that extended *clear across* the front page of *The Clyde Herald.* (J.P. Marquand) :
  La nouvelle fut annoncée par un titre *qui occupait toute la largeur de* la première page du *Clyde Herald.*
Parfois le nom est l'élément principal d'une locution prépositive :
  Passengers *to* Paris : Voyageurs *à destination de* Paris
  From : De la part de

b) *par un verbe.*

— He stopped at the desk *for* his mail :
  Il s'arrêta au bureau *pour prendre* son courrier.
— Voulez-vous que je téléphone *pour faire venir* une voiture ?
    (F. Mauriac) :
  Shall I phone *for* a cab? (ou : Shall I *call* a cab?)
— I'll call *for you* : Je passerai *vous prendre.*
— Il fit un saut *et se mit hors d'atteinte.* (Mérimée) :
  He jumped *out of reach.*
— ...les gestes agiles des bras *allongés vers* le ballon *pour le saisir.*
    (G. Lanson) :
  the easy motion of their arms reaching out for the ball.
— On ne peut atteindre la chambre qu'*en traversant* le bureau.
    (Simenon) :
  The bedroom can be reached only *through* the study.
— ...écoutant *si l'on n'entendait pas* sur la route de Meaux les canons autrichiens. (A. France) :
  ...listening *for* the rumble of Austrian guns on the road to Meaux.
— *The Time Machine* (H.G. Wells) : La machine à *mesurer* le temps.
— La servante déchirait des draps *pour en faire* des bandes.
  (Flaubert) :
  The maid was tearing sheets *into* strips.
— This forces the translator *into* approximations :
  Le traducteur se voit ainsi obligé *de recourir* à des à peu près *

---

(5) C'est le français qui se place ici sur le plan du réel.

— I shivered *at* the millions and immensities and secrecies of India. (F. Yeats) :
> J'avais le frisson *en songeant aux* multitudes, aux immensités et aux mystères de l'Inde.

Les particules ont une telle autonomie en anglais qu'il leur est possible de fonctionner sans verbe. On en trouvera un bon exemple dans le texte de D.H. Lawrence (page 292). En voici un autre non moins probant, tiré de Katherine Mansfield

— By Jove! he had to hurry if he was going to catch that train home. *Over* the gate, *across* a field, *over* the stile, *into* the lane, swinging along in the drifting rain and dusk:
> Diable ! il lui fallait se dépêcher s'il voulait attraper son train pour rentrer. *Il passa par-dessus* la barrière, *traversa* le champ, *enjamba* l'échalier et *s'engagea dans* le chemin, avançant d'un bon pas sous la pluie que poussait le vent, tandis que la nuit tombait.

c) *par un adjectif ou un participe passé.*

— L'inspecteur *chargé* de l'enquête : the inspector *on* the case.
— A dash had been put in the space *for* the holder's profession :
> On avait mis un tiret dans l'espace *réservé à* la profession du titulaire.

— The plot *against* him : le complot *ourdi contre* lui.
— ...la gratitude de l'Algérie pour l'aide *apportée à* la France par l'armée anglaise :
> Algeria's gratitude for British military aid *to* France.

— He is *up* : Il est *levé.* He is *out* : Il est *sorti.*
— A man *in* a blue suit, black shoes and a grey hat.
> Un homme *vêtu* d'un complet bleu, *chaussé* de souliers noirs et *coiffé* d'un chapeau gris.

d) *par une proposition relative ou participiale.*

— Qu'est-ce que c'est que cette lettre ? Quelle lettre ? Cette lettre *qui est sur* la table. (Duhamel) : That letter *on* the table.
— The courtiers *around* him : les courtisans *qui l'entouraient.*
— Une des fenêtres *qui s'ouvraient au-dessus* du magasin... :
> One of the windows *above* the store.

— ...Le changement *qui s'est opéré dans* l'action clandestine des communistes :
> ...the change *in* the underground action of the communists.

— ...its danger *to* French morale... :
> le danger *que cela présentait pour* le moral des Français...

— He came in with a light *from* his bedroom next door :
> Il entra avec une bougie *qu'il avait prise dans* sa chambre à côté de la leur.

— Perhaps it was the pure air *from* the snows *before* him.
(Thornton Wilder) :
Peut-être était-ce l'air pur *venu* des cimes neigeuses *qui barraient*
l'horizon.

— The arched entrance for carts *into* the yard... (A. Bennett) :
L'entrée voûtée par laquelle les voitures *entraient dans* la cour..

— The charge *against* him... : L'accusation *portée contre lui*...

— *With* a cry... : *En poussant* un cri...

Ce serait à notre avis une erreur de traduire littéralement en
anglais ces relatives ou participiales qui compensent la faiblesse de
nos prépositions. Il peut arriver, il est vrai, comme dans l'exemple
des " fenêtres qui s'ouvrent au-dessus du magasin ", que notre relative soit plus imagée que la préposition anglaise et ramène le
français sur le plan du réel. C'est également le cas de certaines locutions adverbiales (112).

§ 92. 2) **Etoffement du pronom démonstratif par un nom :**

— *This is your* receipt : Reçu *du client*.

— We'll land Sunday, and *this* will be mailed then :
Nous débarquons dimanche et *cette lettre* partira ce jour-là.

— But to the little ones at least, *this* was denied. (Ch. Brontë) :
Mais aux petites du moins *cette douceur* était refusée. (Il s'agit
d'être près du feu.)

— He insists that *this* must not happen :
Il est absolument opposé à la réalisation de *ce projet*.

— *This* has radically changed the situation :
Cette initiative (mesure) du président change la situation du tout
au tout.

— *That* happened in the span of a few months. (L. Woolley) :
Ce phénomène n'avait demandé que quelques mois.

— *This* in itself presented a difficulty :
Cette opération présentait en soi une difficulté.

— *This* proved to be extremely resistant :
Ce matériau s'est révélé extrêmement résistant.

— There is no future in the country if *this* is allowed to prevail :
Avec *un pareil état d'esprit,* le pays est voué à la stagnation.

— *This* probably explains why the British are not perhaps as
adventuresome in book design as... (Ph. Hofer) :
Les considérations qui précèdent expliquent peut-être pourquoi
les Anglais ne semblent pas avoir autant innové dans le domaine
du livre que...

Les exemples qui précèdent montrent que si l'on veut éviter de traduire "this" et "that" par "ceci" et "cela" parce que ces mots ne satisfont pas notre besoin de clarté, il faut identifier les démonstratifs anglais dans le cadre du contexte et les rendre par des noms qui rappellent clairement ce dont il est question. On aura recours à des mots tels que "procédé", "affaire", "initiative", "mesure", "propos", "remarque", etc... qui seront précédés le plus souvent d'un adjectif démonstratif servant de **rappel** (210). Ils constituent des fausses précisions, par opposition à des termes comme "matériau" (voir plus haut) qui peuvent représenter un plus grand degré d'explicitation que l'original.

§ 93. 3) **Etoffement des conjonctions.**

a) *conjonctions en apposition :*

— They were the first people after the Romans to make national roads as far back as the XVIIIth century, *when* long-distance travel by carriage was often impossible in France. (Cloudesley Brereton)
"when: à une époque où"

— ...and came onto a railway line *where* it ran beside a marsh. (Hemingway) :
pour arriver finalement à une ligne de chemin de fer *à l'endroit où* la voie longe un marais.

Ni notre "quand" ni notre "où" ne peuvent, en apposition, s'employer sans un étoffement.

b) *conjonctions précédées d'une préposition :*

— I came back to *where* I had heard the voice (Vincent Sheean) :
Je revins *à l'endroit où* j'avais entendu la voix.

— It has to do with *why* you did not come :
Il s'agit *des raisons* de votre absence.

— It depends on *when* you have to go :
Cela dépend de *la date de* votre départ.

— It boils down to *whether* you want to take that much trouble :
Cela se ramène à *la question de savoir si* vous voulez vous donner toute cette peine.

— This is a story of *how* a man rose to fame :
C'est l'histoire de *la façon dont* un homme est devenu célèbre.

§ 94. L'étoffement tel qu'il apparaît ci-dessus semble tenir à deux sortes de causes :

1) à des raisons de structure. C'est le cas des prépositions et des conjonctions. La structure du français nous empêche de dire : "A la gare" (au sens littéral !) au lieu de : "Direction de la gare." Pour une raison semblable, nos conjonctions ne peuvent pas suivre une préposition.

2) à des raisons d'ordre psychologique où interviennent notre souci de clarté et notre besoin de juger. On l'a vu à propos de l'étoffement des pronoms. Ici encore le démonstratif anglais nous laisse sur le plan du réel, tandis que la locution *adjectif démonstratif + nom* nous ramène le plus souvent sur celui de l'entendement.

D. LES MARQUES.

§ 95. A l'instar de G. Galichet dans sa *Physiologie de la langue française,* nous appelons **marques** les mots qui servent à identifier les espèces. Ce sont essentiellement les articles, adjectifs démonstratifs et possessifs pour les noms, et les pronoms personnels pour les verbes.

Le français, langue de l'entendement, est logique avec lui-même quand il emploie l'article défini toutes les fois que les choses ou les personnes représentent pour lui une catégorie ou un concept. L'anglais, qui serre le réel de plus près, préfère l'article indéfini ⁰ pour présenter les objets indéterminés, qu'il n'éprouve pas le besoin de conceptualiser.

Ex. : — Il a les yeux bleus : He has blue eyes.

— Elle a le teint pâle : She has a pale complexion.

— Il a fait dix kilomètres le ventre vide :
He walked seven miles on an empty stomach.

— Il a la mémoire des dates : He has a memory for dates.

— Il a le goût des meubles anciens :
He has a taste for antique furniture.

— J'ai la conscience tranquille : I have an easy conscience.

De même le français conceptualise davantage en disant :

— Aux Etats-Unis l'essence coûte 30 cents le gallon :
In the United States gasoline costs 30 cents a gallon.

---

(6) L'absence de l'article indéfini anglais dans certains des exemples ci-dessous ne doit pas faire illusion. Le pluriel anglais sans article est le pluriel d'un singulier précédé de l'article indéfini.

L'équivalence entre le possessif anglais et l'article français est du même ordre :

— He had his arm in a sling :
  Il avait le bras en écharpe.
— He speaks with his hands in his pockets :
  Il parle les mains dans les poches.
— He reads with a pen in his hand :
  Il lit la plume à la main.

La division du travail entre l'article défini et le démonstratif n'est pas la même dans les deux langues. Du fait que l'article défini s'omet souvent en anglais, il prend une valeur particulière quand il s'emploie. Il peut alors correspondre à notre démonstratif (234).

Ex. : But these are examples of *the* art in *its* pure state.

Le contexte indique qu'il s'agit de l'art de l'auto-stop. Nous dirons : "Mais ce sont là des exemples de *cet* art à *l*'état pur" "L'art" ferait penser à l'art en général, et non à celui dont il vient d'être question. Remarquons en passant l'emploi du possessif "its" que nous rendons normalement par un article défini.

Il arrive aussi que notre article se rende par un démonstratif :

— Toute *la* partie du pays qui s'étend de l'autre côté de la
  rivière est le rendez-vous des chasseurs :
  All *that* part of the country across the river is a favourite
  haunt of sportsmen '.

---

(7) L'exemple ci-dessus illustre également
  a) l'équivalence de l'article indéfini anglais et du défini français.
  b) l'étoffement de la préposition par une relative : *qui s'étend*.

CHAPITRE III

STYLISTIQUE COMPARÉE DES CATÉGORIES

A. LE GENRE.

§ 96. La catégorie du genre, qui donne lieu à tant de remarques sur le plan grammatical et structural, n'intéresse qu'indirectement le domaine de la stylistique comparée. Le genre est en effet, dans l'immense majorité des cas, une servitude à laquelle le traducteur doit être préparé par ses études antérieures Il est pourtant certaines difficultés que nous nous permettrons de souligner ici, en rappelant la distinction bien connue, mais toujours essentielle, entre le **genre naturel** (être mâle, être femelle, être asexué ou hermaphrodite) et le **genre grammatical** (masculin, féminin, neutre ; épicène).

On sait que l'anglais a presque totalement perdu le genre grammatical, ce qui lui permet de mettre en valeur le genre naturel ; le français, au contraire, est tout entier dominé par le genre grammatical. Si ce dernier trait obscurcit chez lui la réalité physiologique des sexes, et amène des ambiguïtés du type : "his hat, her hat : son chapeau", par contre les accords grammaticaux basés sur le genre peuvent amener des précisions utiles (dans les participes passés, par exemple). Ex. : "The language of resolution 180 adopted on 4 March 1949...' peut se rendre aussi bien par "Aux termes de la résolution 180 adoptée le 4 mars..." que par "le texte de la résolution 180, adopté le 4 mars..."

Les remarques qui suivent se rapportent à quatre aspects de la catégorie du genre en anglais : les mots épicènes, l'explicitation des pronoms, la personnification et les morphèmes féminins dans la dérivation.

§ 97. Mots épicènes :

Il s'agit de mots recouvrant une réalité aussi bien masculine que féminine : c'est dire que le français connaît, comme l'anglais, des épicènes : "professeur", "auteur", "docteur" peuvent désigner indifféremment un homme ou une femme. On sait que le français hésite alors sur l'article à employer, problème qui échappe cependant à notre propos. L'anglais en possède également un bon nombre, qu'il n'est peut-être pas inutile de rappeler ici, puisque le traducteur devra les expliciter en LA : "our readers" (nos lecteurs ou nos lectrices) ; "the monarch" (le souverain, la souveraine) ; "the spouse" ; "my friend"; "my cousin"; "the nurse" (bien que "male nurse" soit également employé pour éviter l'ambiguïté) ; "the cook" (le chef, la cuisinière ; "chef" s'emploie aussi en anglais) ; "boss" (patron ou patronne), "gossip", etc. La *Grammaire complète de la langue anglaise* (Paris, Larousse, 1949) en donne une bonne liste, p 70, ainsi que O. Jespersen, *A Modern English Grammar*, Vol. VII, pp. 174-220.

§ 98. Explicitation des pronoms :

L'explicitation des pronoms relève évidemment du contexte, ou de la situation. Ex. "students" employé avec le contexte "St. Mary's School" ou "Vassar College", amènera une traduction au féminin : "les étudiantes ; elles...", ces deux institutions étant réservées aux jeunes personnes, — terme d'ailleurs ambigu pour qui ne connaît pas l'usage du XVIIe siècle. Il est à remarquer que, parmi nos étudiants, les femmes ont naturellement tendance à mettre au féminin des phrases comme "I was very glad to...", "I am given to understand...", etc. Ce petit problème se posera tout naturellement lorsque, si l'on peut dire, le traducteur d'un roman est une traductrice.

Inversement, un roman épistolaire français perdra parfois de sa saveur en anglais, les lettres écrites à la première personne se voyant privées d'une partie de leur individualité. Il faudra alors recourir à des compensations pour rétablir la tonalité masculine ou féminine : l'emploi du nom propre, l'utilisation de certains éléments du lexique particulier à l'un ou l'autre sexe, des composés du type "girl-friend", "boy-friend", etc.

Quant au "it" employé pour désigner les très jeunes enfants, il pourra être rendu par un épicène français également ambigu : "l'enfant", "le bébé". Sir Ernest Gowers cite à ce sujet une phrase d'une ambiguïté parfaite : "If the baby does not thrive on raw milk, boil it".

§ 99. La personnification :

Là encore, les remarques que nous voudrions faire sont également consignées dans les grammaires et nous ne les rappelons que pour mémoire. On sait que les animaux sont neutres s'ils ne sont pas l'objet d'une affection particulière. Par contre, pour les animaux domestiques, on leur donnera volontiers un genre qui surprend parfois un lecteur français. D'un chien, on dira, suivant le cas : "She's a good girl" ou "He's a good boy". D'après Sweet, "dog", "horse", "fish", "canary" sont généralement masculins, "cat", "hare" et "parrot", féminins. Les chasseurs mettent volontiers au féminin les volatiles : "grouse", "duck", "goose" ; les pêcheurs en font autant pour "fish", "whale", "trout". Jespersen cite plusieurs exemples de phrases où le même animal apparaît successivement sous plusieurs genres : "This young leopard was about to try his teeth on the dead body of a gazelle, which its mother had just captured" (*Op. cit.* p. 210).

Plus connue est la personnification féminine des machines envers lesquelles l'Anglo-saxon se sent affectivement lié : "ship", "packet", "merchantman", "motor-car", "automobile", "watch". Cependant, il y a des cas où c'est le masculin qui l'emporte (pipe). Pascoe (cité par Jespersen) résume bien ce flottement à propos de la pâtisserie : "Any cake is termed a he, but a cold plum-pudding of a more 'stodgy' nature is termed a she".

Enfin, les personnifications abstraites sont toujours délicates, surtout dans le cas de métaphores soutenues. Les pays sont généralement féminins ; "Nature", "Soul", "Mind", "Moon", "Spring" également ; par contre, "Death", "Love", "Sun" sont masculins et la mer "innombrable" est tantôt "She", tantôt "He", tantôt "It".

§ 100. Dérivation :

Si l'anglais ne possède pas de mot spécial pour désigner le sexe (ex. : "bridegroom" par opposition à "bride"), il peut utiliser un morphème spécial, ex. : "-ess" (cf. "manager", "manageress" ; "author", "authoress"), mais il convient de noter que ce suffixe semble péjoratif à certains « There is a derogatory touch in it which makes it unsuitable when we desire to show respect. » (O. Curme). L'anglais se rapproche ici du français, dans sa méfiance envers les féminins du morphème "-eur", cf. "docteur", "doctoresse", mais "professeur" et non "professoresse".

L'introduction de morphèmes français permet dans une faible mesure à l'anglais de créer des termes comme : "confidante", "fiancée", par opposition à "confidant", "fiancé", mais le morphème "ette" ne comporte aucune évocation de genre dans "kitchenette : petite cuisine", "roomette : compartiment de wagon-lit", "leatherette : simili-cuir", etc...

Pour conclure ces remarques sur le genre, qui sont, comme on l'a vu, des faits de servitude dans une très grande majorité des cas, examinons une phrase où le genre peut avoir une incidence sur la traduction. Dans un texte sur le comportement des guêpes (*The Linguist*, février 1955, p. 44), l'auteur se laisse aller à une personnification qui paraît gênante en français à cause du genre grammatical de cet insecte : "I am no naturalist and I allude to this worker-wasp as a male because he was a business-like and practical fellow". Cette personnification va donc à l'encontre du genre de "guêpe-ouvrière", mais on pourra conserver le mouvement du morceau, en plaidant par là même la cause du féminisme : ..."à voir la façon pratique et affairée avec laquelle cette guêpe attaquait son morceau de sucre, j'ai supposé qu'il s'agissait d'une femelle, etc..."

B. LE NOMBRE.

§ 101. Bien que le pluriel et le singulier fonctionnent de façon semblable dans les deux langues, il n'y a cependant pas correspondance absolue entre ces deux aspects du nombre. L'anglais fait du collectif un usage qui de prime abord déroute les esprits français, et dans certains cas, il crée un singulatif qui est la contre-partie du collectif.

Nous allons examiner un certain nombre d'exemples.

§ 102. L'anglais emploie au sens collectif des mots qui restent au singulier mais que le français ne peut traduire que par un pluriel. Il arrive qu'on trouve en France à l'intention des visiteurs de langue anglaise l'inscription "Informations", dont le pluriel aberrant est calqué sur notre "Renseignements". En fait c'est le singulier "Information" qui traduit notre pluriel, et pour dire "un renseignement", l'anglais est obligé d'avoir recours à une tournure spéciale que nous appellerons le **singulatif** : "a piece of information". Cette tournure n'est pas caractéristique du français ; elle existe cependant : "de la monnaie, une pièce de monnaie". L'anglais usuel fournit de nombreux exemples :

advice: des conseils	a piece of advice: un conseil
news: des nouvelles'	a piece of news: une nouvelle
poetry: des vers	a piece of poetry: une poésie
evidence: des preuves	a piece of evidence: une preuve
furniture: des meubles	a piece of furniture: un meuble
toast: des toasts'	a piece of toast: un toast
bread and butter: des tartines de beurre	a piece of bread and butter: une tartine de beurre
flying glass: des éclats de verre	a piece of flying glass: un éclat de verre

Le singulatif utilise parfois d'autres mots que "piece"

armour: des armures	a suit of armour: une armure
ammunition: des munitions	a round of ammunition: une cartouche, un coup
lightning: des éclairs	a flash of lightning: un éclair
thunder: des coups de tonnerre	a clap of thunder: un coup de tonnerre
grass: de l'herbe	a blade of grass: un brin d'herbe
fireworks: des feux d'artifice	a fireworks display: un feu d'artifice

§ 103. Par contre, certains collectifs anglais n'ont pas de singulatif. Le modèle existe d'ailleurs en français: "la main-d'œuvre: labour".

buck-shot	:	des chevrotines
applause	:	des applaudissements
tinned food	·	des conserves
stock (U.S.)	:	des actions (cf. Br. shares)
lace	:	des broderies (sur un uniforme)
winding road	:	virages (sur un écriteau)

"literature", dans l'exemple suivant :

"an investigation into news-stand literature: une enquête portant sur les livres et périodiques exposés à la devanture des libraires."

"work", en particulier dans des composés comme :

homework	:	les devoirs et les leçons
rough work	:	les brouillons
brasswork	:	les cuivres (par exemple ceux d'un yacht)
lead-work	:	les lamelles de plomb d'un certain genre de fenêtres ; les plombs d'un vitrail

(8) "The news" peut vouloir dire : "la nouvelle".
(9) "A toast" ne peut signifier qu'un toast porté à quelqu'un.

"fire", dans le composé "shell-fire"
— A few houses had been hit by shell-fire:
Quelques maisons avaient été touchées par des obus.
(var. : par le bombardement)
Cette catégorie peut s'allonger indéfiniment de noms verbaux en "-ing".

— fierce fighting : des combats acharnés
— off-campus housing : des chambres en ville
(pour les étudiants)
— lettering : lettres (ou : caractères)
Ex. : the notice in dirty yellow lettering on the dirty brown door...
— after much dodging about : après beaucoup de détours
— speculative buying : des achats spéculatifs
— to do a little
Christmas shopping : faire quelques
achats pour Noël
— expecting to hear
more fighting : s'attendant à entendre
d'autres coups de feu

§ 104. Il arrive que l'anglais dispose à la fois **d'un pluriel régulier et d'un collectif.** Ce dernier n'a pas d'équivalent en français, sauf dans quelques cas mentionnés plus loin, ce qui revient à dire que les mots de la troisième colonne doivent se traduire comme ceux de la seconde.

Singulier	Pluriel	Collectif
a novel (roman)	novels	fiction
a ship (navire)	ships	shipping
a sail (voile)	sails	canvas
a lesson (leçon particulière)	lessons	tuition (Br.)
an office (bureau)	offices	office space
a shelf (rayon)	shelves	shelf space
a hair (cheveu, poil)	hairs	the hair
a statue (statue)	statues	statuary
a case (affaire, procès)	cases	litigation
a wall (mur)	walls	walling
a panel (panneau)	panels	panelling
a union (syndicat)	unions	organized labor (U.S.)
a room	rooms	accommodation

Il y a naturellement une nuance entre le pluriel et le collectif. Le premier évoque des objets séparés ; le second, des objets pris en masse. Le français offre quelques exemples de collectifs doublant des pluriels :

a law (loi)	laws	legislation (cf. législation)
a pipe (tuyau)	pipes	piping (cf. tuyauterie)
a worker (ouvrier)	workers	labour (main-d'œuvre)

§ 105. **Mots anglais qui s'emploient régulièrement au pluriel et au singulier, mais dont le singulier peut avoir le sens d'un pluriel, du moins dans un de leur sens :**

glass	:	des vitraux
hose	:	des bas
beauty care	:	des soins de beauté
to take strong action	:	prendre des mesures énergiques
crowded with incident	:	riche en incidents

§ 106. L'anglais possède un certain nombre de **pluriels inva-riables** dont parlent les grammaires et dont certains s'expliquent par l'histoire de la langue. Ce sont surtout des noms d'animaux :

sheep, deer, grouse, swine, duck (canards sauvages),
elk, buffalo, salmon, trout, mackerel, etc.

Quelques-uns peuvent se mettre au pluriel pour indiquer la variété. Ex. : "fruit : des fruits" ; "fruits : des espèces de fruits".

Indépendamment des raisons historiques, il faut voir dans la survivance de ces pluriels invariables — qui s'étendent à des mots comme "craft" (appareils ou bâtiments), "cannon" (bouches à feu), "hose" (bas, et non : lances d'arrosage) — une certaine vision des choses qui est propre à l'anglais et qui consiste à considérer la masse, l'ensemble, plutôt que des unités juxtaposées.

§ 107. Cependant il y a toute une série de cas ou où c'est l'anglais qui préfère **le pluriel** pour marquer les parties de l'ensemble, alors que le français se contente du **singulier**.

the stairs	:	l'escalier
grapes	:	le raisin (a grape : un grain de raisin)
the trousers	:	le pantalon (cf. le pluriel de "culotte" en français populaire)

the beads	:	le collier ou le chapelet
the grounds	:	le parc (d'une propriété privée)
the railings	:	la grille
the dishes	:	la vaisselle
the scales	:	la balance
the bellows	:	le soufflet
directions for use	:	mode d'emploi
the judges	:	le jury (d'un concours agricole, par ex.)
the contents	:	le contenu
in colonial days	:	à l'époque coloniale

De tout ce qui précède, et compte tenu de la tendance contraire notée au paragraphe précédent, se dégage la préférence de l'anglais pour des mots singuliers par la forme et pluriels par le sens, ce qui fait que dans certains cas le singulier ne peut se rendre que par une tournure spéciale.

Quant à l'emploi que l'anglais fait du pluriel dans des phrases teiles que "Put up your hands : Levez la main" (si on s'adresse à plus d'une personne), il faut y voir encore un exemple de la tendance de l'anglais à rendre la multiplicité du concret. Le français préfère dans ce cas un singulier conceptuel avec l'article au lieu du possessif (95).

§ 108. **Pluriels intensifs et atténuatifs :**

Le pluriel intensif existe dans les deux langues sans qu'il y ait nécessairement traduction littérale, l'idée d'augmentation ou de diminution ayant d'autres moyens que le pluriel pour s'exprimer. Ex. :

— Il y a des années de cela :
  It happened years ago.
— We've done it loads of times:
  Nous l'avons fait je ne sais combien de fois.
— Their plane arrived hours late yesterday:
  Leur avion est arrivé hier avec un retard de plusieurs heures
  (ou : avec un retard considérable).
— We have loads of time :
  Nous avons largement le temps.
— He has tons of money:
  Il est riche comme Crésus (ou : il est immensément riche).
— I haven't seen you for years:
  Il y a une éternité que je ne vous ai vu.
Parallèlement au pluriel augmentatif il y a un pluriel atténuatif

de même structure. Seul le fait que la chose pluralisée est petite montre qu'il s'agit d'un très petit nombre, d'une quantité négligeable. Ex. :

Within minutes...: En moins de quelques minutes... .

Seconds later...: A peine quelques secondes plus tard; presque aussitôt.

Just minutes from Manhattan: A quelques minutes seulement de Manhattan.

It costs you only pennies...: Cela ne vous coûte que quelques sous.

Only pennies a cup (réclame de café): La tasse ne coûte pour ainsi dire rien.

C. LA CARACTÉRISATION.

§ 109. La **caractérisation** utilise essentiellement soit des adjectifs ou locutions adjectivales, soit des adverbes ou locutions adverbiales. En français elle a aussi recours, comme nous le verrons, au substantif qualificatif. Il y a d'ailleurs une foule de moyens de marquer la caractérisation. Nous n'avons pas la place nécessaire pour en faire une étude détaillée.

La comparaison des deux langues montre très vite que l'anglais est plus riche que le français en adjectifs et en adverbes. D'une part, pour des raisons de structure, il forme plus facilement des dérivés, et il peut employer un nom comme adjectif ; d'autre part, opérant sur un plan, celui du réel, où le détail concret est important, il a l'occasion d'utiliser abondamment ses ressources.

Il les emploie aussi d'une façon plus élastique. Par exemple, il se sert des qualificatifs comme adjectifs de relation avec une facilité que le français n'a pas encore égalée, bien qu'il semble vouloir s'engager dans cette voie. Le temps est loin en effet où Musset trouvait que "convention de poste" était préférable à "convention postale". "Postal" est un adjectif de relation, comme beaucoup d'adjectifs savants ou techniques, tels que "solaire" et "catégoriel" que les spécialistes préfèrent pour leur concision aux locutions adjectivales du langage courant. Bally a montré (*LGLF* § 147) que ces adjectifs ne se comportent pas comme les qualificatifs : ils ne sont jamais antéposés, ne s'emploient pas comme attribut, ne prennent pas les degrés de comparaison.

Quoi qu'il en soit, dans le français courant l'adjectif de relation prend généralement la forme d'une locution adjectivale. C'est beaucoup moins fréquemment le cas en anglais.

the French consul	: le consul de France
Russian leather	: du cuir de Russie
Persian carpets	: des tapis de Perse

(mais "Turkey carpets" pour "tapis de Turquie")

a French book	: un livre de français (aussi bien que "un livre français")
medical students	: des étudiants en médecine
local people	: des gens de l'endroit
her married name	: son nom de mariage
an optical illusion	: une illusion d'optique
Congressional permission	: l'autorisation du Congrès
mental hospital	: hôpital psychiatrique
criminal lawyer	: avocat d'assises
periodical room	: salle des périodiques
a rural church	: une église de campagne

Sans doute faut-il voir une influence de l'anglais dans cette phrase de Raymond Cartier (*Match*, décembre 1953) : "La première impression washingtonienne fut que le sort du cabinet Laniel était scellé." "Scellé" est d'ailleurs un anglicisme pour "réglé". De même: "les mises en demeure anglo-saxonnes" (C. J. Gignoux, *RDM*, 15 juillet 1954). Cette formule est très répandue dans la presse.

Dans sa *Stylistique comparée du français et de l'allemand* (§ 126-129), A. Malblanc a montré l'importance du substantif qualificatif en français, là où l'allemand emploie un adjectif. Ajoutons que l'anglais fait de même. Beaucoup des exemples que donne M. Malblanc sur ce point sont également valables pour le français et l'anglais. Ils se prêtent d'ailleurs à la même classification :

§ 110. A — **substantif qualificatif attribut :**

1) *avec être :*
   — Je suis dans l'incertitude quant à... :
   I am uncertain as to...
   — Cela m'a été d'un grand secours :
   It has been very helpful.
   — Nous sommes à l'abri du vent :
   We are sheltered from the wind.

2) *avec avoir :*
   — avoir faim, soif, chaud, froid :
   to be hungry, thirsty, hot, cold.
   — avoir raison, tort :

to be right, wrong.
— avoir de l'esprit, de la chance :
to be witty, lucky.

§ 111. B — **substantif qualificatif épithète :**

a *native* American	: un Américain *de naissance* *
a *typical* Frenchman	: un *vrai type* de Français
northern France	: la France *du nord*
	ou : *le nord de* la France
in the *milling* crowd	: dans *les remous de* la foule
a *broken* coupling	: une *rupture* d'attelage
in *late* October	: à la *fin* d'octobre

— this *decreased* purchasing power:
cette *diminution* du pouvoir d'achat
— He bowed to *superior* numbers:
Il s'inclina devant la *supériorité* du nombre.

§ 112. La **caractérisation adverbiale** suit le même modèle. Ici encore s'affirme le caractère synthétique de l'anglais qui lui permet d'employer un seul mot là où le français préfère une locution, ou même n'a pas d'autre recours. Outre que les adverbes en "-ment" donnent vite une impression de lourdeur, le français n'en possède pas un jeu complet. Au contraire le suffixe "-ly" peut se fixer à n'importe quel adjectif et même aux participes.

angrily: avec colère	ecstatically: avec extase
tolerantly: avec tolérance	tactfully: avec tact
concisely: avec concision	effortlessly: sans effort
deservedly: à juste titre	conditionally: sous condition
unashamedly: sans honte	abruptly: sans transition

authoritatively	:	de source autorisée
reliably	:	de source sûre
unaccountably	:	sans qu'on sût pourquoi
repeatedly	:	à plusieurs reprises
unrhythmically	:	sans suivre le rythme
inadvertently	:	par inadvertance

On voit que dans certains cas le français ne peut traduire qu'en transposant. En voici d'autres exemples :
— He is *reportedly* in Paris : *On dit qu'*il est à Paris.

(10) Voir aussi le tour français "Ce diable d'homme", "un drôle de type", "espèce d'imbécile", tour beaucoup plus rare en anglais : "a peach of a girl."

— He is *reputedly* the best man in the field:
Il *passe pour* le meilleur spécialiste dans ce domaine.
— He constantly refers to his own sources, which are *understandably* but nevertheless *annoyingly* anonymous:
Il fait constamment allusion à ses propres sources, dont l'anonymat est *compréhensible* mais tout de même *agaçant*.

Tout comme vis-à-vis de l'allemand (cf. Malblanc, *op. cit.* § 93), le français garde par rapport à l'anglais la faculté de revenir sur le plan du réel par pur jeu d'esprit.

(savoir) de science certaine	: for certain
(regarder) d'un œil distrait	: abstractedly
(réfléchir) à tête reposée	: at leisure
(brûler) d'un feu vif	: brightly
(briller) d'un vif éclat	: brightly
(façonner) d'une main habile	: skilfully
(s'exprimer) en termes ironiques	: ironically

Il est à remarquer que dans certains cas le français n'a pas le choix. La forme en "-ment" existe bien pour "certain" et "vif", mais ni "certainement" ni "vivement" ne conviendraient dans les contextes ci-dessus. Il y a option et gain pour le français dans "à tête reposée" (par rapport à "tranquillement") et option sans gain bien net dans l'emploi de "d'une main habile" et "en termes ironiques".

Comme nous l'avons fait remarquer plus haut, la comparaison des moyens de caractérisation dans les deux langues met en valeur l'importance du substantif en français.

La division du travail entre les fonctions adjectivale et adverbiale varie d'ailleurs d'une langue à l'autre. L'anglais emploie souvent une tournure où un adjectif modifie le substantif d'une locution verbale ; en français cette modification est introduite par un adverbe, ce qui représente une transposition (82) :
— He does not speak good French:
Il ne parle pas bien le français [11].
— He makes good money:
Il gagne bien sa vie.
— He plays a good hand of bridge:
Il joue bien au bridge.
— I only see an occasional copy:
Je n'en vois un exemplaire que de temps en temps.
— She had no immediate authority over their disposal:
Leur utilisation ne relevait pas directement de son autorité.

(11) On pourrait évidemment dire : "il ne parle pas un bon français" Nous pensons cependant que l'autre tournure est plus fréquente.

§ 113. Degrés de comparaison :

L'étude des degrés de comparaison dans les deux langues révèle des différences caractéristiques. Lorsque la comparaison est explicite, le comparatif, ou le superlatif, s'impose aussi bien en français qu'en anglais. Notons cependant avec la plupart des grammaires que, suivant en cela l'usage du latin, l'anglais emploie le comparatif au lieu du superlatif quand la comparaison est limitée à deux choses ou à deux personnes. C'est ainsi que "aîné" se traduit tantôt par "elder" et tantôt par "eldest".

Egalement très caractéristique de l'anglais est le cas où il met l'adjectif au comparatif alors que le français le laisse au positif. Ce qui revient à dire que l'anglais, préférant le relatif, établit une comparaison implicite, tandis que notre langue, reflétant en cela une tendance de notre esprit, voit la qualité sous le mode de l'absolu. Nous disons : "le haut Rhin", "le bas du mur", "tôt ou tard", "les petites classes", "les petites Antilles", "un café bien fréquenté". L'anglais dira : "the upper Rhine", "the lower part of the wall", "sooner or later", "the lower forms", "the Lesser Antilles", "a better-class café". Le comparatif n'est plus guère senti dans "l'enseignement supérieur". Il l'est beaucoup plus dans "higher education". De même "the Shorter Oxford Dictionary" deviendra en français "l'abrégé du dictionnaire d'Oxford". (Cf. Le Petit Larousse.)

La réclame anglaise ou américaine fait un large usage de ces comparatifs — ou superlatifs — implicites :

   The best coffee in town
   Stays clean longer
   They [the cigarettes] are milder, smoother, taste better.

Evidemment on pourrait traduire chacune de ces annonces littéralement, mais il semble plus naturel de dire sans comparatif :

   Café de toute première qualité. N'est pas salissant.
   Elles sont douces, n'irritent pas la gorge et sont fort agréables au goût.

De même cette réclame du *New York Times* :

   "You're better informed when you read the *New York Times* every day. You get more Washington news, more foreign news."

deviendra :

   "Pour être bien renseigné, lisez donc chaque jour le *New York Times,* qui vous donnera toutes les informations de Washington et de l'étranger."

Il se peut que, dans l'esprit d'un anglophone, surtout d'un Américain, il subsiste à l'état latent un sentiment de comparaison, de concurrence, et la publicité n'échappe sans doute pas plus aux lois de la concurrence en France que dans les pays anglo-saxons ; mais outre que la présentation d'une réclame est affaire de climat, il semble bien que le français n'aime pas plus les comparaisons implicites que les pronoms qui ne représentent rien de précis. L'enseigne du tailleur des boulevards "Oui, mais Un Tel habille mieux" n'était pas dans le même cas, car elle répondait à celle d'un tailleur voisin, et le public pouvait voir les deux à la fois.

Le superlatif fournit des exemples parallèles. "Most" peut fonctionner comme superlatif absolu. Dans "He was most eloquent at the end of his speech", l'accent tonique dira si la phrase signifie : "Il a été surtout éloquent à la fin de son discours", ou "il a été très éloquent...". "They are most respectable : Ce sont des gens tout à fait comme il faut". Il est vrai que nous pourrions dire aussi à l'instar de l'anglais : "Ce sont des gens tout ce qu'il y a de plus comme il faut". Mais on ferait fausse route en essayant de traduire littéralement, c'est-à-dire par un superlatif relatif :

— He was at his best. : Il était très en forme.
— These colours make your furnishings look best :
Ces teintes font valoir [rehaussent, mettent en valeur] votre ameublement.

Disons pour conclure que sauf les cas de comparaison explicite, l'anglais, qui aime saisir la vie dans son mouvement, a une certaine affinité pour le comparatif et le superlatif relatif, tandis que la préférence du français va au positif et au superlatif absolu, ce qui lui facilite les coupes qu'il pratique dans le réel. Il convient d'ailleurs de nuancer cette affirmation, car le positif se rencontre aussi en anglais. On relève par exemple dans le numéro de *Life* du 19 mars 1956 :

"...sold by better stores everywhere. (Eberhard Faber - p. 65)·
en vente dans tous les bons magasins".
"...at better stores everywhere." (Larong - p. 161):
"...At good stores everywhere." (Hanes - p. 129)
"...At good stores everywhere." (Wings - p. 17)

Donc nous dirons que ce comparatif, que l'on peut qualifier d'indéfini, est possible en anglais, mais que le positif se rencontre aussi. Le français ne connaît que le positif quand il n'y a pas de comparaison explicite.

D. LA NOTION ET L'EXPRESSION DU TEMPS.

§ 114. Si l'on met à part les formes progressive et emphatique, la liste des temps est à peu près identique dans les deux langues, mais la répartition des tâches qui leur sont confiées ne se fait pas de la même façon. D'ailleurs le fait même que l'anglais peut mettre n'importe quel temps à la forme progressive révèle une orientation différente de la conjugaison anglaise. L'anglais excelle à marquer le "devenir"; le français, ici encore fidèle à sa tendance générale, découpe dans le continu du temps des tranches nettement marquées et à l'intérieur desquelles le temps semble s'immobiliser pour passer ensuite à la phase suivante.

§ 115. Le futur en fournit un exemple. L'anglais et le français ont l'un et l'autre un futur ordinaire (I shall do : Je ferai) et un futur immédiat (I am going to do : Je vais faire). Il est tentant de conclure que ces deux futurs se correspondent d'une langue à l'autre. En fait ils ne coïncident pas entièrement.

Ex. : Vous ne m'avez pas entendu, je vais répéter :
    You did not hear me, I'll repeat.

Nous employons obligatoirement le futur immédiat toutes les fois que l'action annoncée va avoir lieu tout de suite. L'anglais peut très bien utiliser dans ce cas le futur ordinaire, qui, pour nous, indique que ce n'est pas pour tout de suite. L'exemple suivant fait ressortir nettement la différence. Un visiteur se présente chez un ami et lui demande s'il est visible. On lui répond ou bien : "Il n'est pas là, mais je lui dirai que vous êtes venu", ou : "Entrez. Je vais lui dire que vous êtes là". Il est évident qu'un visiteur français à qui on répondrait en pareil cas : "Je lui dirai que vous êtes là", aurait de sérieuses inquiétudes sur la durée de son attente. Mais en anglais les deux réponses commenceront par "I'll tell him."

Rappelons pour mémoire que l'anglais met au présent les verbes de subordonnées commençant par "quand" et autres expressions semblables lorsque la principale est au futur.

— As soon as he comes, let me know:
    Dès qu'il arrivera, prévenez-moi.
— The longer you wait, the harder it will be:
    Plus vous attendrez, plus dur ce sera.

Le français préfère le présent au futur dans les avis où interviennent les considérations juridiques : "La direction n'est pas responsable des objets perdus". Mais l'anglais, plus empirique, met le verbe au futur. Il laisse entendre que la question de responsabilité ne se posera que lorsqu'un objet aura été perdu :
"The management will not be responsible for lost articles."

Le français préfère l'absolu au contingent : maintenant ou plus tard, la maison n'est pas responsable.

De même : "This will be your little grandson : Je suppose que ce jeune garçon est votre petit-fils." Mais ici l'explication est sans doute différente. Nous pensons qu'il y a une atténuation comparable à celle de "Je voudrais" par rapport à "Je veux" (125).

§ 116. Les grammaires, et en particulier les livres de Veslot et Banchet, ont montré que la conjugaison anglaise est plus logique que la française. Les sept formes qui aboutissent à notre présent sont séparées par de fines nuances qui n'ont rien à voir avec les caprices de la grammaire.

1. I write. 2. I am writing. 3. I do write.
4. I have been writing.
5. Nothing will last for ever.
6. I have come to tell you that...
7. I am coming.

La 2ᵉ et la 3ᵉ sont de véritables aspects (133, 136) ; la 6ᵉ et la 7ᵉ marquent une précision que le français néglige. Vous êtes en effet déjà là quand vous exposez le but de votre visite, et vous n'êtes pas encore là quand vous annoncez que vous arrivez.

La 4ᵉ est la plus délicate pour les étrangers, qu'ils soient anglais ou français. Il faut aux uns et aux autres une solide connaissance de la langue étrangère pour passer d'une forme à l'autre sans encombre. La difficulté tient à ce que le processus mental n'est pas le même dans les deux langues. Ici encore nous retrouvons l'opposition entre le réel et l'entendement. Le français s'occupe avant tout du résultat: "Je suis ici depuis 10 heures." L'anglais suit le déroulement du temps : "I have been here since ten." Nous pouvons dire qu'il y a dilution (165) en anglais, l'écoulement étant marqué à la fois par la préposition "since" et par le temps. En français, seul "depuis" indique l'écoulement. Mais il convient de noter que le français a recours au passé composé (ou au plus-que-parfait) tout comme l'anglais, quand il s'agit d'une action intermittente :
"Je ne l'avais pas vu depuis trois mois".

Quand il s'agit de marquer la succession des temps passés, le français est plus exigeant que l'anglais, et certains passés anglais doivent se rendre par un plus-que-parfait :

— Tu sais que je suis médecin. — Tiens, vous ne me l'aviez pas dit. (Maupassant) :
    I am a doctor, you know. — Really? You never told me

— Il me demanda quand nous étions arrivés :
    He asked me when we came.

— Je vous avais dit que je vous préviendrais :
    I told you I'd let you know.

— Ce n'est pas faute d'avoir essayé :
    Not for want of trying.

— Driving a peg into the ground at the precise spot where the beetle fell... (Edgar A. Poe) :
    Enfonçant un piquet dans le sol à l'endroit même où le scarabée était tombé...

L'imparfait, que les grammaires scolaires considèrent comme un temps, est en fait un aspect. C'est pourquoi nous en parlerons au § 134.

Nous nous bornerons pour le moment à quelques remarques très générales qui permettront de mieux comprendre l'exposé des grammaires sur ce point, en particulier de celles qui s'adressent aux étudiants anglophones. C'est en effet quand on passe de l'anglais au français que se pose la question de l'imparfait.

§ 117. L'imparfait n'est pas comme on le dit parfois trop sommairement le temps de la durée, mais de l'action envisagée en dehors de son commencement et de sa fin. C'est pourquoi il est le temps de la description. C'est pourquoi aussi il ne peut jamais s'employer avec l'indication numérique de la durée, car si la durée peut être mesurée, c'est qu'elle est révolue. On peut dire : "Il habitait Londres pendant la guerre", mais non : "Il habitait Londres pendant dix ans"

Le cinéma fournit un moyen commode de rendre compte de l'imparfait. Quand les images se succèdent sur l'écran, il y a narration et par conséquent, si nous transposons dans l'écriture, nous aurons, l'action se situant dans le passé, l'un des deux temps passés de la narration, le passé simple ou le passé composé. Mais si le metteur en scène s'attarde sur une image, si celle-ci reste à l'écran sans que rien de nouveau se produise, si elle s'agrandit pour permettre de mieux voir certains détails, alors notre transpositon écrite sera à l'imparfait. Ce sera cet imparfait affectif dont les grammaires ne parlent pas toujours et qui a pour effet de rendre la scène plus frappante :

"Une heure après le cabinet remettait sa démission."

L'écart entre le présent et le passé est aboli, nous sommes plongés dans le passé comme si c'était le présent. D'où le caractère dramatique de cet imparfait. Il ne faut pas le confondre avec celui qui a un sens conditionnel tout en gardant une valeur affective.

"Un pas de plus et il roulait dans le précipice."

Le premier de ces deux imparfaits ne peut pas se rendre en anglais le second se traduira par un conditionnel.

§ 118. Les grammairiens anglais reconnaissent l'existence du présent historique, que Jespersen propose d'appeler le présent drama tique. Par contre Hilaire Belloc dans son article sur la traduction (*The Bookman*, octobre 1931), y voit une forme étrangère au génie de l'anglais. Il est difficile de ne pas tenir compte de l'opinion d'un bon écrivain anglais qui avait du français une connaissance intime. Mais on peut concilier les deux points de vue en disant que si le présent historique se rencontre en anglais, il y est d'un emploi moins fréquent qu'en français. Le traducteur devra donc en user avec discrétion.

E. LA VOIX.

§ 119. La répartition entre les trois voix n'est pas la même dans les deux langues. On s'aperçoit très vite quand on aborde l'anglais que la voix pronominale y est moins employée. On se rend compte ensuite que beaucoup de verbes pronominaux français correspondent dans l'autre langue à des verbes actifs et passifs. Il n'est pas inutile de reprendre ici les distinctions que font certaines grammaires [12] et selon lesquelles les emplois de la voix pronominale peuvent se ranger en quatre catégories.

a) *La voix pronominale réfléchie :* l'action retombe vraiment sur le sujet.

— Il s'est tué. (volontairement)

---

(12) Notamment celle de Dauzat, *Grammaire raisonnée de la langue française*, 1re édition, p. 203. Mais nous devons à M. Malblanc l'analyse des valeurs c) et d).

— Servez-vous.

— Il se força à manger un peu.

— Cet enfant ne s'habille pas encore tout seul.

b) *La voix pronominale réciproque :*

— Elles se téléphonent tous les matins.

c) *La voix pronominale qui rend subjective une réalité objective* (187). C'est celle que Dauzat appelle la forme réfléchie atténuée.

— Il se leva et s'habilla.

— Il s'est tué. (accidentellement)

— Il se replongea dans sa lecture.

— La tour se détachait sur le fond de verdure.

— Voici ce qui s'est passé.

— La cérémonie s'est déroulée dans la cour.

d) *La forme pronominale d'habitude.* L'action indique la façon ordinaire dont les choses se passent.

— Le saumon se mange froid.

— Cela ne se dit pas.

— Cet article se vend bien cette année.

Seules les catégories a) et b) se traduisent littéralement en anglais. Les autres aboutissent, soit à des verbes neutres, soit à des passifs. On voit qu'en anglais la forme pronominale est littérale. Elle n'est pas figurée comme en français. Nous pouvons maintenant traduire les exemples précédents :

a) He killed himself.

Help yourself.

He forced himself to eat a little.

This child cannot[13] dress himself yet.

b) They phone each other every morning.

c) He got up and dressed.

He was killed.

He went back to his reading.

The tower stood out against the foliage.

This is what happened.

The ceremony took place in the yard.

d) Salmon is eaten cold.

It isn't said.

This article sells well this year.

§ 120. Par contraste avec l'affinité du français pour la forme pronominale, nous constatons celle de l'anglais pour la voix passive.

(13) A noter que "cannot" n'a pas de terme correspondant dans l'exemple français ; voir aussi Modalité (124).

De ce fait, bon nombre de passifs anglais ne peuvent se rendre en français sans transposition.

On peut dire que du point de vue de la traduction les passifs anglais peuvent se diviser en trois groupes :

a) ceux qui se traduisent par un verbe actif, dont le sujet sera souvent "on".

b) ceux qui se rendent par la forme pronominale.

c) ceux qu'il convient de laisser à la forme passive.

Voici des exemples de chaque catégorie :

a) — You are wanted on the phone:
   On vous demande au téléphone.

   — Were you told to wait for him?:
   Vous a-t-on dit de l'attendre?

   — He is regarded as the best student:
   Il passe pour être le meilleur étudiant.

   — We are not allowed to use a dictionary:
   On ne nous permet pas de nous servir d'un dictionnaire.

   — A sentry could be heard stamping his feet:
   On entendait une sentinelle battre la semelle.

   — He is not to be disturbed on any account:
   Il ne faut le déranger sous aucun prétexte.

   — I was sure the police would be called in:
   J'étais sûr qu'on ferait venir la police.

   — How far he was responsible will never be known:
   On ne saura jamais quelle fut la part de sa responsabilité.

   — He may be said to have done more for peace than any other statesman:
   On peut dire qu'il a fait plus pour la paix que n'importe quel autre homme d'Etat.

b) — It is not done : Cela ne se fait pas. (119 d)

   — This letter can be pronounced in two ways:
   Cette lettre se prononce de deux façons.

   — Ham is usually eaten cold:
   Le jambon se mange généralement froid.

   — This quality is not often met with:
   Cette qualité se rencontre rarement.

   — He was very nearly given in charge:
   Il a bien failli se faire arrêter.

Parfois il y a adjonction en français d'un verbe supplémentaire :

   — He was denied the American visa:
   Il se vit refuser le visa américain.

   — He hired a car and was driven to the village:

Il loua une voiture et se fit conduire au village.

c) — All these signs of rapprochement between the Moslem world and the West are viewed with satisfaction everywhere but in Israel:

Tous ces signes de rapprochement entre l'Islam et l'Occident sont vus partout d'un bon œil sauf dans l'Etat d'Israël.

Il peut même arriver qu'un passif français corresponde à un actif anglais :

— Only a miracle saved the world:

Le monde n'a été sauvé que par miracle.

L'emploi du passif dans l'exemple ci-dessus s'explique par le désir de mettre l'accent sur le miracle, et le mot "miracle" reçoit l'accent du fait qu'il est à la fin de la phrase.

La tournure impersonnelle, fréquente en français, se présente aussi au passif, sur le modèle de : "Il est défendu de..." ; "Il sera distribué à chaque homme..."

— Despite the precautions that were urged upon one against eating raw fruit...:

Bien qu'il fût expressément recommandé de ne pas manger de fruits crus...

§ 121. La fréquence du passif en anglais tient en partie à la structure de la langue. Le verbe anglais n'a pas besoin d'être transitif pour se mettre au passif. Il reste accompagné de sa préposition à l'une et l'autre voix :

— The doctor was sent for: On envoya chercher le docteur.
— The bed had not been slept in: Le lit n'avait pas été défait.

Elle s'explique aussi par une attitude de la langue vis-à-vis de la réalité. Il y a une certaine objectivité anglaise qui se plaît à constater un phénomène sans l'attribuer à une cause précise, ou qui ne mentionne la cause ou l'agent qu'accessoirement. On ne peut s'empêcher d'établir un rapport entre cette construction et la répugnance des Anglo-saxons à formuler tout de suite un jugement ou même une opinion. En voici un exemple où il est fait allusion à un projet de désarmement naval en 1929 :

"In view of the above arguments the proposal to single out the submarine for abolition is regarded as a subtle attempt at the disarmament of France." (*The Times,* 29 septembre 1929).

On peut à la rigueur traduire à peu près littéralement et garder le passif :

« Etant donné ce qui précède, la proposition qui consiste à ne supprimer que le sous-marin est considérée comme une tentative déguisée de désarmer la France."

Mais il semble bien qu'un Français s'exprimerait avec moins de circonspection et qu'automatiquement le passif ferait place à l'actif :

"La France estime qu'en proposant la suppression de l'arme sous-marine à l'exclusion de toute autre, on cherche à la désarmer par des voies détournées."

Le français se place ici encore sur le plan de l'entendement. Il tient à interpréter la réalité que l'anglais se contente de rapporter et il conclut que c'est évidemment la France qui pense ainsi. Cette tendance à s'élever au-dessus des faits aboutit parfois à donner au verbe actif qui remplace un passif, non pas le pronom "on" ou même un complément promu au rang de sujet par le renversement des termes, mais un mot qui ne figure pas dans la phrase bien qu'il y soit contenu implicitement, comme dans l'exemple suivant où le mot "humanité" est dégagé du contexte [14]:

"The future of broadcasting cannot be foretold; and all its developments will no doubt be seized upon and used as eagerly for evil as for good. (R. Bridges):

On ne saurait prédire l'avenir de la radiodiffusion et l'humanité exploitera sans doute toutes ses possibilités avec autant d'ardeur pour le bien que pour le mal."

F. LA MODALITÉ.

§ 122. La modalité indique l'attitude du sujet parlant à l'égard de son énoncé, suivant qu'il le considère comme exprimant un fait, une supposition, une nécessité, etc... Elle varie naturellement d'une langue à l'autre. Les auxiliaires de mode n'ont pas le même champ d'application en français et en anglais comme on le verra plus loin en comparant "can" et "pouvoir". De plus la modalité utilise des éléments lexicaux. Il convient donc de passer en revue ses différents aspects.

---

(14) L'ensemble de ces procédés constitue une véritable modulation actif-passif, qui appartient à la catégorie des modulations du message.

§ 123. L'obligation physique et morale :

Notre "devoir" s'est affaibli, suivant en cela l'évolution de "shall" et tendant à devenir lui aussi un auxiliaire du futur. Cependant le degré d'usure n'est pas le même pour tous les temps. Le présent et l'imparfait sont sans doute les plus atteints. Il existe encore nombre de cas où "je dois" correspond à "I must" et "je devais" à "I had to", mais la langue usuelle semble préférer "il faut", "il fallait". Dans certains contextes, surtout dans la langue soignée, l'idée d'obligation reste au premier plan :

— Un enfant doit obéir à ses parents.

— Voici ce que vous devez faire.

— Vous deviez vous en occuper et vous n'avez rien fait.

Dans ce dernier exemple, l'idée de devoir est concurrencée par celle de projet, d'intention. "Vous deviez" veut dire "vous aviez accepté ; il était convenu..." Et évidemment on passe facilement d'un accord à une obligation et vice versa. Aujourd'hui "devoir" tend à exprimer surtout que normalement quelque chose aura lieu. C'est un auxiliaire du futur :

— Je dois le voir demain. : I am to see him tomorrow.

— Nous devions rentrer hier. :
   We had planned to be back yesterday.

Une deuxième catégorie de temps du verbe "devoir" comprend le futur et les passés autres que l'imparfait. Ils ont ceci de commun d'avoir gardé l'idée d'obligation.

— La somme devra être remboursée le mois prochain :
   The sum must be paid back next month.

— Je dus, j'ai dû, j'avais dû m'incliner.
   I had, I had had to give in.

Il faut mettre à part les cas où les temps passés indiquent la probabilité. Il en sera question plus loin.

Enfin les conditionnels présent et passé inclinent vers l'obligation morale :

— Il devrait s'en charger : He ought to take care of it.
                              He should take care of it.

— Vous auriez dû lui dire: You should (ought to) have told him.

Il peut arriver que "should" et "ought" se traduisent par un indicatif présent :

— One ought to pay one's debts. : On doit payer ses dettes.

— You ought to know. : Vous devez le savoir.
                        Vous êtes bien placé pour le savoir.

Dans ce dernier cas il s'agit plutôt d'évidence que d'obligation.

— All papers should be written in ink. :

Les copies doivent être écrites à l'encre.

Il arrive aussi que "should" se rende par le futur français :

— Freshmen should report to the dean on arrival:

Les étudiants de première année devront se présenter au Doyen à leur arrivée.

De même, le "shall" d'obligation peut correspondre à un présent. en particulier dans la langue administrative :

— The close of the financial year shall be June 30:

L'exercice financier se termine le 30 juin.

Nous voyons que dans le verbe "devoir" l'idée d'obligation s'est mieux maintenue aux autres temps qu'au présent et à l'imparfait.

A ces deux derniers temps elle subsiste, mais elle est en recul, et la langue supplée à cette déficience au moyen d'expressions telles que "il faut que", "être (ou : se voir) obligé de", "avoir à", "être tenu (ou : forcé) de", etc.

L'interdiction, qui est une obligation négative, se rend par "must not" et aussi par "may not", surtout dans la langue des avis.

— Books may not be returned to the shelves:

Il est interdit de remettre les livres sur les rayons.

Remarquons en passant que dans les deux langues "il faut" et "il est nécessaire" sont synonymes, mais qu'à la forme négative leur équivalence disparaît.

— Il ne faut pas qu'il parte : He must not go.

— Il n'est pas nécessaire qu'il parte : He does not have to go.

§ 124. La possibilité :

"Pouvoir" est ambigu, comme l'indique la phrase suivante :

"Il peut venir : He can come" ou "he may come".

Mais nous avons "il se peut que" à côté de "il est possible que" et de "peut-être" pour rendre "may".

— Il peut venir
Il lui est possible de venir $\Big\}$ He can come.

— Il peut venir.
Il se peut qu'il vienne.
Il est possible qu'il vienne.
Il viendra peut-être. $\Bigg\}$ He may come.

Avec les verbes de perception "can" ne se traduit pas. Son passé "could" se rend alors par l'imparfait.

— I can hear him : Je l'entends.

— I could see the lights of the city in the distance:

Je voyais au loin les lumières de la ville.

— I can clearly see that such is not the case:
Je vois bien que tel n'est pas le cas.

Il y a d'ailleurs d'autres verbes avec lesquels l'idée de possibilité est implicite en français et explicite en ánglais :

— You never can tell: On ne sait jamais.

— I can't complain: 	} Je n'ai pas à me plaindre.
	} Je ne me plains pas.

— I can see it won't work: Je vois bien que cela ne marchera pas.

— You can imagine how glad he was:
Vous pensez comme il a été content.

— For an Englishman nothing can take the place of tea:
Pour un Anglais rien ne remplace le thé.

— It can be summed up in three words:
Cela tient en trois mots.

Le conditionnel anglais n'a pas la faculté d'exprimer la possibilité sans auxiliaire modal :

— Serait-il déjà parti ? : Has he already left?
                                        Could it be that he has already left?

— Seriez-vous son frère? Are you his brother?

§ 125. La probabilité :

Pour rendre cette idée, le français dispose de "probablement" et de la tournure "il est probable que" suivie de l'indicatif. Nous n'avons pas de tournure à un mode personnel comparable à "He is likely to". D'autre part, nous verrons à propos des faux amis de structure (154 sq.) que "without doubt" veut dire "sans aucun doute", et non pas "sans doute" qui se rendra par "no doubt".

"Devoir" peut indiquer la probabilité au présent, à l'imparfait et aux passés simple et composé. Il se traduit alors par "must" sauf lorsqu'il est suivi d'un verbe actif à l'infinitif présent. Devant un tel verbe, "must" redevient un auxiliaire d'obligation (voir le dernier exemple) :

— Il a dû penser que nous ne viendrions pas :
He must have thought we were not coming.

— Cela ne doit pas être commode : It must be pretty hard.

— Nous devons être sur le bon chemin :
This must be the right way.

— Vous deviez vous demander ce que cela voulait dire :
You must have been wondering what it all meant.

— Il ne doit pas y comprendre grand-chose :

He can't understand much about it.
I don't suppose he understands much about it.

If he should come... Should he come... }	Si par hasard il venait... Au cas où il viendrait...
Il he should die... :	S'il venait à mourir...
If he should refuse... If he were to refuse... }	S'il allait refuser...

A l'encontre de ce qui se passe en français, le futur antérieur anglais ne peut pas marquer que la chose est probable. "Il aura oublié" ne peut se rendre que par "He must have forgotten" qui traduit également "Il a dû oublier".

L'auxiliaire "will", en britannique plutôt qu'en américain, peut exprimer la probabilité.

— This will be your little grandson:
Ce petit garçon est sans doute votre petit-fils.

Il faut tenir compte également de la possibilité d'employer certains mots qui rendent la modalité sans l'adjonction des auxiliaires de mode.

— This year the idea shows signs of catching on generally:
Cette année l'idée semble devoir se généraliser.

On peut dire que dans l'exemple ci-dessus la modalité est rendue grammaticalement en français et lexicalement en anglais.

Dans une proposition commençant par "si", le peu de probabilité d'une éventualité s'exprime en anglais au moyen de "should" :

Nous constatons que "devoir" n'apparaît pas dans ce genre de phrases, mais que nous ne manquons pas de moyens pour le remplacer.

§ 126. **La certitude :**

Sous sa forme absolue, cet aspect de la modalité ne donne pas lieu à des observations particulières. Qu'il suffise de noter que le "must" de quasi-certitude cherche souvent sa traduction en dehors de "devoir", qui n'est pas entièrement exclu mais manque de netteté dans ce contexte, sans doute parce qu'il évoque plutôt la notion voisine de probabilité.

— He must be well aware of the facts:
Il ne saurait ignorer ce qu'il en est.
— It must be so: Cela ne peut pas ne pas être.
— The two things must be related:
Les deux choses sont nécessairement liées.
— He must be in: Il est sûrement chez lui.

On pourrait à la rigueur employer "devoir" dans les exemples ci-dessus, mais quand "must" est accentué, les traductions que nous proposons sont de beaucoup préférables.

§ 127. La négation :

Une nuance commune aux deux langues sépare
       "Je ne sais" de "Je ne sais pas" et
       "I dare not" de "I do not dare".
Mais "I don't know" traduit également "Je ne sais" et "Je ne sais pas". La nuance de "Je ne sais" ne peut donc être rendue en principe. Cependant, en fin de phrase, elle trouve un équivalent dans une tournure telle que : "it is hard to say".
— A-t-il oublié ou a-t-il préféré s'abstenir ? On ne sait :
Did he forget or did he prefer to keep quiet? It is hard to say.

§ 128. Les dires :

Le conditionnel anglais ne peut s'employer pour rapporter les dires, et notre conditionnel, quand il a cette fonction, doit se rendre par des moyens d'ordre lexical.
— Il serait en ville : He is said to be in town.
— Deux ouvriers auraient été tués :
Two workers are reported killed.
— President Eisenhower has reportedly re-stated the American
refusal to recognize Communist China:
Le président Eisenhower aurait réitéré le refus des Etats-Unis
de reconnaître la Chine communiste.

§ 129. La permission :

Nous retrouvons ici "pouvoir" comme équivalent de "may".
— You may go : Vous pouvez partir.
— May I use your phone? : Puis-je téléphoner ?
A la forme interrogative et à la première personne "Shall" est en fait l'équivalent de "Puis-je ?", "Voulez-vous que... ?"
— Shall I call a cab? :

Voulez-vous que je téléphone pour faire venir une voiture ?
Il ne s'agit pas tant d'une permission que d'une offre de services.

§ 130. L'impératif :

Parallèlement à l'impératif, le français dispose de l'infinitif qui fonctionne alors comme un impératif impersonnel.

— Compléter (ou complétez) les phrases suivantes :
Complete the following sentences.
— Ne pas traduire : Do not translate.
— Ne rien mettre dans cette case :
This space is for official use only.
— Ne pas laisser la porte ouverte :
This door should be kept closed.

L'infinitif anglais ne peut prendre la valeur d'un impératif. Dans la langue des directives et des avis, où cet emploi de l'infinitif français est le plus fréquent, l'anglais a souvent recours au passif. (Voir le dernier des exemples ci-dessus.)

Le français emploie volontiers la tournure optative "que" suivi du subjonctif. On la traduit généralement par "let" et l'infinitif.
— Qu'il parle : Let him speak.

Mais "let" a l'inconvénient d'être ambigu. "Qu'il parle" et "Laissez-le parler" ne sont pas toujours interchangeables. D'autre part cette tournure ne rend pas la nuance d'impatience que l'on trouve dans les phrases ci-dessous, dont nous proposons d'autres traductions.

— Qu'il nous laisse tranquille! { Why doesn't he leave us alone?
I wish he'd leave us alone.

— Qu'on me débarrasse de tout cela ! : Get this stuff out of here.

L'impératif anglais s'emploie parfois avec le pronom personnel "you" ou même avec "somebody". Avec "you" et tout autre verbe que "to be", il a l'aspect écrit de l'indicatif. Sur le plan oral, l'intonation évite l'ambiguïté. On peut considérer cette tournure comme une forme accentuée de l'impératif. Le français ne la connaît pas et rend la mise en relief d'une autre façon :

You write to him right away!	: Ecrivez-lui donc tout de suite!
You be the judge.	: A vous d'en juger.
Somebody go and tell him.	: Il faudrait qu'on le prévienne.
You keep out of this!	: Mêlez-vous de ce qui vous regarde!

§ 131. La modalité exprimée par le subjonctif :

L'anglais semble avantagé par rapport au français parce que ses auxiliaires de mode lui permettent de préciser la modalité avec clarté et simplicité. Mais le déclin du subjonctif prive cette langue de certaines nuances que le subjonctif français peut rendre lorsqu'il est libre, c'est-à-dire lorsqu'il n'est pas commandé par une conjonction ou un certain genre de verbes.

Exemples :

a) Je cherche un livre qui contient/contienne ce renseignement.
b) Je ne dirai pas qu'il l'a/ait fait exprès.

La nuance de "contienne" ne peut guère se rendre en anglais.

On pourrait dire : "I am looking for such a book as might contain this information", mais une telle phrase est plutôt du style soutenu.

Par contre, l'opposition que donne l'exemple b) peut être maintenue en anglais à condition de modifier le vocabulaire.

I won't tell anyone he did it on purpose;
I won't go so far as to say he did it on purpose.

G.   L'ASPECT VERBAL.

§ 132. Nous avons vu à propos du lexique (57) qu'il y avait lieu d'élargir la notion d'aspect et de l'appliquer au sens des mots, qu'ils soient verbes, adjectifs ou substantifs. Nous revenons maintenant à l'aspect verbal qu'expriment certains modes et temps des verbes.

§ 133. L'aspect progressif :

La forme dite progressive qu'étudient les grammaires anglaises à l'usage des étrangers est un aspect[15]. On sait que pour le rendre le français dispose de la tournure "être en train de", mais que le plus souvent il laisse au contexte le soin d'indiquer que l'action est en cours au temps employé.

He is working   :   Il est en train de travailler.
Il travaille.

---

(15) On sait que les verbes de perception ne s'y mettent pas : "je vois" (en ce moment) "I can see", et non "I am seeing". La tournure "I'll be seeing you" s'explique du fait que "see" n'est pas ici verbe de perception, mais l'équivalent de "to meet".

Le français possède une tournure progressive qui ne diffère de celle de l'anglais que par l'auxiliaire : "aller" au lieu de "être".

— La vallée allait s'élargissant (ou "en s'élargissant") :

The valley was getting wider (ou "wider and wider")

Il n'y a donc qu'une tournure pour rendre :

La vallée s'élargissait.

La vallée allait (en) s'élargissant.

§ 134. L'aspect duratif ou imperfectif :

Notre imparfait est, on l'a vu, un aspect qui indique que l'action est considérée en dehors de son début ou de son terme. L'anglais ne rend pas aisément cette nuance. D'où la difficulté des anglophones à reconnaître les cas où leur passé doit se traduire par un imparfait du fait qu'il marque l'aspect duratif, et non l'aspect ponctuel ou inchoatif. Il existe trois ou quatre verbes usuels à propos desquels la distinction entre notre imparfait et notre passé (simple ou composé) ne peut se rendre en anglais que par un changement de mots :

Il voulait s'enfuir	: He wanted to run away.
Il voulut s'enfuir	: He tried to run away.
Il pouvait le faire	: He could do it.
Il put le faire	: He was able to do it.
Il savait que je venais	: He knew I was coming.
Il sut que je venais	: He heard I was coming.
Ils se connaissaient déjà	: They already knew each other.
Ils se sont connus en 1940	: They became acquainted in 1940.
Il se taisait	: He remained silent.
Il s'est tu	: He fell silent.

Parfois l'anglais a recours à une périphrase pour rendre la continuité de l'action.

Le camion sautait sur les pavés inégaux du quai. (Camus)	The truck went bumping along over the uneven paving-stones of the pier.

On sent que "bump" ne suffit pas à donner l'impression d'un tressautement continu.

§ 135. L'aspect habituel ou invétéré :

Il est rendu par l'auxiliaire "will" en anglais, qui reçoit alors l'accent d'insistance, et par plusieurs tournures en français :

— He will talk out of turn : Il faut toujours qu'il parle quand
on ne lui demande rien.

— He thinks it's all your fault. — He would! :
Il trouve que c'est de votre faute. — C'est bien lui !
Ça ne m'étonne pas de lui !

— He would read for an hour after breakfast :
Il lisait une heure après le petit déjeuner.

La répétition se marque aussi par le tour "il ne fait que" :
"Il ne fait que nous interrompre : He keeps butting in", et aussi
par le pronominal : "La soupe se mange chaude : Soup is eaten hot"
(119 d).

§ 136. L'aspect d'insistance :

Ici également l'anglais a la ressource d'un auxiliaire simple et
commode : "do". Encore plus que dans le cas de "will", les équivalents français sont variés et dépendent de la situation :

— Do be careful! : Surtout faites bien attention !

— Do come! : Venez donc !

— He did answer my letter but he evaded the point :
Il a bien répondu à ma lettre, mais il a éludé la question.

— I did check the oil : Mais si, j'ai vérifié l'huile.

— He did do it (as he said he would) : En effet, il l'a fait.

— He had decided not to join us, but he did come :
Il avait décidé de ne pas se joindre à nous, mais il est tout
de même venu.

§ 137. L'aspect permanent et l'aspect occasionnel :

En français, bon nombre de participes présents peuvent s'employer
comme adjectifs verbaux, mais ils n'ont pas nécessairement la même
valeur que les participes présents anglais correspondants. Dans certains cas, ils en sont séparés par une différence d'aspect.

En général, les adjectifs verbaux français expriment un aspect
duratif ou habituel. "Le corps enseignant", c'est l'ensemble des gens
qui enseignent régulièrement ; "le poisson volant" est différent des
autres poissons. Il en est de même de : "cinéma parlant", "sables
mouvants", "tapis roulant", "viande saignante", "étoile filante", etc.

Au contraire la forme en "-ing"[16] employée comme adjectif peut
exprimer aussi bien l'aspect occasionnel que l'aspect habituel. "Shoot-

---

(16) Etant donné l'invariabilité des formes, la distinction entre adjectif
verbal et participe présent est moins nette en anglais qu'en français.

ing star" et "shifting sands" sont identiques à "étoile filante" et à "sables mouvants", mais dans les exemples qui suivent, l'aspect est occasionnel, et le français doit recourir à une relative.

— the departing guest : l'invité qui s'en va
— the pushing, hurrying crowd :
  la foule des gens pressés qui vous bousculent
— They made no effort to single him out among the incoming
    passengers :
  Ils n'essayèrent pas de le repérer parmi les voyageurs qui arrivaient.
— He could hear the receding sound of running feet :
  Il entendait un bruit de pas précipités qui s'éloignait.
— They went back to their waiting car :
  Ils retournèrent à leur voiture qui les attendait.

§ 138. Participes :

Le comportement des participes présents et passés donne lieu à certaines observations qui complètent ce que nous venons de dire sur les temps et l'aspect verbal, et relèvent de ces deux catégories.

§ 138. A) Participe présent et formes apparentées :

En anglais la forme en "-ing" revient constamment, qu'il s'agisse du participe présent, du gérondif, des noms et des adjectifs verbaux. Le français fait un usage plus discret de la forme correspondante qui produit vite un effet de lourdeur si elle se répète.

Indépendamment de toute considération de style, il y a des cas où le participe présent et l'adjectif verbal ne peuvent guère se traduire littéralement en français.

Nous constatons, pour commencer, que lorsqu'il y a simultanéité de deux actions, les deux langues peuvent employer le gérondif et le participe présent pour exprimer l'une des actions.

— Il s'est foulé la cheville en descendant l'escalier :
  He sprained his ankle in going down the stairs.
— Quelques minutes après, l'empereur parut, raide dans son pourpoint, et souriant dans sa barbe rousse. (A. de Musset) :
  A few minutes later, the emperor appeared, encased in his doublet and smiling in his red beard.
— And all the while he kept up a merry commentary, emphasiz
    ing his words with jerky movements of his head :
  Pendant tout ce temps-là il ne tarissait pas de remarques

amusantes, ponctuant ses paroles [qu'il ponctuait] de brusques mouvements de tête.

Remarquons en passant que notre gérondif (en faisant, en travaillant, etc...) se traduit par "on doing", "in doing", "while doing", "by doing", suivant qu'il y a simultanéité ou instrumentalité.

Mais ce qui doit surtout retenir notre attention, ce sont les cas où le participe présent, idiomatique en anglais, est contraire au génie de la langue en français. Ex. :

"He duplicated the performance the following day, getting away with a whole chunk." (Jack London)

Il est évident qu'ici il n'y a pas simultanéité exacte des deux actions. Le participe présent se rapporte au résultat de l'action exprimée par le verbe principal. Dans ce cas le français préfère une coordonnée. Nous dirons donc :

"Il répéta l'opération le lendemain et réussit à s'emparer d'un morceau tout entier".

De même :

— He left his bags in the luggage office, giving his real name :
Il laissa ses valises à la consigne et donna son vrai nom.

— People lingered on the bridges, enjoying unaccustomed views:
Les gens s'attardaient sur les ponts pour jouir d'un spectacle inaccoutumé.

Après les verbes de perception, les deux langues emploient généralement l'infinitif si l'attention se porte essentiellement sur l'action accomplie plutôt que sur l'agent :

— Je l'ai vu entrer : I saw him go in.

Mais nous préférons la relative au participe présent quand la perception s'applique autant à la personne qu'à ce qu'elle fait.

— I saw him talking to the woman next door :
Je l'ai vu qui parlait à la voisine.

Notre tournure est plus analytique et semble répondre à un plus grand désir de précision.

Quand il s'agit de décrire, c'est encore à la relative que le français a recours. Sans doute, comme le fait observer Ph. Martinon[17], on peut employer un participe présent descriptif dans l'énoncé d'une règle : "les mots commençant par une voyelle...", mais dans la langue usuelle cet usage n'est pas recommandé et il y a des cas, comme dans le dernier des exemples suivants, où il est inacceptable :

— Traffic endeavouring to go in the opposite direction is at a standstill :

(17) Martinon, Ph., *Comment on parle en Français*, Paris, Larousse, 1927.

Les voitures qui vont en sens contraire sont immobilisées ("allant" est possible).

— There, too, is a haze rubbing away the hard edges of ideas, softening and blending the hues of passion. (J.B. Priestley):
Là aussi flotte une brume légère qui estompe les durs contours des idées, adoucit et fond les couleurs de la passion.

§ 138. B) **Participe passé :**

Beaucoup de participes passés anglais se traduisent par des relatives ou même par d'autres subordonnées.

— The door was jammed by a fallen beam :
La porte était coincée par une poutre qui était tombée.

— He got home unnoticed : Il est rentré sans qu'on le voie.

— the transferred fork : la fourchette qu'on change de main
(à propos de la façon américaine de tenir sa fourchette)

Par contre, nous pouvons traduire littéralement :

— the trampled grass : l'herbe piétinée
— his torn coat   : sa veste déchirée

Dans le cas de "fallen", nous avons affaire au participe passé d'un verbe intransitif à sens actif. Notre participe passé, sauf quand il s'agit de certains verbes de mouvement dont il sera question plus loin, a un sens passif. Nous sommes donc obligés d'avoir recours à une relative. "Unnoticed" et "transferred" sont des participes passés de verbes transitifs, mais ils sont en fait des passifs tronqués (et non des adjectifs) et il est naturel que nous les rendions par des verbes actifs (120), ce qui nécessite l'emploi d'une conjonction ou d'un relatif.

C'est l'inverse qui se produit quand il faut rendre en anglais notre participe français à sens actif.

— Parvenu près de la porte : Having reached the door.

— Lui parti, j'ai retrouvé le calme (A. Camus) :
Once he had left, I regained my composure.

L'anglais est obligé de marquer par la forme le sens actif de nos participes passés ". Des expressions comme :

— the rehabilitation of returned men ·
la réintégration des démobilisés dans la vie civile

— Unlawful to Pass Stopped School Bus on Either Side :
Il est interdit de doubler ou de croiser l'autobus scolaire lorsqu'il est arrêté.

sont exceptionnelles ou n'appartiennent qu'à la langue des avis.

---

(18) Il préfère même l'actif au passif pour les participes des verbes de posture : "assis : sitting" ; "appuyé : leaning".

§ 139. L'aspect successif :

A côté de l'aspect des mots et de l'aspect verbal, il existe un aspect qui apparaît dans certains mots en français mais qui en anglais s'exprime par un procédé syntaxique, celui de la répétition. C'est l'**aspect successif**. Il participe à la fois du lexique et de la syntaxe, mais puisqu'il est plus apparent sous sa forme syntaxique, il a semblé indiqué de le placer dans l'agencement.

Nous retrouvons une fois de plus la tendance de l'anglais à se calquer sur le réel. C'est en effet épouser le réel que de marquer les étapes d'un procès en les énumérant au lieu de les embrasser d'un seul mot comme le fait le français. Nous pensons à des structures telles que "mile upon mile", "wave after wave". Sans doute le français en offre des exemples : "coup sur coup", "point par point", "deux à deux", "de village en village", mais ils sont en nombre limité, sauf pour la tournure "— en —" qui peut se reproduire indéfiniment. Dans le modèle "l'un après l'autre", par exemple, nous ne pouvons pas remplacer "l'un" et "l'autre" par n'importe quel mot. Par contre nous disposons de termes comme "alignement", "étagement", "jalonnement", "déroulement", "superposition", "filière", dont les dictionnaires bilingues ne fournissent pas d'équivalents satisfaisants. Ils sont de peu de secours pour traduire, entre autres, cette phrase de Fromentin où deux de ces termes apparaissent tout naturellement :

"La mer est à gauche, la dune échelonnée s'enfonce à droite, s'étage, diminue et rejoint mollement l'horizon tout pâlot".

Nous proposons :

"The sea is on the left; on the right, dune after dune sweeps inland and, receding in the distance, shades off into the faint grey of the horizon".

En voici d'autres exemples :

— They climbed flight after flight of stairs. (W.S. Maugham) :
   Ils grimpèrent des escaliers interminables.
— During the entire morning they stood off charge after charge:
   Pendant toute la matinée ils repoussèrent des assauts répétés
— As they covered mile after mile... :
   A mesure que les kilomètres s'allongeaient derrière eux...
— ...and the still solitudes had echoed and reëchoed with the
   reports of his gun. (W. Irving) :
   ...et les calmes solitudes avaient retenti à plusieurs reprises
   des détonations de son fusil.
— ...the high coast-range which stretches peak after peak from
   Port Erin to Peel (A. Bennett) :

...la haute chaîne côtière qui aligne ses pics de Port Erin à Peel.

— To the right... lay the central masses of the town, tier on tier of richly-coloured ovens and chimneys. (A. Bennett) :
Sur la droite... s'étendait le gros de la ville avec l'étagement de ses fours et de ses cheminées hauts en couleurs.

— ...une grande avenue active et populeuse, jalonnée par le viaduc du métro. (Van der Meersch) :
...a wide, bustling avenue with span after span of the elevated extending along it.

— The right way was to accept the happiness presented by life itself day after day, year after year :
La sagesse consistait à accepter le bonheur tel qu'il se présente au fil des jours et des ans.

Il semble bien établi que l'anglais procède par une répétition articulée sur "on" ou sur "after" là où le français préfère un mot abstrait qui conclut, au lieu de décrire.

CHAPITRE IV

QUESTIONS ANNEXES

A. LA SYNTAGMATIQUE.

§ 140. On sait que le syntagme de subordination [19] est la combinaison de deux signes lexicaux unis dans un rapport d'interdépendance grammaticale (*LGLF* § 155). Ces combinaisons peuvent s'emboîter les unes dans les autres et embrasser la phrase tout entière : le sujet et son prédicat forment en effet un syntagme. Mais nous allons surtout nous occuper des syntagmes simples, car l'expérience montre que pour les traduire il faut souvent modifier leur structure.

§ 141. **Groupes syntaxiques et composés :**

Nous distinguons ici deux sortes de syntagmes :

la cellule d'un moine — (groupe syntaxique)
une cellule de moine — (composé)

On voit que le composé comporte un élément virtuel tandis que le groupe syntaxique est formé d'éléments actualisés.

L'anglais n'est pas toujours en mesure de faire cette distinction. Il ne marque pas la différence entre "un fils de fonctionnaire" et "le fils d'un fonctionnaire". Son cas possessif est la marque tantôt d'un groupe syntaxique, tantôt d'un composé. "A Jew's-harp" peut vouloir dire 1) "la harpe d'un Juif" ou 2) "une harpe de Juif", c'est-à-dire une "guimbarde".

Par contre, quand la ressource du composé existe, l'anglais procède comme le français :

a tree trunk : un tronc d'arbre
the trunk of a tree : le tronc d'un arbre.

---

(19) Nous laissons de côté le syntagme de coordination qui n'est pas forcément binaire : "bleu, blanc, rouge" ; "les femmes, les vieillards et les enfants".

Mais certains composés n'existent pas en anglais, par exemple dans le cas de "sound" et "wheel". C'est pour cela que notre composé, "un bruit de roues", se rendra par le groupe syntaxique "the sound of wheels" (des roues, indéterminées, dont on entend le bruit). La traduction de certains composés exige donc une manipulation.

— Ses promenades de jeune fille :
   Her walks as a young girl
— Il allait de son pas de montagnard :
   He strode along like the mountaineer he was.
   (ou : went along with his mountaineer's stride)
— ...a benignant middle-aged officer in the uniform of an infantry colonel... (V. Sheean) :
   ...un officier entre deux âges et d'aspect débonnaire, en uniforme de colonel d'infanterie...

Ce dernier exemple est particulièrement instructif. Le français a recours à deux composés : "uniforme de colonel" et "colonel d'infanterie" ; l'anglais emploie un composé (infantry colonel) et un groupe syntaxique (in the uniform of a...).

§ 142. Compléments descriptifs :

Le syntagme de description se caractérise en français par l'absence d'une préposition et l'emploi de l'article défini au lieu du possessif.
— les mains dans les poches :
   with his hands in his pockets
— un pistolet au poing :
   with a gun in his hand
Cependant certains de ces syntagmes peuvent s'abréger dans les deux langues : "gun in hand : pistolet au poing".

Nous distinguons aussi nettement que l'anglais entre le signalement, ou l'identification, et la description.
— The man in the blue suit : L'homme au complet bleu
— Ces dames aux chapeaux verts (G. Acremant) :
   The ladies in green hats
— A man in a blue suit : Un homme vêtu de bleu
                         (portant un complet bleu).

§ 143. Grammaticalisation de la préposition :

Les exemples ci-dessus montrent qu'une préposition lexicale en anglais, telle que "in", peut ou bien se grammaticaliser en français, en se traduisant par "à" ou "de", ou se transposer en participe (forme d'étoffement) La grammaticalisation des prépositions s'explique elle aussi par la préférence du français pour le plan de l'entendement. Elle établit en effet un rapport plus abstrait entre les éléments du syntagme.

The entrance to the subway	:	l'entrée du métro
A guide-book to London	:	un guide de Londres
A picture by Turner	:	un tableau de Turner
A mistake in grammar	:	une faute de grammaire
The man in the iron mask	:	l'homme au masque de fer
Turkey in Europe	:	la Turquie d'Europe

— The will to power : la volonté de puissance
— The post office in Mâcon : le bureau de poste de Mâcon
— The man in the street : l'homme de la rue (33)
— The room on the second floor : la chambre du second
— The Elm Tree on the Mall : L'Orme du Mail
— A small hotel on the left bank :
  Un petit hôtel de la rive gauche
— En souvenir de nos conversations de Rome :
  In memory of our conversations in Rome
— The price for the best seats in the movie theater in Mansfield :
  Le prix des meilleures places au cinéma de Mansfield
— Lady with a parrot (titre de tableau) : Femme au perroquet
— Scene on a Dutch river (idem) : Scène de rivière hollandaise.

§ 144. Tournures synthétiques et analytiques :

Sans aller aussi loin que l'allemand dans cette voie, l'anglais peut créer des expressions synthétiques qu'il nous faut rendre par des formes analytiques.

— It is time-consuming : Cela prend beaucoup de temps.
— It is a full-time job (au figuré) : Cela prend tout votre temps.
— He is self-supporting : Il se suffit à lui-même.
— It is habit-forming : Cela devient une habitude.
— He was never a card-carrying member :
  Il n'a jamais été inscrit au parti.
— It does not require faculty approval :
  L'approbation du conseil des professeurs n'est pas nécessaire.
— It is spot and wrinkle resistant and water-repellent :
  Cela résiste aux taches et à l'eau et ne se froisse pas.
— The four-nation neutral armistice supervisory commission :
  La commission d'armistice où siègent les représentants des
  quatre nations neutres.

— A truce-violating arms build-up in North Korea :
Des concentrations de troupes et de matériel en Corée du
Nord en violation de la trêve.

Les journaux et textes publicitaires, dont sont tirés la plupart des
exemples ci-dessus, sont particulièrement riches en tournures de ce
genre. Le traducteur professionnel les rencontre à chaque instant.

B. L'ELLIPSE.

§ 145. Les ellipses qui nous intéressent ici sont d'ordre structural
Nous réservons pour la troisième partie celles qui tiennent à certaines tendances de l'esprit et ne sont pas commandées par la grammaire.

Dans son souci de clarté le français, langue liée, "représente"
ce dont il s'agit, au lieu de le sous-entendre comme le fait l'anglais.
Nos pronoms, instruments de rappel et de traitement, assurent la
liaison entre les propositions d'une phrase. Il n'en a pas toujours été
ainsi, comme le montre cette phrase de Racine citée par Bally :
"Le pape envoie le formulaire tel qu'on lui demandait." (*LGLF* § 129).

Cette syntaxe est toujours anglaise, mais elle n'est plus française.
Nous dirons que le français procède par représentation et l'anglais
par ellipse. C'est ainsi que le français "représente" le complément
d'un verbe, soit pour l'annoncer, soit pour le rappeler.

He did not say	:	Il ne l'a pas dit.
You did not tell me	:	Vous ne m'en aviez pas parlé.
We must tell him	:	Il faut le lui dire.
As I said last time	:	Comme je l'ai dit la dernière fois
As I will show you	:	Comme je vais vous le montrer
He might know	:	Il pourrait le savoir.
I did not have time	:	Je n'en ai pas eu le temps.
Try and stop me	:	Essayez de m'en empêcher.

Remarquons d'ailleurs que certains verbes français entraînent
l'ellipse du pronom comme en anglais.

Comparez : "Je pars"   et   "Je m'en vais"
           "Prévenez-le"   et   "Dites-le-lui"
           "Réfléchissez   et   Pensez-y"

"J'ai réussi du premier coup" et "J'y suis arrivé..."

Le futur et le conditionnel d'"aller" éliminent le pronom
complément de destination :

"J'y allais", mais "j'irai" ou "j'irais".

Après les comparaisons et aussi quand on veut éviter la répétition d'un adjectif attribut, le français "représente", alors que l'anglais sous-entend.

— He came sooner than you expected :
  Il est arrivé plus tôt que vous ne vous y attendiez ²⁰.
— He is satisfied, but I am not :
  Il est satisfait, mais je ne le suis pas.
— Don't do more than is necessary :
  N'en faites pas plus que ce n'est nécessaire.

§ 146. Par contre le français n'emploie pas de pronoms qui ne se rapportent à un point précis de l'énoncé. Les rares exceptions sont des idiotismes du type : "Il l'a échappé belle", ou des expressions familières ou vulgaires comme "Je la saute".

En anglais le pronom qui ne représente rien de précis se rencontre dans la langue littéraire (voir les exemples A) ou dans la langue familière (voir les exemples B).

A.		
He saw to it that...	:	Il a fait en sorte que...
Rumor has it that...	:	Le bruit court que...
He was hard put to it to...	:	Il était très embarrassé pour...
I find it hard to believe....	:	J'ai du mal à croire...
He thought it wise to...	:	Il crut bon de...

B.		
Hop it!	:	Filez !
Skip it!	:	Ça suffit !
Cut it out!	:	En voilà assez ! Ça va !
Stop it!	:	Finissez !
Cheese it, the cops!	:	Vingt-deux, vlà les flics !
Watch it!	:	Attention !

---

(20) Il semble cependant que l'ellipse soit permise dans le cas de "penser" : "...que vous ne pensiez".

III

LE MESSAGE

« I often feel that anthropologists, by making a careful
« comparison between the languages of Dover and Calais,
« could long ago have discovered truths that they only
« brought to light recently by going all the way to the
« South Sea islands. »

J. G. Weightman
"Translation as a Linguistic Exercise"
English Language Teaching, V. 3 (1950) : 69-76.

NOTIONS PRELIMINAIRES

§ 147. Notre III⁰ partie porte sur un sujet infiniment plus vaste que les deux précédentes. En effet, on notera que l'analyse linguistique qui part des unités sonores pour aboutir aux systèmes les plus complexes de la syntaxe, s'élève de niveau en niveau, passant chaque fois dans un domaine où le nombre des faits observés est toujours plus nombreux. Tant que l'analyse porte sur les phonèmes et leurs combinaisons, il est possible d'opérer sur des nombres relativement maniables. Mais déjà sur le plan du lexique (notre I⁰ partie), les variations de sens des unités lexicologiques sont si nombreuses qu'elles sont presque en dehors de notre atteinte : en tout cas, les lexicographes ne s'entendent pas sur le nombre de ces unités et aucun dictionnaire ne saurait prétendre être complet. Avec la syntaxe (notre II⁰ partie), les combinaisons sont innombrables, et c'est sans doute pourquoi ce sujet est en général si mal traité dans les grammaires ; on ne peut pour l'instant que rechercher des types généraux et extrapoler à partir d'observations forcément incomplètes. Au niveau du message, que nous allons aborder maintenant, il nous paraît impossible de vouloir explorer à fond ce domaine sans appareils spéciaux comme les machines à mémoire électronique. Mais il nous est heureusement loisible de faire un tour d'horizon, sans nous cacher que le linguiste ne peut guère prétendre qu'à suggérer les grandes lignes, sans aucunement épuiser le sujet.

On a vu que le message est l'ensemble des significations de l'énoncé, reposant essentiellement sur une réalité extra-linguistique, la situation. Cette situation suggère, appelle le message et par conséquent fait entrer en ligne de compte les réactions psychologiques du sujet parlant et celles de son interlocuteur. Nous nous trouvons ici devant un problème immense et essentiel, celui des rapports entre langue et pensée, qui sort évidemment du cadre de la présente étude, bien qu'il colore constamment nos considérations sur le message. Enfin, l'interprétation correcte de la situation est fonction, en dernier ressort, des connaissances métalinguistiques qui dominent le comportement social de chacun de nous.

Dans les pages qui vont suivre, nous nous occuperons d'abord d'étudier le message dans son contexte linguistique, puis dans ses rapports avec la situation et la métalinguistique ; enfin, nous essaierons de conclure cet exposé en montrant comment le traducteur peut se préparer convenablement à sa tâche par la documentation du texte à traduire, qui fait appel à la situation.

CHAPITRE I

MESSAGE ET SITUATION

§ 148. Les sens du message peut se dégager de plusieurs façons ; nous en retiendrons trois, dont l'importance varie selon les cas :

Le **sens structural,** c'est-à-dire celui qui se dégage normalement des éléments de la structure fournis par le lexique et assemblés selon les lois de l'agencement. Ex. : "On entering the room, he saw him sitting at the table : En entrant dans la pièce, il le vit assis à la table". Cet exemple correspond parfaitement, sur le plan du message, à ce que nous avons appelé un cas de traduction littérale, sur le plan de l'agencement. Autrement dit, il n'y a pas dans ce message, tout au moins tel qu'il est présenté ici, en dehors du contexte et avec une situation encore floue dans l'esprit du lecteur, d'éléments stylistiques ou sémantiques [1] qui se superposent à la somme des mots dont il est composé. Ce parallélisme des langues rapprochées est très certainement l'indice d'une communauté historique de pensée et de culture: il offre au traducteur des cas simples, susceptibles de recevoir une solution parfaite dans le cadre de LA.

§ 149. Le **sens global,** tel qu'il est fourni par le contexte. Il y a des cas en effet où la structure ne suffit pas à expliciter la totalité du message ; il faut noter d'ailleurs qu'en général, ce dernier ne se

---

(1) Cette première définition du sens s'appuie donc sur les deux axes essentiels selon lesquels s'ordonnent les faits de langue, comme nous l'avons plusieurs fois souligné. Il convient de noter que le sens structural porte en lui-même des ambiguïtés qui ne relèvent pas du message, mais qui le conditionnent. Par exemple, "il prit son chapeau" ; "s'étant cassé le bras" ; "I am meeting a friend" offrent au traducteur des ambiguïtés qui ne sont pas le fait du rédacteur du message. Seul le contexte dira s'il faut traduire par : "he took his (her) hat"; "having broken his (her) arm"; "je vais rencontrer un ami (une amie)". Ces servitudes structurales représentent une source d'entropie par rapport au message global ; le traducteur peut être amené à les expliciter, ce qui représente un gain d'information (157).

situe guère sur le plan de la phrase, mais plutôt sur le plan du paragraphe. De même que l'on traduit "reed" par "anche" ou par "roseau", selon le cas, de même une phrase entière s'éclaire d'un jour particulier suivant le contexte qui l'encadre². C'est ce qui fait dire avec justesse aux professeurs qu'il ne faut jamais commencer à traduire une version avant d'avoir lu (et relu) le texte tout entier ; c'est aussi en vertu de ce principe qu'il faut autant que possible replacer un texte de version dans le cadre du livre d'où il a été tiré.

Remarque : Trop souvent, les traducteurs ont à travailler sur un texte dactylographié qui ne reproduit pas le cadre véritable de l'original : les illustrations manquent, la disposition des légendes ou des têtes de chapitre est incompréhensible, les tableaux ou diagrammes sont donnés à traduire séparément, etc. : autant de sources de difficultés et d'erreurs. On traduit globalement, de même qu'on comprend globalement, même si, pour la commodité de l'exposé et de la vérification, nous préconisons des étapes et des cadres d'analyse.

Exemple 1 : Dans un texte de Duhamel, la traduction anglaise de : "Au début des temps, etc." par "When the house was new" serait impossible, si on ne savait par les paragraphes précédents qu'il s'agit d'une vieille maison. Dans un texte de R. Frost qui commence par : "Something there is that does not like a wall", on traduira "something" par "On dirait qu'un sort s'acharne sur les murs" à cause des vers suivants, qui évoquent les formules magiques et la superstition. En réalité, "sort" dit plus que "something": mais ce gain d'information n'est qu'apparent, comme nous allons le montrer au § 151.

Exemple 2 : Du point de vue pédagogique, il est très intéressant de faire rechercher aux étudiants les éléments précis du contexte qui justifient l'explicitation d'un terme particulier. Par exemple, pour le texte de H. MacLennan (page 295), on remarque que "flat" est rendu par : "posées à plat", explicitation qu'il faut rattacher, en les soulignant d'un trait, aux mots : "propellers" (une hélice n'est pas plate), "sprawled", "waiting to be connected to their shafts". De même, on a traduit "sprawled" par : "étalent leurs pales", parce qu'on sait qu'il s'agit de "propellers". Cette explicitation ne conviendrait pas à n'importe quel objet, ex. : "sprawling on a bed : vautré sur un lit."

---

(2) Il y a cependant des cas où le sens global ne dépend pas du contexte non plus que de la situation. Nous avons alors affaire à des clichés ou allusions (240).

§ 150. Il y a des cas où la traduction ne ressort ni de la structure ni du contexte, et où le sens global ne peut être perçu pleinement que par celui qui connaît **la situation** à laquelle le message se réfère. C'est le cas de certains écriteaux, avis, affiches, qui ne sont pas compréhensibles sans un commentaire explicatif. Il serait impossible, croyons-nous, de traduire une phrase telle que : "You're on!" (En scène !) sans se référer à la situation ; si, pour comble d'infortune, la structure est ambiguë, alors il n'y a plus moyen de traduire du tout : "Je suis votre femme" peut correspondre à "I am your wife", ou à "I am following your wife" ; de même "aller à l'école : to go to (the) school" ; "aller à l'Ecole : to attend courses at some specialized institution" (cf. l'Ecole normale). On aura noté que, dans ce dernier cas, la majuscule supprime une partie de l'ambiguïté, en éliminant au moins les deux premiers exemples. Cependant il arrive souvent que des cas d'ellipse ne soient pas soulignés par une marque quelconque : "il a son certificat (d'études primaires)" ; "he was having his usual (drink)"; "he stopped at the local (pub)"; "il a fait un papier là-dessus" ; "il a été collé (au baccalauréat) en septembre*.

Si le sens structural est suffisamment éclairé par les remarques exposées au cours des deux premières parties, il n'en est pas de même pour les deux autres sens, que nous nous proposons maintenant d'étudier avec des exemples à l'appui.

§ 151. Gains et pertes :

L'un des soucis majeurs du traducteur est de s'assurer que sa traduction transmet le contenu de l'original sans rien en perdre, toute perte, de sens ou de tonalité, en un point du texte, devant en principe être récupérée ailleurs grâce au procédé de compensation.

Le cas inverse peut-il se produire ? Peut-il y avoir gain par rapport à l'original ? A première vue, il semblerait que non. Il faut considérer cependant que le bon traducteur ne traduit pas seulement les mots, mais la pensée qui est derrière et que pour cela, il se réfère constamment au contexte et à la situation. Celle-ci ayant été claire-

---

(3) Beaucoup de ces ambiguïtés ne sont qu'apparentes et ne sauraient troubler un traducteur expérimenté ; une bonne technique de découpage des UT (App. 2) les dépistera sans peine, ce qui est d'ailleurs un exercice pédagogique intéressant. On notera en particulier les cas où la divergence de sens global entre deux énoncés ne repose que sur une très petite différence de structure. Exemples : Il est entré au Métro/Il est entré dans le Métro ; je vais vous mettre à votre porte/je vais vous mettre à la porte ; une heure plus tard, il mourait (He died an hour later)/une heure plus tard et il mourait (An hour later he would have been dead). Voir la discussion célèbre autour de la remarque du préfet de police Chiappe : "Demain je serai à la rue", qui avait été interprétée comme : "Demain, je serai dans la rue".

ment analysée et reconstituée, il est fort possible qu'une des deux langues, et pas nécessairement LD, en rende compte avec une plus grande précision. On sait en effet que deux langues données ne renseignent pas de la même façon sur une même situation. C'est ainsi que, pour prendre un exemple très simple, "his patient" renseigne sur le sexe du docteur, mais non sur celui du malade, alors qu'en français c'est le contraire.

Nous dirons donc qu'il y a **gain** lorsque la traduction explicite un élément de la situation que LD laisse dans l'ombre [4]. Une phrase qui marque un gain se suffit davantage à elle-même, elle rétablit les sous-entendus ou rappelle ce qui a été dit précédemment. Et parce qu'elle dépend moins, pour sa compréhension, du contexte ou de la situation, elle dispense le lecteur de s'y reporter.

Cette explicitation est due à des raisons d'ordre soit sémantique soit structural. Tantôt un mot se trouve à un plus haut niveau de généralisation que son équivalent en LA qui est par conséquent plus précis (comparer, par exemple, "atterrir" et "débarquer" avec "to land") ; tantôt la structure de la langue oblige à employer une tournure qui se trouve serrer la réalité de plus près. N'ayant pas la ressource des verbes à particules, le français est plus explicite quand il dit "Entrez sans frapper" pour "Walk in". Non pas que cette inscription sur une porte ne soit parfaitement claire pour un anglophone ; mais nous constatons que sa clarté dépend beaucoup plus de la situation que ce n'est le cas pour la traduction française.

Le gain n'est qu'apparent s'il n'ajoute en fait rien au sens de la phrase. C'est le cas des explétifs, des mots qui ne servent qu'à la corser, à lui donner une meilleure assiette, ou encore à satisfaire un certain besoin d'expressivité qui n'est pas logiquement nécessaire. Logan P. Smith, dans son livre *Words and Idioms,* fait de très justes remarques sur la valeur cinétique des particules en anglais. "Up" est une servitude qui n'ajoute aucune précision dans des expressions du type "hurry up", "cheer up"[5]. Il en est de même de "down" dans le premier des exemples ci-dessous.

Exemple N° 1 : On the way down from London to Brighton
En allant de Londres à Brighton

(4) Un gain par rapport à la situation serait impensable. Puisqu'il s'agit d'une transmission d'information de LD en LA, on peut appliquer le principe de la conservation de l'information, voir R. Ruyer, *La Cybernétique et l'origine de l'information* (Paris, Flammarion, 1954) ..."puisque toute machine, quelque perfectionnée qu'elle soit,... ne peut qu'augmenter l'entropie, il est évident que, corrélativement, elle ne peut que diminuer l'information". Nous allons montrer que le traducteur se révèle ici supérieur à la machine, puisque nous pouvons parler de gain ; mais ce mot s'applique au message et non à la situation.

(5) "In fact, we often add *up* to verbs in cases where, for the logical meaning, the preposition is not needed, as: wake up, hurry up, cheer up, fill

"Down" a ici une valeur cinétique, plutôt que sémantique. Il indique la direction vers un endroit jugé moins important. Le français n'en a cure. On peut donc ne pas tenir compte de "down" dans la traduction en français, mais il n'est pas inutile de l'ajouter quand on passe du français à l'anglais. Il rend la phrase anglaise plus idiomatique. Il satisfait le besoin de dynamisme qui est une des caractéristiques de l'anglais.

Exemple N° 2 : .

Si nous modifions la phrase donnée plus haut en supprimant l'indication du point de départ :

> On the way down to Brighton

nous constatons que "down" joue maintenant un rôle plus important : il est en effet le seul moyen que nous ayons de supposer que le voyageur a dû partir de Londres ou d'une ville située dans le nord de l'Angleterre, et non pas de Portsmouth ou de Dieppe, car l'anglais dirait alors :

> on the way over to Brighton;
> on the way across to Brighton [*]

La traduction française sera simplement : "En allant à Brighton". Elle accuse une perte par rapport à LA, puisqu'elle ne comporte aucun rappel du point de départ. Nous voyons ici que dans certains cas la particule n'est pas purement cinétique ; elle a aussi une valeur sémantique.

Exemple N° 3 :

"...he gave the two of them handsome tips, said good-by, and drove to the Warsaw station." (James Hilton)

Il faut connaître la situation pour savoir que le monsieur en question ne s'est pas rendu à la gare dans sa propre voiture, mais dans un fiacre. Nous dirons donc :

> "et se fit conduire à la gare de Varsovie."

Il y a gain réel en français.

Exemple N° 4 :

> "We passed few cars on the road."

---

up, clean up, etc. It would almost seem as if these particles and verbs of action took the place in our northern speech of the gestures in which our intercourse is lacking, but which are so vivid an accompaniment to the speech of the Latin peoples, whose languages are poor in the emphatic use of particles." (Logan Pearsall Smith, *Words and Idioms*, Londres, Constable, 1925.) On ne confondra pas ces exemples avec ceux où la particule rend l'aspect terminatif (64).

(6) "Over" pourrait également s'employer pour indiquer la traversée de Dieppe à Brighton.

L'extension sémantique du verbe "pass" en anglais ne permet pas de décider si celui qui parle veut dire : "croiser", "dépasser", ou à la fois "croiser et dépasser". Le français n'ayant pas un mot aussi général est obligé de préciser. Ici encore, c'est l'insuffisance sémantique qui aboutit à un gain. De même nous sommes amenés à être plus explicites quand nous traduisons "coat" (pardessus ou veston), "chair" (chaise ou fauteuil), "notebook"' (U.S.) (carnet ou cahier).

Exemple N° 5 :
     "Montez les bagages."

Le contexte, mais non la langue, indique si celui qui parle est en bas ou en haut. L'anglais fournit cette indication sans effort. "Take up" ou "Bring up the bags".

De même "Sortez !" ne nous dit pas si le locuteur est dedans ou dehors. Comparez : "Go (ou "get") out;" et "Come out!"

Dans la phrase : "Il rentre dans la maison", il y a ambiguïté, celle-ci disparaît en anglais : "He goes (comes) back into the house". La phrase anglaise révèle la position de l'observateur.

Suivant le cas notre mot "ici" deviendra donc "in here", "out here", "up here", "down here", "over here", "back here" (43).

Exemple N° 6 :
"I'll be right over : J'arrive (Je viens tout de suite)."

La phrase anglaise indique la position des deux interlocuteurs l'un par rapport à l'autre. Ils sont séparés par une certaine distance, sans qu'il y ait idée de montée ou de descente et sans qu'on tienne à souligner une sortie ou une entrée implicites. Rien n'empêche de dire en français si la situation l'exige : "Je monte" ou "je descends (ou "je traverse") tout de suite", mais le plus souvent on se contentera de : "Je viens tout de suite" alors que l'anglais précisera au moyen de ses particules :
     I'll be right over, down, up, in, out.

Il y a donc chaque fois gain réel en anglais, ce qui est normal étant donné la préférence de cette langue pour les mots-images quand il s'agit de décrire une situation concrète (41).

Exemple N° 7 :
"...there was no sound but the ticking of a clock and the muffled clatter of the typewriters behind the glass."
     Hugh MacLennan, *Barometer Rising,* p. 77.

---

(7) L'américain emploie peu "copy-book" ou "exercise-book". "Notebook" a les deux sens de "cahier" et de "carnet". Cf. aussi "pocket-book" pour rendre "agenda" et "portefeuille".

Prise séparément, ou même dans le cadre de son paragraphe, cette phrase ne permet pas d'évoquer à coup sûr ce que représente "glass". Mais si on se reporte de sept pages en arrière, on se rend compte qu'il s'agit d'une cloison de verre dépoli : "a partition of frosted glass" (p. 70). Nous dirons donc : "derrière la cloison vitrée", ce qui représente un gain par rapport à LD, d'après la définition donnée plus haut. Remarquons que si "verre" était susceptible du même emploi que "glass" la phrase ne serait pas plus claire en français qu'en anglais. La précision du français tient donc à une moindre extension du mot "verre".

Exemple N° 8 :

L'écriteau "To the Station" peut être placé soit à l'entrée, soit à quelque distance de la gare. Des raisons de structure (91) empêchent de traduire "to" simplement par "à". Nous savons que l'étoffement obligatoire de la préposition se fera ici par un substantif. Le choix de ce substantif amène le traducteur à se rendre compte de la situation et à dire "Entrée de la Gare" ou "Direction de la gare". Il y a gain en français pour des raisons de structure.

Exemple N° 9 :

"Le matin du troisième jour, la mer s'était calmée.
Tous les passagers..." (*La Revue de Paris*, janvier 1956).

Jusqu'à la virgule, et même jusqu'au point après "calmée", on ne peut traduire les premiers mots que par : "On the morning of the third day..."; mais, dans la deuxième phrase, le mot "passagers" indique qu'il s'agit d'une traversée : nous dirons donc : "On the morning of the third day out,..." La traduction anglaise éclaire sa lanterne dès le début : gain réel en anglais. Il n'en va pas de même pour les deux exemples ci-dessous, qui ne représentent que des gains apparents pour l'anglais : "He laid the newspaper on the table : il posa le journal sur la table" (Un journal se pose généralement à plat) ; "I am down at the other end : Je suis (ma chambre est) à l'autre bout du couloir". (Les couloirs sont généralement horizontaux.)

On notera que le principe de l'explication par le contexte, basé sur l'interprétation globale d'éléments du message dépourvus de marques morphologiques, semble relever exclusivement de la pensée. Reposant sur des circuits de probabilités extrêmement vastes et complexes, ce phénomène est sans doute l'obstacle majeur aux machines à traduire électroniques. La machine ne saurait à elle seule décider que dans les cas cités plus haut "glass" doit se rendre par "cloison vitrée", plutôt que par "verre", ou "To" par "entrée" plutôt que par "direction".

§ 152. *Un cas typique :* **les titres :**

En général, les titres de romans et de pièces de théâtre ne sont pleinement intelligibles que pour ceux qui ont lu le livre ou vu la pièce. C'est d'ailleurs là-dessus que comptent les auteurs, qui piquent la curiosité du public avec un titre parfaitement sibyllin vu de l'extérieur, et qui pourtant a des rapports secrets avec le message. La traduction de ces titres n'est donc possible que si l'on connaît le contexte, et il faut l'aborder en dernier lieu. C'est un exemple d'explicitation à l'état pur.

Comme le raccourci stylistique qui aboutit au titre est propre au génie d'une langue, on comprendra aisément que les titres demandent à être traduits par **modulation** (216 sq.), voire par **adaptation** (246 sq.). Nous en citons ici quelques bons exemples, dont la pertinence n'est toutefois apparente que pour ceux qui connaissent le sujet des livres cités :

"Hollow Triumph : Château de Cartes" ; "Wuthering Heights : Les Hauts de Hurlevent" (Ici, transposition de l'effet sonore du nom propre) ; "Fatal in My Fashion : Cousu de fil rouge" (Jeu de mot sur "fashion" ; il s'agit d'un crime commis chez un grand couturier) ; "The Man with My Face : Comme un frère" (histoire de sosie). L'ellipse d'une partie d'un proverbe ou d'une locution habituelle semble très fréquente dans les titres modernes, cf. "Tel qu'en lui-même", etc.) ; "Le Grand Meaulnes : The Wanderer" ; "Out of the Past of Greece and Rome : Tableaux de la vie antique" (Noter la transposition vers le substantif) ; "Blackboard Jungle : Graine de violence" (Film sur l'enfance délinquante) ; "Le compteur est ouvert: Twice Tolled Tales"; "Mixed Company : De tout pour faire un monde" ; "Thicker than Water : Les liens du sang" ; "Figure it out for yourself! : C'est le bouquet!" ; "An Alligator Named Daisy : Coquin de saurien", etc.

§ 153. **Les manchettes des journaux :**

Les manchettes de journaux nous offrent, surtout en pays anglo-saxons, des cas assez voisins qui demandent le plus souvent à être éclairés non seulement par le contexte, mais surtout par des connaissances métalinguistiques : allusions culturelles, politiques, historiques, faits divers, etc. Par exemple, l'allusion à Mussolini doit être comprise sous l'épithète de : "César de Carnaval", qui a été bien rendue en anglais par : "Sawdust Caesar" (MOD sur l'idée de carnaval, d'où le cirque, d'où l'arène, d'où la moulée ou sciure de bois ; jeu de mot sur "sawdust", qui sert aussi à remplir les poupées de son.)

L'interprétation des manchettes anglaises et américaines repose presque entièrement sur la situation et sur une série de conventions stylistiques, relativement récentes, qui tendent à la fois à surprendre le lecteur, à économiser de la place et à dire le plus de choses possibles avec le plus petit nombre de caractères typographiques. Au point de vue stylistique, ces manchettes ne relèvent pas directement de notre étude, car elles forment une langue marginale avec ses conventions propres, qui a fait l'objet de quelques études particulières⁺. Mais il convient de les signaler en passant, d'abord parce qu'elles posent des problèmes importants au traducteur, ensuite parce qu'elles reflètent une conception métalinguistique très particulière de l'information qui tend, par suite du prestige actuel de la presse anglo-américaine, à s'imposer à des journaux français et surtout aux journaux canadiens. Ainsi, les manchettes de la presse canadienne française ne sont trop souvent qu'une adaptation plus ou moins heureuse des manchettes anglaises correspondantes.

Voici quelques exemples de manchettes suivies d'un essai de traduction qui n'est parfois qu'une explicitation :
(1) "SOLID CLUES IN MURDER CLAIMED : L'affaire de l'avenue X : La police serait sur une piste importante." (2) "SOVIET CLOSE GAP IN AIR POWER RACE : Les Soviets rattrapent leur retard dans la course aux armements aériens " (3) "PORT TO GET NEW GRAIN FACILITIES : [De] nouvelles installations [sont] prévues pour la manutention des grains dans le port [de Montréal.]" (4) "EXPORTS HOLD UP AGREED : Le gouvernement accepte l'embargo sur les envois d'armes." (5) "PORT DARWIN, ALLIED NAVAL BASE, TARGET : L'aviation japonaise bombarde la base navale de Port Darwin". Nous perdons ici la notion d'"allié". On pourrait la réintroduire en traduisant : "la base navale russe", en laissant au lecteur le soin de conclure que Port Darwin était, à cette époque, une base "alliée". (6) "The Saving Skates" (*Time*) ; il s'agit des Jeux olympiques d'hiver. Seule la lecture des paragraphes qui suivent permettent de traduire ce titre sibyllin : "Grâce aux patineurs, l'honneur est sauf". (7) "Dashing Skis: Sur les pentes neigeuses (accompagne une illustration ; bon exemple de modulation). (8) "Noise to Live With"; il s'agit du bruit des avions à réaction, sous la rubrique "Aviation". Traduction possible : "On s'habitue à tout".

Toutes nos traductions, dont certaines pourraient naturellement être plus elliptiques dans le cas d'un événement connu du public,

---

(8) Notamment celle de Heinrich Straumann : *Newspaper Headlines; a study in linguistic method.* Londres, G. Allen & Unwin, 1925.

représentent une précision, parfois considérable, par rapport à l'an glais. Pour s'en rendre compte, il suffit de citer ici quelques manchettes hors de leur contexte : elles deviennent, par là-même, totalement intraduisibles : "DEVIATES ISOLATION URGED ; PLAN GETS GO AHEAD ; WESTPORTERS MOB PECK ; INSANITY RULES CRITIC ; HANGING PROBE NAMED SOON", etc...

§ 154. Les faux amis de structure.

A côté des faux amis de la sémantique et de la stylistique (54 et 55), il faut maintenant considérer une troisième catégorie, celle où des structures soit lexicales (mots composés ou dérivés) soit syntaxiques, n'ont pas le sens que l'analyse de leurs éléments semblerait indiquer, bien que ces éléments, pris séparément, ne soient pas euxmême des faux amis sémantiques ou stylistiques. Pour englober ces deux aspects de la question, l'aspect lexical et l'aspect syntaxique, nous proposons le terme de **faux amis de structure,** qu'il s'agisse d'un mot, d'un syntagme ou d'une phrase. Nous dirons qu'il y a faux amis de structure quand le sens global est différent du sens structural, et c'est bien entendu le sens global qui l'emporte. Sont donc classées dans cette catégorie toutes structures réunissant les conditions suivantes :

a) les mots, ou éléments de mots, qui les composent ont individuellement le même sens dans les deux langues.

b) ces éléments sont agencés dans le même ordre, compte tenu de certaines obligations structurales propres à chaque langue (voir le cas de "pine-apple", "pomme de pin")

c) leur agencement aboutit à un sens, disons à un message différent.

Exemples : Des mots comme "pine-apple", "lodger", "counterpart", "cut-throat", "distaste" semblent, de par leur composition ou dérivation, appeler l'équivalence avec "pomme de pin", "logeur", "contre-partie", "coupe-gorge", "dégoût". En fait, on sait qu'ils veulent dire respectivement : "ananas", "locataire", "pendant", "coupejarret" (ex. de modulation), "répugnance". L'erreur la plus grossière serait de traduire "pine-apple" par "pomme de pin" et "lodger" par "logeur", ou encore "cut-throat" (qui est un homme) par "coupegorge" (qui est un endroit) ; la distinction est plus subtile entre "contre-partie" (idée d'échange, de compensation) et "counterpart" (pendant) ou entre "répugnance" (distaste) et "dégoût" (disgust). A la même catégorie appartiennent des expressions comme : "a man of the people : un homme sorti du peuple" (et non "un homme du

peuple") ; "confidence man : un escroc, un chevalier d'industrie'
(et non "un homme de confiance").

§ 155. Dans le cadre de la syntaxe les exemples qui suivent offrent
des parallélismes de structure et des divergences de sens.

"Il n'y a rien de tel que..." veut dire "There's nothing like...'
et non "There's no such thing as..." qui se traduit par "...n'existe pas".

"C'est beaucoup dire" qui pourrait signifier "That's saying a lot"
doit en fait se rendre par "That's going rather far", tandis que
"That's saying a lot" a pour équivalent "Ce n'est pas peu dire".
Le risque de confusion tient à ce que dans les deux expressions
françaises "pas peu" n'est pas la même chose que "beaucoup"

De même :
— in view of : étant donné que (et non "en vue de")
— to have reason to : avoir lieu de, avoir des raisons de
                        (et non "avoir raison")
— nothing less than : tout ce qu'il y a de plus
                        (le contraire par conséquent de "rien moins que")

"Comment est la maison ? : What's the house like?" et non "How is
the house?" qui n'appelle pas le même genre de réponse. Cf.
"How was the movie? : C'était bien le film ?", "Comment avez-
vous trouvé le film ?"

"Since when...?" veut bien dire "Depuis quand...?", mais seulement
avec une nuance sarcastique. ("Depuis quand répond-on comme cela
à ses parents?") Il faut donc considérer que quand cette nuance est
exclue, c'est "How long...?" qui traduit à la fois "Depuis quand?"
et "Depuis combien de temps?".

"When", équivalent de "and then", ne peut se rendre par "quand".
Ex. : Three men were killed when a tank blew up." Il ne s'agit pas
d'une coïncidence mais d'un rapport de cause à effet°. Disons donc :
"Trois hommes furent tués à la suite de l'explosion d'un réservoir",
ou mieux encore : "L'explosion d'un réservoir fit trois victimes".
(120-121).

"Dear Sir, : Monsieur" (et non "Cher Monsieur" qui correspondrait
à "Dear Mr. Smith")

"Be sure that..." : non pas "Soyez sûr que...", qui se dirait "You
can be sure", mais "assurez-vous que..."
"Be sure he knows what he has to do:
Assurez-vous qu'il sait ce qu'il a à faire."

(9) C'est une des fautes les plus fréquentes au Canada français.

"Without doubt : Sans aucun doute", et non pas "sans doute" qui
se dit "no doubt".

— His wife of thirteen years... :
Après treize ans de mariage, sa femme... (et non : "sa femme
de treize ans"!)
— I don't think much of him :
Il ne m'emballe pas (et non "Je ne pense pas beaucoup à lui.")
— Il est intéressé dans cette affaire :
He has interests in this concern, (et non: "He is interested in it."

Remarquons en passant que la différence de sens entre "So did I"
(moi aussi) et "So I did" (ce que je fis) paraît purement arbitraire
à un Français. Bien que ces deux tournures n'entrent pas vraiment
dans la catégorie des faux amis de structure, elles permettent de
constater une fois de plus l'écart entre le mot à mot et le sens global.

Les exemples qui précèdent appartiennent à la langue. Ils restent
valables pour n'importe quel contexte. Mais il peut arriver que la
langue admette au moins deux interprétations pour une structure
donnée : le sens littéral et un autre, auquel cas c'est le contexte qui
doit décider.

Ce n'est pas tout à fait ce qui se passe avec "I'll thank you to
be polite", car le futur ici indique clairement qu'il faut traduire par
"Je vous prierai d'être poli" et non pas par "Je vous remercie de
votre politesse". De même "You can say that again!" l'accentuation
de "that" signale au traducteur que le sens est : "Je vous crois!"
"Vous l'avez dit!" "Et comment!" Par contre "se sauver" peut évidemment vouloir dire dans certains cas : "to save oneself" au lieu de
"to run away". "Yes sir!", "No sir!" signifiera très souvent, comme
on s'y attend : "Oui monsieur", "non monsieur", mais dans la bouche
d'un Américain, cette expression peut s'employer sans que "sir'
désigne un interlocuteur. "No sir! nobody is going to tell me how
to run my business : Je vous le dis, personne ne va m'apprendre
à faire marcher mon affaire." De même "You asked for it" se rendra,
suivant le contexte, par : "Vous l'avez demandé", ou "C'est bien fait
pour vous".

On voit d'après ce qui précède qu'il faut ranger parmi les faux
amis de structure beaucoup de locutions figées, d'idiotismes à ne pas
traduire littéralement : "He is talking through his hat : Il ne sait pas
ce qu'il dit" (et non pas comme on entend dire parfois au Canada :
"Il parle à travers son chapeau".) "Give me Beethoven any time :
Ça ne vaut pas Beethoven" [10]. Ces idiotismes sont souvent précisés

(10) Ici encore, on ne voit pas comment l'idée de comparaison qu'explicite
la traduction française pourrait sortir d'une machine à traduction.

dans des ouvrages de référence, mais le processus selon lequel le traducteur reconnaît l'équivalence entre deux locutions n'a pas encore été étudié. Il se réfère non pas tant à un critère contextuel qu'aux critères de situation dont nous allons maintenant parler.

§ 156. Explication par la situation :

Il y a des cas, avons-nous dit, où la traduction ne ressort ni de la structure, ni du contexte, mais où le sens global et ultime n'est perceptible que pour celui qui connaît la situation. On peut définir ce dernier terme comme englobant toute la réalité, concrète et abstraite que décrit l'énoncé. La situation étant le support conceptuel du message, il faut donc la connaître pour pouvoir déchiffrer ce dernier sans risque d'erreur, particulièrement toutes les fois où la seule structure est impuissante à évoquer nettement la situation[11]. C'est le cas, par exemple, de certains avis ou affiches, qui ne sont pas suivis de commentaires explicatifs. Soit le signe SVP ; il ne correspond en soi qu'à une situation très vague, celle d'une demande polie. Mais si l'on voit un écriteau fiché sur une pelouse canadienne, avec le seul mot "SVP", on comprendra sans trop d'effort qu'il est préférable de ne pas marcher sur le gazon. De même, au Canada, un écriteau "WORMS" près d'une rivière suffit à indiquer que l'on vend des vers ou de la boette, alors que le même écriteau en Allemagne indiquerait la direction de la ville de Worms.

Il serait facile de multiplier les exemples de ce type d'ambiguïté, et nous allons en donner quelques-uns ci-dessous ; il faut noter toutefois que l'ambiguïté dont il s'agit, n'est valable que pour la langue écrite, où l'absence de marques adéquates, destinées à transcrire le rythme, l'accentuation et l'intonation, risque d'égarer le traducteur au moment du découpage.

(a) *Exemples français :* "Il faut séparer les culasses des fusils" ("from" ou "of?") ; "les ouvriers qui étaient fatigués demandèrent à interrompre le travail". (Ici, on pourrait mettre une virgule avant et après "qui étaient fatigués" pour préciser le sens de la phrase) ; "je tra-

---

(11) A. Blinkenberg fait bien ressortir cette primauté de la situation, voir en particulier l'*Ordre des mots en français moderne*, Copenhague, Host, 1928, p. 5. Il se poursuit en effet une évolution vers une indépendance vis-à-vis de la situation qui même aux niveaux les plus élevés de la démarche intellectuelle (raisonnement philosophique, démonstration mathématique, etc.) n'aboutit cependant jamais à une rupture. Autrement, le message n'aurait de valeur que par lui-même et non par rapport à sa fonction d'information. Cette dernière étape d'indépendance se réalise sans doute dans la création poétique moderne, qui de ce fait devient pratiquement intraduisible.

vaillerai tant que je réussirai" ("so much that" ou "as long as" ?) ; "vous connaissez tous les effets de cette maladie" ("You all know" ou "you know all the effects" ?). Dans les deux derniers cas, l'intonation ou la prononciation ("tous" prononcé avec ou sans /s/ final) suffisent pour dissiper toute ambiguïté ".

(b) *Exemples anglais* : "The Rare Book Room : dans une université, "la salle des incunables" ; "a light blue material : une étoffe bleu clair" ou "bleue et légère" ; "a speed zone : zone de vitesse surveillée", ou "zone où la vitesse est permise ?" "A French teacher", "a French book" : doit-on interpréter "French" comme un adjectif de relation ou comme une épithète ? "Supplementary Staff Test" : s'agit-il d'un test supplémentaire, ou d'un test pour le personnel supplémentaire ? L'ambiguïté demeure avec une autre rédaction possible : "Additional Personnel Test". Enfin, nous avons eu l'occasion de parler du cas de : "A monk's cell", par rapport au français : "une cellule de moine", "la cellule d'un moine" (141).

On peut également ranger dans la même catégorie la mode d'un goût assez douteux qui veut que l'on remplace dans certains restaurants américains l'indication "Men/Women" or "Men/Ladies" par "He/She" ou "Pa/Ma". On notera qu'en raison du caractère elliptique de ces annonces, il n'y a que la situation qui puisse en rendre compte.

Il en va de même d'indications telles que :
"Down trains/Up Trains" dans une gare anglaise indique les trains en provenance ou à destination de Londres ;
"From", sur une enveloppe "expéditeur" ; "Haut", sur une caisse ; l'anglais est plus clair avec "This Side Up" ; "Stage Door : Entrée des artistes" ".

§ 157. Étude des situations :

Contrairement à ce qui se passe pour les unités lexicologiques, les situations ne se trouvent pas dans les dictionnaires. A peine en trouve-t-cn mention dans les ouvrages de stylistique, sauf chez Bally qui utilise cette notion dans son Traité (*TSF* § 103) et en parle plus longuement dans *Le langage et la vie* (pp. 113-115, 2ᵉ éd.). F. Brunot y pensait déjà, sur un autre plan, quand il écrivait : « Il faut se

(12) Ces trois derniers exemples sont de Bally, *LGLF* § 609.

(13) Il y a, dans tous ces exemples, une opposition fondamentale entre deux tendances : explicitation de l'anglais, renvoi à la situation du français. Ainsi, une pancarte dans un magasin DEMANDEZ NOTRE CATALOGUE pourra se traduire par ASK FOR OUR CATALOG(UE) ; mais, dans une annonce de journal, l'anglais dira WRITE FOR OUR CATALOGUE, à la radio, PHONE FOR OUR CATALOGUE. La situation suffit donc à elle seule pour éclairer le traducteur partant du français, qui joue surtout avec des mots signes.

résoudre à dresser des méthodes de langage où les faits ne soient plus rangés d'après l'ordre des signes, mais d'après l'ordre des idées » (*La Pensée et la langue*, 2ᵉ éd., Paris, Masson, 1929).

L'étude des situations est pourtant essentielle en stylistique comparée, puisqu'elle seule permet de décider, en dernier ressort, de la signification d'un message. Comme le souligne très justement E. Nida, «the person who is engaged in translating from one language into another ought to be constantly aware of the contrast in the entire range of culture represented by the two languages» (*Word*, vol. 1, nº 2, août 1945). Même si par la force des circonstances la majorité des traductions rapprochent des langues participant à une même aire générale de culture (par exemple la culture dite occidentale), il reste que chaque groupe culturel est suffisamment individualisé pour que les langues reflètent ces divergences dans leur stylistique. On remarquera en effet que toute la stylistique comparée est basée sur la différence d'interprétation d'une même situation par deux groupes linguistiques. On peut même poser en principe que, dans la mesure où une phrase se laisse traduire littéralement, elle reflète une communauté culturelle et, sur un plan plus élevé, une communauté conceptuelle et philosophique.

Nous indiquerons plus loin (App. 1) quelques moyens d'explorer la situation, à propos des techniques de nomenclature et de documentation. Nous voudrions seulement souligner ici la difficulté de cette recherche, qu'il s'agisse d'ailleurs d'une langue étrangère ou de notre langue maternelle. A notre connaissance, le travail de H. Frei, *Le livre des deux mille phrases* (Genève, Droz, 1953) est le premier pas dans cette direction.

§ 158. Pour bien saisir la valeur de cette recherche, que le lecteur se demande à quelles situations correspondent les phrases suivantes : (1) "Le mécanicien n'a pas aperçu le signal" ; (2) "Saignant?" (3) "Et avec ça, Madame ?" (4) "You can't miss it!" (5) "You're on!"; (6) "Wrong number"; (7) You're a stranger here", variante : "Hello, stranger!".

Nous pensons que ces messages ne peuvent s'entendre que pour les situations suivantes : (1) Il s'agit d'un mécanicien de chemin de fer, ce qui est d'ailleurs indiqué par les « marques » sémantiques "mécanicien" et "signal", ces deux mots excluant par exemple l'hypothèse d'un garagiste ou d'un fabricant de prothèses dentaires ; de plus, il est probable qu'il y a eu une catastrophe ferroviaire, autrement la remarque n'aurait pas de sens. (2) Il ne s'agit pas d'un monsieur qui saigne, mais d'un biftek. (3) Ne se dira que dans un magasin, par une vendeuse à une cliente qui a déjà acheté un article. (4) Fait partie des indications fournies par quelqu'un qui vous montre le chemin. (5) On est au théâtre : "En scène!" C'est le régisseur qui parle. (6) Au téléphone. (7) On dit cela à quelqu'un qu'on n'a pas vu depuis longtemps, par exemple en ouvrant la porte pour répondre à un coup de sonnette "On ne vous voit plus !" ; le tour familier implique une certaine intimité entre les interlocuteurs.

Il faudrait naturellement étudier la possibilité d'appliquer ces messages à d'autres situations ; autrement dit, les phrases ci-dessus pourraient-elles venir naturellement aux lèvres dans des circonstances autres que celles précisées plus haut ? Par exemple, une demoiselle du téléphone dirait-elle à un nouvel abonné : "Hello, stranger?"

On voit que c'est bien peu probable et qu'en fait chaque situation appelle normalement et en quelque sorte automatiquement, un message et un seul. Par exemple, "Do you think we'll make it?" ne peut être dit que par une personne en retard pour son train ou qui craint de ne pas réussir dans ce qu'elle a entrepris ; la phrase suppose une atmosphère tendue, précipitée, etc. Cette correspondance du message et de la situation est d'autant plus intéressante ici, qu'aucune marque sémantique ne semble restreindre le sens de "make".

§ 159. Dans les exemples cités plus haut, l'association entre la situation et le message se fait presque automatiquement par suite de la fréquence de ces cas et de leur relative simplicité [14]. Inversement, il existe des cas où, si la situation est nécessaire à la compréhension, elle n'est pas forcément évoquée par le message : il n'y a pas réversibilité. C'est ainsi que "You're coming home" peut aussi bien signifier : "Vous touchez au but" que "Vous rentrez chez vous" ; "Let it stand" peut s'appliquer au thé : "Laissez-le infuser", mais évoque tout aussi bien une correction typographique : "Ne pas tenir compte de la correction", ou la discussion d'une clause de contrat : "passons" — sans compter l'improbable "Laissez-le debout !"

Il est à remarquer que le plus souvent la langue ne souffre pas ces ambiguïtés structurales et introduit une marque permettant de se

(14) Comme le fait remarquer Blinkenberg (op. cit. p. 9) la très grande majorité des phrases que nous disons le long de la journée ont à ce point le caractère d'habitudes solidement établies, qu'elles sont déclenchées automatiquement. On peut donc prendre la question par les deux bouts : a) quelle est, pour une langue donnée, la réaction linguistique à une situation donnée ? b) quel est, pour une situation donnée, le cadre linguistique qui a tendance a se déclencher automatiquement. Cf. sur ce point J. P. Vinay, *Traductions*, pp. 47-64.

référer exclusivement à une situation donnée, cf. la distinction entre "Smith called this morning" (message ambigu pour un Britannique : est-ce au téléphone ou à la maison ?) et "Smith called here this morning", qui est un message parfaitement clair : il ne peut s'agir que d'un visiteur. L'ambiguïté n'existerait peut-être pas pour un Américain, qui dira "stop by" pour "passer chez". Les véritables ambiguïtés, au contraire, dérivent de l'ignorance où se trouve le lecteur de la situation originale. Par exemple, dans un livre sur les recherches archéologiques en Grande-Bretagne, on lit : "Accordingly, in August 55, he (Julius Caesar) made a start by crossing from Boulogne with some 10,000 men", etc.

Pour comprendre cette phrase, il faut suppléer les données topographiques qui sont implicites et rétablir la Manche ; on sent que la phrase a été écrite par un insulaire et de son point de vue. C'est la même attitude qui pousse les Anglais à appeler l'Europe occidentale : "The Continent", si bien qu'un jour de brouillard sur la Manche on a pu lire dans les journaux londoniens "Continent cut off", que nous traduirions naturellement par : "L'Angleterre isolée (du continent) par le brouillard". Il est à noter que ce sens particulier de "continent" s'est acclimaté même aux Etats-Unis, de sorte que le plus souvent, il faut le traduire par : L'Europe. Comme dans certains cas, ce mot peut désigner le continent nord-américain, seule la situation ou le contexte pourront nous guider dans son interprétation correcte.

L'explication par la situation se présente donc comme le problème le plus délicat auquel le traducteur devra faire face : et pour le résoudre, il ne dispose que d'un moyen : la connaissance métalinguistique. Puisque cette dernière repose, en fin de compte, sur la connaissance de l'homme, de sa philosophie et de son milieu, la traduction est donc vraiment un humanisme, et a sa place parmi les exercices les plus formateurs de l'esprit. On le savait déjà, au moins intuitivement, depuis longtemps.

CHAPITRE II

LES FAITS PROSODIQUES

§ 160. D'après la définition qu'en donne la linguistique structurale, un fait **prosodique** est un phénomène étalé sur plusieurs segments de l'énoncé. Par exemple, la fonction pluriel est étalée en français écrit, et à un moindre degré en français oral, sur un grand nombre de segments : noms, adjectifs, verbes, articles, pronoms. Nous dirons que la fonction pluriel est un trait prosodique. La **prosodie** est l'utilisation des faits prosodiques sur un plan donné de la parole, et le **prosodème** est l'unité de prosodie dans une langue donnée.

Nous avons fait déjà plusieurs fois allusion à cette conception de l'étalement des signes, qui participe essentiellement du message, puisqu'elle repose sur un déroulement d'unités successives le long de l'axe du temps, et puisque l'effet obtenu par un prosodème n'est sensible qu'après exploration de la totalité du segment intéressé. Les prosodèmes se situent à tous les niveaux de l'analyse linguistique. Sur le plan phonologique, en particulier, citons les phénomènes d'intonation qui sont chargés d'une valeur différenciatrice : par exemple, la différence entre "Ça va ?" et "Ça va !" est rendue immédiatement sensible grâce aux variations mélodiques ; il en va de même pour "Personne n'est venu ?" et "Personne n'est venu !" Sur le plan du lexique, citons la dilution des morphèmes négatifs, en particulier le rôle de "ne" dans des phrases telles que : "Il n'a plus guère de temps à vivre", "Il ne s'agit pas que de lui", "Il n'y va plus jamais", etc. Sur le plan syntaxique, citons la concordance des temps, et sur le plan stylistique, la modulation et la compensation.

§ 161. **Prosodèmes de la langue parlée .**

Nous venons de noter que la langue parlée possède un prosodème d'intonation, qui comporte d'ailleurs plusieurs formes distinctes, auxquelles on peut rattacher des catégories modales telles que l'inter-

rogation, l'affirmation, l'incrédulité, le sous-entendu, etc. Ces phénomènes prosodiques sont très importants, puisqu'ils permettent de
résoudre des ambiguïtés du type "Personne n'est venu" (1) "Nobody
came" (2) "Did anybody come?" La langue écrite n'a pas suffisamment de marques pour signaler clairement ces modalités, bien que
/!/,/?/.../ soient généralement affectés aux prosodèmes d'intonation. On a même essayé, sans succès, d'introduire en français un point
d'ironie/?/, qui aurait permis de distinguer entre "Ce n'est pas mal!"
et "Ce n'est pas mal?" ; "Tu as bonne mine!" et "Tu as bonne mine?"
La question a son importance en stylistique comparée, puisque les
traducteurs sont appelés à rencontrer nombre de phrases elliptiques,
notamment dans les dialogues.

L'accent tonique, dans les langues où il peut tomber sur différentes syllabes, est également un phénomène prosodique qui apparaît
clairement à l'audition, mais que l'orthographe ignore souvent. En
anglais, la variation tonique dite d'insistance (emphasis) est généralement notée par un souligné, par des italiques dans un texte imprimé
(190).

Enfin, et ceci est plus grave, les phénomènes accompagnant la
suture morphologique ne sont généralement pas notés dans l'orthographe. La traduction suppose donc un bon découpage du texte, qui
n'est possible que par une lecture mentale qui reconstitue les prosodèmes et délimite correctement les groupes accentuels. En français
par exemple, la distinction entre : "un savant aveugle : a blind
scientist", et "un savant aveugle : a learned blind man" repose dans
la langue parlée sur la présence ou l'absence de la liaison après
"savant" ; il faudrait de toute évidence une marque orthographique
pour noter les liaisons. En anglais, on peut citer un cas semblable,
qu'il faut supposer imprimé en majuscules, en manchette sur une page
de journal: PROFESSOR BURNS LEAVES ON COMMENCEMENT
DAY. Seul le découpage des prosodèmes permet de savoir s'il faut
traduire "Le professeur Burns quitte son poste le jour de la collation
des grades" ou bien "Le professeur brûle des feuilles mortes le jour
de la collation des grades." Bien entendu, ce texte imprimé en
minuscule n'offrirait aucune difficulté, à cause de la majuscule affectée
au nom propre.

LA PONCTUATION

§ 162. Les remarques qui précèdent intéressent surtout la langue parlée, qui possède des marques particulières (pauses, liaisons, intonation, etc.) pour dissiper dans une certaine mesure ses ambiguïtés de structure. Dans la langue écrite, ces marques sont soit absentes, soit transcrites assez gauchement par les signes de ponctuation.

Nous ne voulons pas entamer ici une étude comparative des systèmes de ponctuation en anglais et en français; c'est en effet un domaine très vaste et où règne un arbitraire parfois gênant : « L'usage, dit Grevisse (*LBU* § 1058) laisse une certaine latitude dans l'emploi des signes de ponctuation ; tel écrivain en use avec modération, laissant au lecteur le soin de faire aux endroits voulus certaines pauses demandées par le sens et les nuances de la pensée. » Le même flottement se relève chez les auteurs anglais. H.W. Fowler écrit : « It is a sound principle that as few stops should be used as will do the work... Stops are not to alter the meaning, but merely to show it up. » Un autre auteur, qui essaie de dégager quelques règles à partir des groupes de sens, ajoute : « Freedom in the use of punctuation marks is like any other freedom, in that it rests upon the recognition and utilization of necessity »[15].

§ 163. En matière de ponctuation, il faut distinguer comme partout ailleurs ce qui est **servitude** et ce qui est **option**[16]. Il faut ranger parmi les servitudes les virgules à valeur sémantique utilisées dans les manchettes anglaises : "FRANCE, UK JOIN IN PACT", où la virgule a la valeur de "AND" : "pacte franco-britannique" ; les virgules de remplacement : "Mary wore a red dress; Helen, a blue one"; la virgule

(15) Robert Brittain, *Punctuation, a Practical Method Based on Meaning.* New York. Barnes & Nobles, 1950.

(16) Le type parfait de la virgule de servitude se trouve en allemand, qui indique chaque membre de phrase par ce signe de ponctuation : "Herr Vater, erlauben Sie doch, dass ich, ohne im geringsten meine Achtung vor Ihnen zu verletzen, die Frage stelle, worauf Ihre Ungnade zurückzuführen ist?" Certains écrivains anglais affectent de multiplier les virgules pour séparer les incidentes, ce qui donne un peu saccadé à leur phrase : "the whole of the dialogue, in which the woodwinds, then the strings, join, is a slow lighting of the scene", etc. (I. Kolodin). Il faut noter cependant, en anglais comme en français, l'usage d'une virgule de séparation des propositions déterminatives qui rappelle l'usage allemand : "L'homme qui ne pense qu'à soi et à ses intérêts dans la prospérité, restera seul dans le malheur" (Grevisse). "The question whether it is legitimate to use a comma to mark the end of a subject, is a debatable one." (Gowers).

après une circonstancielle en français, qui occupe généralement une place privilégiée en tête du paragraphe : "En juin 1950, il s'embarqua pour la Hollande." On remarquera que cette dernière virgule manque le plus souvent en anglais après une circonstancielle : "In Mesopotamia the highest mound will probably conceal the Ziggurat..." Et il est bien entendu que dans un texte français à destination de l'Europe, le traducteur devra transformer les *decimal points* en virgules et vice versa : $10.50 mais Frs. s. 10,50.

Autres exemples de **ponctuation de servitude,** que l'on devra par conséquent transposer dans l'autre langue :

a) la virgule après le mois dans une date : "September 5, 1955 : le 5 septembre 1955".

b) L'anglais semble toujours préférer une virgule avant "and", alors qu'en français on peut distinguer entre "et" sans virgule qui relie deux idées connexes, et "et" avec virgule joignant deux propositions qui n'ont pas le même sujet : "L'ennemi est aux portes, et vous délibérez".

Il faut également voir une servitude dans la double virgule qui sépare deux verbes à particule se rapportant à un même complément. Ex. : "He was interested in, though not attracted by, chemistry". Cette habitude, qui semble un germanisme, ne peut se transposer en français. La modulation passif-actif permet une solution facile : "La chimie l'intéressait sans pourtant l'attirer."

N.B. Il n'y a pas toujours de virgule dans ce cas ; ex. : "She detested and shrank from fire-arms. (Meredith) : Elle détestait les armes à feu et ne s'en approchait jamais."

§ 164. Au contraire des exemples de servitudes cités plus haut et que l'on peut trouver dans les manuels spécialisés, il faut considérer la **ponctuation stylistique** comme une marque grâce à laquelle certaines précisions sémantiques peuvent être apportées au message. C'est le cas d'énumérations dont certains membres peuvent être simples ou composés : "White, blue, and yellow books" doit donc être distingué de "White, blue and yellow books". Un tel exemple peut être délicat à rendre en français, où l'on répugne à l'usage de la virgule avant "et" dans une énumération : "Des livres bleus, blancs et rouges". Ici, la nuance est rendue par un signe graphique : l'accord des adjectifs (Des livres bleu, blanc et rouge).

L'adverbe traité en incidente peut causer une ambiguïté selon qu'il est suivi ou non d'une virgule. Gowers [17] cite: "He was apparently

(17) **Sir Ernest Gowers,** *Plain Words,* **H. M. Stationery Office, 1948.**

willing to support you", différent de : "He was, apparently, willing..."
Gowans Whyte [18] remarque le changement de sens qu'apporterait une
virgule après "ashamed" dans la phrase : "I should like to plead with
some of those men who now feel ashamed to join the Colonial
Service." De même, Fowler rappelle l'ambiguïté soulevée par la
phrase de Lord Dunsany : "I decided on an alteration, of course",
ce qui aurait dû se comprendre sans virgule : "I decided on an
alteration of course".

Voici, pris dans la presse contemporaine, quatre exemples d'ambiguïté due à une absence de marques de ponctuation dans le texte
anglais : il faut bien noter que cette absence ne constitue pas forcément
une faute du point de vue anglais, langue plus avare en virgules et
point-virgules que le français :
(1) "If the St. Lawrence seaway goes through the familiar banks
of the Lachine canal may encompass six lanes of automobiles instead
of one lane of lake ships". *The Gazette* (Montréal), 21 mars 1952.
Il faut évidemment couper la phrase après "through" et traduire :
"Si la canalisation du Saint-Laurent doit se faire, l'aspect familier du
canal de Lachine changera du tout au tout, et six pistes automobiles
remplaceront la file actuelle des navires des Grands Lacs."
(2) "Before she left her husband ventured the prediction that...".
The New York Times, 29 mai 1952 ; "Avant son départ, son mari
avait (même) pu prédire que..."
(3) "Whatever the inner thoughts of officials and diplomats reports
from Paris, Rome... stress that..." *The Gazette* (Montréal), 6 août
1954. L'œil hésite à faire la coupure après "diplomats", par suite de
l'omission de la virgule, cette coupure n'étant indiquée que négativement par l'absence de l'apostrophe après "diplomats".
(4) "We never saw her, but there must be a number of Montrealers
who have for a look at the files reveals she was in Canada in 1917."
Ici, l'ambiguïté est passagère, car la deuxième hypothèse (have for
a look) n'aboutit à aucun cadre syntaxique valable. Du moins faut-il
noter en anglais que la fréquence des fausses coupes, dues à l'absence
de virgules, oblige souvent le lecteur à réviser son premier découpage. Le cas est particulièrement net lorsque plusieurs particules
entrent en contact, cf. "He gave up/in despair", par opposition à
"They were/up in arms" ; "Any radical change will probably entail
the doing away with altogether of the bus" (Cité par Jespersen,
A Modern English Grammar, III. § 13.9.)

Ces exemples montrent bien comment on passe insensiblement

_____

(18) Gowans Whyte, *Anthology of Errors*, Chaterson, 1947.

du problème de la ponctuation à celui du découpage (App. 2) ;
l'opposition "up/in" et "up in" relève uniquement de cette dernière
technique, puisque aucun signe de ponctuation ne saurait exister dans
cette position. Notons qu'il n'y a généralement pas ambiguïté pour
la langue parlée, où la distribution des accents toniques (les "word
superfixes" de Trager & Smith) éclairerait parfaitement la répartition
des particules ; c'est pourquoi nous ne saurions trop insister sur
l'importance qu'il y a pour le traducteur à lire à haute voix son texte
pour en saisir parfaitement l'articulation.

DILUTION ET AMPLIFICATION

§ 165. La **dilution** est uniquement une question de forme. Elle est
due à ce que, dans deux langues rapprochées, il arrive souvent que la
même idée ait besoin de plus de mots dans l'une que dans l'autre.
En d'autres termes, au même signifié correspondent des signifiants
d'inégale longueur. Un exemple courant de dilution est celui de
"ne... pas", par rapport à "not". Ici la dilution est obligatoire en
français ; elle ne l'est pas dans le cas de "ne... que", qui peut se
remplacer par "seulement".

Le contraire de la dilution est la **concentration.**

Exemples de dilution en français :

asylum	:	le droit d'asile
archery	:	le tir à l'arc
weeds	:	les mauvaises herbes ; les voiles d'une veuve
glare	:	la clarté crue, la lumière crue
model	:	modèle réduit
to make amends	:	faire amende honorable
to inhale	:	avaler la fumée
sold at cost	:	vente au prix coûtant
as	:	au fur et à mesure que

Exemples de dilution en anglais :

un mur (auquel on se heurte)	:	a blank wall
le bilan	:	the balance sheet
écumer	:	to froth at the mouth
ruminer	:	to chew the cud
déchoir	:	to lose caste
un meeting	:	a political meeting
un fermier	:	a tenant farmer

Nous appelons par ailleurs **amplification** le procédé qui consiste, soit
à pallier une déficience syntaxique, soit à mieux dégager le sens
d'un mot et dans les deux cas à combler une lacune. Exemples :

— Je crois savoir ce que vous voulez dire :
    I believe I know what you mean.
— He talked himself out of a job.
    Il a perdu sa chance pour avoir trop parlé.
— He talked himself into the job :
    Il a réussi à se faire offrir le poste.

" ..He ate the clear, cool green leaves and the crisp, peppery-tasting
stalks". (Hemingway): "Il se mit à manger les feuilles vertes, propres
et fraîches à la bouche (il s'agit de cresson) et les tiges au goût poivré
qui croquaient sous la dent". Nous reportant à la distinction saussurienne entre la parole et la langue, nous constaterons que la dilution
est un fait de langue (lexique et syntaxe) ; le cas de l'amplification
est plus complexe, car dans le domaine de la syntaxe, ce procédé
relève de la langue alors que, dans celui du lexique, c'est le contexte
— donc la parole — qui incite le traducteur à dégager certains éléments sémantiques dont l'expression constitue l'amplification.

L'étoffement (90) est un cas particulier de l'amplification.

Point n'est besoin d'insister davantage, car, s'il y a amplification
dans une langue, il y a forcément économie dans l'autre, et c'est de
cela précisément que nous allons parler dans le chapitre suivant.

L'ÉCONOMIE

§ 166. La tendance contraire à l'amplification est **l'économie,** qui
se traduit par un resserrement de l'énoncé obtenu par la réduction,
en nombre ou en étendue, des signes qui le composent. Il y a économie
dans un segment de l'énoncé lorsque le même signifié est porté par
un signifiant allégé. Ex. : "dès demain matin" par opposition à "first
thing tomorrow morning". L'économie tient à des raisons de structure,
elle est aussi favorisée par la mentalité des sujets parlants. Dans l'un
et l'autre cas elle nous intéresse, car les constatations auxquelles elle
donne lieu permettent de dégager ou de vérifier certaines caractéristiques des langues en présence, comme nous essaierons de le montrer
plus loin.

Il semble bien qu'en général l'anglais soit plus bref que le
français. C'est du moins ce qui semble ressortir de la juxtaposition
d'un texte anglais et de sa traduction en français. Mais il faut tenir

compte du fait que la traduction a tendance à être plus longue que l'original. Le traducteur allonge par prudence et aussi par ignorance. Il peut arriver, par exemple, qu'il ait mal découpé l'énoncé et rendu séparément des éléments qui forment un tout. C'est ce que nous appelons la surtraduction (12). Par ailleurs il est indéniable qu'il y a de nombreux cas où le mot à mot reste obscur et où la clarté exige l'amplification. Aussi Hilaire Belloc avait-il raison de dire que le traducteur ne doit être esclave ni de la forme ni de l'espace.

L'économie fonctionne sur deux plans, le plan lexical et le plan syntaxique, qui d'ailleurs communiquent largement entre eux, car ce qui est lexical dans une langue peut devenir syntaxique dans l'autre et vice-versa.

§ 167. **A. économie lexicale**
— (sur une enveloppe) From : Expéditeur
— (sur une caisse) Haut : This side up
— No smoking : Défense de fumer
— receleur : receiver of stolen goods
— the easing of tensions : la détente
— the watershed (US: divide) : la ligne de partage des eaux
— flown to... : envoyé à... par la voie des airs
— inédit : previously unpublished
— back numbers : les numéros déjà parus

La préférence de l'anglais pour le mot courant (56) au lieu du terme savant aboutit à une économie.
— the Horse Show : le concours hippique
— the French Line : la Compagnie générale transatlantique
— blind flying : pilotage sans visibilité
— shipyard : chantier de construction navale

Il en est de même de la facilité avec laquelle l'anglais transforme un nom en verbe là où le français recourt à une locution verbale (22, 87) :
— to parade : faire parade de
— to endanger : mettre en danger
— to retire : prendre sa retraite
— to welcome : faire bon accueil à
— to apprentice to : placer en apprentissage chez

§ 168. **B. économie syntaxique** — 1) *en anglais*
— We'll price ourselves out of the market :
Nous ne pourrons plus vendre si nous sommes trop exigeants.

— He started out to walk off his emotion. (J. Galsworthy) :
Il sortit pour calmer son émotion en marchant.
— In 1931 England was forced off the gold standard :
En 1931, l'Angleterre fut contrainte d'abandonner l'étalon or.

On voit que les préposition anglaises sont de précieuses ressources dans ce domaine. **L'ellipse** (145-146) est également un facteur d'économie et l'on sait que l'anglais la pratique largement :

— as we saw last time : comme nous l'avons vu la dernière fois
— a mother of two : une mère de deux enfants.

2) *en français*

L'un des cas les plus caractéristiques est celui où le verbe principal et le verbe subordonné ayant le même sujet, le français emploie une préposition et un infinitif au lieu d'une conjonction et d'une proposition subordonnée :

— I'll do it before I go : je le ferai avant de partir
— I am sorry I did not think of it :
Je regrette de ne pas y avoir pensé.
— I believe I know what happened :
Je crois savoir ce qui s'est passé.

Parfois c'est un nom qui remplace en français le verbe de la subordonnée en anglais :

— I'll let you know when he returns : a) Je vous ferai savoir quand il reviendra ; b) Je vous préviendrai de son retour.

Point n'est besoin de souligner laquelle de ces deux traductions est la plus satisfaisante. On peut d'ailleurs remarquer que "I'll inform you of his return" ne serait pas plus naturel en anglais que "Je vous ferai savoir quand il reviendra" ne l'est en français.

Mais il faut honnêtement reconnaître que dans les exemples qui précèdent, l'anglais arrive aussi à l'économie. Dans plusieurs cas les signes qu'il emploie ne sont ni plus nombreux ni plus étendus qu'en français. "Before", comme "after", "until", etc... a l'avantage d'être à la fois préposition et conjonction. D'autre part la subordonnée a la même forme que si elle était indépendante. Dans le deuxième exemple la suppression de "that", toujours possible dans les phrases de ce genre, allège la construction. Le français n'a pas toutes ces ressources et s'il se calquait sur l'anglais c'est lui qui serait gauche et lourd. Qu'on juge de l'effet de : "Je le ferai avant que je parte", "je regrette que je n'y aie pas pensé".

Enfin la valeur concluante du dernier exemple ne doit pas faire illusion. La possibilité qu'a le français de transposer le verbe en nom est limitée à certains mots : "arrivée", "départ", "retour", "réveil", "lever", etc... Et d'ailleurs dans la langue courante on dira plutôt :

"Prévenez-moi quand il sera levé" que "Prévenez-moi de son lever". En dehors d'un petit groupe de mots, la transposition n'est pas possible. "Je vous préviendrai quand il aura fini, quand il sera prêt", etc.

§ 169. Tout ceci nous amène à dire que l'économie est une notion relative et que ce qui importe surtout, c'est la façon dont elle est obtenue. L'évolution de l'anglais lui a permis de masquer ce que sa structure a d'appuyé par rapport à celle du français et d'arriver à des résultats sensiblement égaux dans le domaine de l'économie.

Cependant la supériorité du français est incontestable dans les deux cas suivants :

a) la tournure verbe de mouvement + infinitif

Venez dîner avec nous : Come and have dinner with us.

Notons toutefois que cette tournure existe en américain familier : "Go get your book". "She was eager to go talk to the high-school principal".

b) la possibilité de mettre "faire" devant n'importe quel verbe pour rendre l'aspect causatif. L'anglais hésite entre "make", "have", "cause" :

— He made me study French : Il m'a fait étudier le français.

— He would have us believe that :

Il voudrait nous faire croire que...

— I want to have this watch fixed :

Je veux faire réparer cette montre [19].

La tournure avec "cause... to" est littéraire et archaïsante. Elle paraît gauche à côté de son équivalent français :

"in witness whereof I have hereunto... caused the Seal of the United States of America to be affixed : en foi de quoi j'y ai fait apposer le sceau des Etats-Unis d'Amérique". (proclamation présidentielle)

L'exemple suivant est emprunté à un écrivain moderne, George Orwell, et montre que "cause... to" n'est pas réservé à la langue juridique :

It is the same motive that caused the Malaya jungles to be cleared for rubber estates : c'est le même motif qui a fait défricher les jungles de la Malaisie pour y créer des plantations de caoutchouc [20].

(19) L'anglais a moins besoin que le français de la tournure "faire" + infinitif, parce que beaucoup de ses verbes simples comportent déjà un sens factitif, cf. "to grow", "pousser" et "faire pousser" ; d'autres correspondent à eux seuls au "faire faire" du français, "to connect : faire communiquer".

(20) L'anglais reprend l'avantage avec "for" que nous sommes obligés de rendre par un verbe.

§ 170. La conclusion à tirer de tout ce qui précède, c'est que les deux langues pratiquent l'économie avec des procédés différents, et les différences sont caractéristiques.

L'anglais excelle à la concision quand il reste sur le plan du réel, son domaine favori, en particulier dans les notations de choses vues ou entendues. Ses prépositions et ses postpositions, que nous sommes souvent obligés de rendre par des verbes, lui permettent des raccourcis saisissants du type "to walk off his emotion". Son accent d'insistance, qui peut se porter tour à tour sur n'importe quel mot, le dispense du procédé syntaxique obligatoire en français : "*I* did it : C'est moi qui l'ai fait". A l'instar de ses prépositions, ses adjectifs numéraux ainsi que ses pronoms démonstratifs ou définis ont plus de force que les nôtres et n'ont pas besoin d'être étoffés. D'ailleurs le français étoffe par souci de clarté ". "Ceci sera mis à la poste demain" est structuralement possible, mais nous préférons mettre un nom à la place de ce pronom : "ce mot", "cette lettre..." (92).

Le français est plus rapide sur le plan de l'entendement. Il juge plutôt qu'il ne décrit, et l'omission de détails qu'il estime oiseux permet une transmission allégée de la pensée. Il ne dirait pas naturellement, du moins dans la langue écrite, comme le ferait un Anglais traduisant mot à mot : "je ne pense pas que je puisse m'en charger".

LA COMPENSATION

§ 171. A plusieurs reprises, nous avons souligné l'importance du découpage des unités de traduction, en tant que procédé d'exploration et de vérification. Un texte, divisé en secteurs de traduction, peut être ensuite méthodiquement exploré, particulièrement dans le domaine des aspects stylistiques et sémantiques, qui se superposent aux unités purement formelles que nous offre la langue. (App. 2).

(21) La plus ou moins grande concision d'une langue ne doit pas forcément être un argument à retenir dans un jugement subjectif : une langue peut chercher des effets étoffés, éviter consciemment l'économie, ne serait-ce que pour des raisons de redondance. Prenant comme exemple "The man wandered into the house", P. E. Charvet, auteur anglais d'un livre sur la France, fait remarquer qu'on ne sait exactement comment l'homme a pénétré dans la maison ; y est-il entré (1) sans se presser (slowly) ; (2) par hasard (by chance) ; (3) sans but précis (without any particular idea in his mind)? "...without any reference to the context the translator remains in a fog. Perhaps the author of the sentence had no very clear notion of what he meant; perhaps the English reader *prefers* to receive no more than a vague impression to which he is free to attach, as he pleases, one or all of these meanings, just as one may justifiably prefer a drawing which by skilful touches of significant detail suggests an object or an action, rather than defines it by fuller treatment." (*France*, Londres, Benn, 1954, pp. 237-8.)

Or, l'un des avantages de ce procédé de découpage est de permettre au traducteur de s'assurer que la traduction proposée rend bien compte de tous les éléments dégagés par l'analyse. Il y a compensation lorsque le résidu conceptuel d'un secteur ou d'une UT de LD apparaît dans un autre secteur ou UT de LA.

Par exemple : Kipling emploie dans les *Contes de la Jungle* la forme archaïque "Thou" ("thy", "thee") pour suggérer une impression de majesté et de respect ; c'est ce que les·linguistes appellent une "forme honorifique". Traduire cette forme par "tu" ("te", "toi") ne rendrait pas l'aspect honorifique, car les formes françaises loin d'être archaïques, sont extrêmement familières. On pourra rendre l'aspect honorifique par un O du vocatif, placé dans un autre secteur de la phrase, et qui fonctionne comme élément compensatoire: "Indeed I was seeking thee, Flathead : En vérité, c'est bien toi que je cherche, O Tête-Plate" ("Red Dog", Scribner's, p. 228).

Nous pouvons donc définir la **compensation** comme un procédé qui vise à garder la tonalité de l'ensemble en introduisant, par un détour stylistique, la note qui n'a pu être rendue par les mêmes moyens et au même endroit. Ce procédé permet de conserver la tonalité tout en laissant au traducteur une certaine liberté de manœuvre, essentielle, croyons-nous, à une élaboration parfaite de la traduction.

Bien que nous en restreignions l'application à des déplacements d'UT dans le cadre du message, il est certain que ce procédé s'applique en fait à l'ensemble des techniques de la traduction. D'un certain point de vue, en effet, tous les "passages" dont nous traitons dans ce Manuel et qui ne sont pas commandés par une servitude, relèvent de la compensation. Une modulation, par exemple, qui est comme on sait un changement de point de vue, est une forme psychologique de la compensation.

Citons, pour préciser les idées, deux cas qui demandent à être traités par un procédé de compensation : le tutoiement en français et la mise en relief.

§ 172. *Le tutoiement en français:* Puisque l'anglais ignore ce procédé morphologique, il faudra compenser cette déficience par un appel à des notations stylistiques familières, telles que

(1) utilisation du prénom, mieux encore, du surnom : il est remarquable que le français n'éprouve pas le besoin d'appeler à tout instant les interlocuteurs par leur nom, ni par leur prénom, encore moins par leurs initiales. Par contre, le tutoiement place d'emblée deux interlocuteurs sur un certain plan de familiarité et d'intimité qui peut

jouer un rôle essentiel dans le message ". Ce passage est souvent bien rendu par la référence au prénom ; "Call me Walter"; "My friends call me Bill"; "My name is Violet but my friends call me Vi".

(2) A défaut du prénom ou du surnom, on pourra recourir à l'utilisation de termes familiers : "man", "chum", "Bud", "Mac", "boy" (employé dans les Etats du Sud aux USA pour s'adresser aux nègres), "girl(ie)", "brother", "sister", etc. Beaucoup de ces termes, employés comme interjections ou en apposition, pourront disparaître purement et simplement en français, grâce au tutoiement ; on notera d'ailleurs que le français fait lui aussi appel à des termes semblables, cf. l'emploi très familier de "Jules" pour interpeller quelqu'un dont on ne connaît pas le nom. L'américain préfère "Mac", semble-t-il, l'anglais, "Jack" ou "George" ; mais ces termes sont susceptibles de changer très rapidement sous l'effet de la mode ".

(3) La syntaxe peut refléter la familiarité, et par conséquent des tours syntaxiques compenseront l'absence de tutoiement en anglais. Inversement, le vouvoiement français pourra se rendre par l'emploi de termes honorifiques (Sir, Ma'am, etc.) ou par une syntaxe plus rigide, plus formelle.

Toujours dans le cadre des procédés syntaxiques, notons l'utilisation possible d'une phrase disloquée pour rendre certains vulgarismes de syntaxe de l'anglais. Soit la phrase "Mrs. B. wasn't having any, was she?", où le ton vulgaire provient surtout de l'emploi du tour "Mrs. B." (pour "Brown"), ce qui est déjà l'indication d'une certaine classe sociale. Le français, qui n'aime pas les abréviations, comme nous l'avons noté plus haut, pourra rendre cette tonalité par une dislocation des éléments de la phrase : "Elle n'en a pas voulu, votre dame, de c'machin-là ?", phrase dans laquelle l'élément de vulgarité est rendu aussi bien par le choix des mots (votre dame, machin), de la grammaire ("c'" au lieu de "ce") et la dislocation de la phrase avec le "en" de redondance.

§ 173. *La mise en relief par compensation :* Nous traitons plus loin des procédés de mise en relief (189 sq.) qui diffèrent beaucoup, comme il fallait s'y attendre, d'une langue à l'autre. Soulignons simplement

(22) Voir par exemple dans *le Rouge et le Noir* (2e partie, ch. XVI) la scène où Julien Sorel retrouve Mathilde de la Mole dans sa chambre, et où celle-ci le tutoie pour la première fois. Le traducteur anglais s'est contenté de rendre "tu" par "thou". Etant donné l'époque à laquelle se place l'histoire, cette solution simpliste et anachronique n'est guère satisfaisante.

(23) Les Anglais sont moins portés que les Américains à s'appeler entre eux par leur prénom. Voir à ce sujet Graham Greene, *The Quiet American.*

en passant que cette différence oblige le traducteur à recourir à des compensations. Pour ne prendre qu'un exemple, on notera que le phénomène phonétique de l'accent d'insistance : "I *like* your friend", où un mot est mis en relief par une inflexion particulière de la voix, se rendra en français par un tour syntaxique : "Il est bien, votre ami" où l'accent d'insistance est rendu par : une modulation (de "I like" à une constatation impersonnelle : "Il est bien") une répétition syntaxique, et peut-être un accroissement phonétique d'intensité sur le mot "bien". Un exemple du même genre nous est fourni par la traduction d'exclamations du type "You don't say! : Ah ça, par exemple!", "Oh ça, alors!"

§ 174. Effets stylistiques de la compensation :

Nous avons insisté à plusieurs reprises sur la prépondérance, en français, du plan de l'entendement par rapport au plan du réel. Ce qui se joue sur un clavier en LD se transpose sur un autre clavier en LA, et cette transposition est un moyen subtil mais efficace de compenser les déficiences d'une langue sur l'un des deux plans. Les exemples ci-dessous, où l'on note des gains ou des pertes selon la définition donnée de ces termes au § 151 permettront de saisir le mécanisme de la compensation stylistique :

(1) Dans un article critiquant le pragmatisme de la vie moderne, on trouve cette phrase : "Superiority is traded for convenience". Deux traductions sont proposées : (a) "La qualité est sacrifiée à la commodité", ou avec inversion (b) "La commodité passe avant la qualité". Le français en dit plus que l'anglais : "l'échange" (trade) est interprété comme un sacrifice sur un point important ; il dégage une idée de troc ; le français, qui est désavantagé sur le plan du réel, reprend l'avantage sur le plan de l'entendement.

(2) "Old and new industries were jostling for room : De nouvelles industries disputaient la place aux anciennes". Dans une dispute de ce genre, l'idée de violence physique reste sous-entendue en français, mais ce que l'on perd sur le plan du réel est compensé par l'élévation du ton en LA.

(3) Dans le même ordre d'idées, voici sur le plan du réel la réponse à une suggestion faite au téléphone par un visiteur : "I was thinking of calling at three". "Yes, why don't you ?" — Cette phrase, avec sa forme interrogative-négative et l'emploi de l'auxiliaire du type "queue de phrase" (203) serait très gauche en français : "Pourquoi ne faites-vous pas ça ?" ; on la transposera sur le plan de l'entendement :

"C'est une excellente idée !", où les gaucheries disparaissent avec le passage compensatoire d'un plan à l'autre.

§ 175. Retenons en terminant que la compensation joue sur tous les plans, et particulièrement sur celui de la métalinguistique. Le procédé que nous appelons l'équivalence est bien un procédé de compensation : On essaie de transmettre un message, incompréhensible au lecteur pour des raisons culturelles, par un détour qui lui sera accessible. Si, comme le fait remarquer E. Nida, on prépare la traduction de la Bible pour un peuple chez qui le figuier est une plante nuisible, il est préférable de choisir une autre plante, autrement la parabole du figuier risque d'être non seulement incompréhensible, mais même de signifier tout le contraire. Traduire "We had a bottle of wine" par "nous avons eu une bouteille de vin" serait perdre la nuance particulière qui s'attache à "bottle" et surtout à "wine" en anglais ; pour un Français, boire une bouteille de vin n'est pas chose si extraordinaire qu'il faille le mentionner ; mais si l'on traduit : "Nous avons bu une bonne bouteille", l'intention particulière du message devient évidente, et il n'est même pas nécessaire de traduire "wine". Si jamais le roman de T.F. Powys, *Mr. Weston's Good Wine* est traduit en français, il faudra appliquer au texte de nombreux procédés de compensation métalinguistique, car l'auteur joue constamment sur la nuance particulière de respect et d'admiration qui sommeille au cœur de tout Anglais pour un bon vin, nuance qui diffère profondément, par certains aspects moraux, de l'admiration plus gustative et plus gastronomique du Français.

VARIANTES STYLISTIQUES. L'ÉLABORATION

§ 176. A la notion de compensation se rattache celle des **variantes stylistiques.** Une unité de traduction peut recevoir une tonalité autre sans que son sens en soit affecté. L'existence des niveaux de langue (14-16) tient à cette possibilité de varier l'expression sans changer le sens. Ex. : "Il est mort / Il est décédé" ; "On l'a mis en prison / On l'a fourré au bloc / Il a été incarcéré" ; "Il m'a empêché de faire ce que je voulais / Il a entravé la réalisation de mes projets".

On aura noté que ces variantes utilisent des transpositions à l'intérieur d'une même langue, grâce au passage d'un niveau de langue à un autre.

D'autre part, la variation stylistique est également liée à l'existence des unités de traduction, la substitution se faisant généralement dans le cadre d'une unité. Le fait que, sans changer le sens, on puisse dire :

1. J'affirme mon innocence.
2. J'affirme être innocent.
3. J'affirme que je suis innocent.

montre que "je suis innocent" est une unité au même titre que "mon innocence". Bien entendu, la tonalité est différente. La phrase (1) est plus "écrite" que la phrase (3).

La substitution à l'intérieur d'une unité peut avoir des répercussions sur l'unité voisine. C'est le cas de l'exemple cité plus haut : "Il a entravé" remplaçant "Il m'a empêché de" entraîne une transposition de "de faire" en "la réalisation de" et de "ce que je voulais" en "mes projets".

§ 177. Lorsque la variation stylistique aboutit à une expression plus complexe, nous disons qu'il y a **élaboration**. Il y a dans chaque langue des façons diverses d'élaborer les éléments essentiels d'un énoncé. Le traducteur doit reconnaître les élaborations de LD et ne pas se croire obligé de les rendre mot pour mot :

Trois cas peuvent se présenter :

1) l'élaboration passe telle quelle en LA.
2) l'élaboration ne peut pas être rendue littéralement mais trouve en LA une forme équivalente.
3) les moyens manquent pour la rendre. Elle sera donc sacrifiée pour être rétablie ailleurs par le procédé de compensation (171-175).

L'élaboration relève éminemment du domaine de la stylistique. Elle utilise les niveaux de langue, qui à partir de la langue écrite sont en fait des niveaux d'élaboration, l'expression étant travaillée soit pour obtenir un certain effet (ex. : la langue littéraire), soit pour satisfaire certaines exigences techniques (ex. : la langue juridique). C'est dire qu'on la rencontre surtout dans les textes littéraires, politiques, diplomatiques, etc... L'élaboration n'est pas une qualité en soi. L'une de ses formes extrêmes fut la préciosité ; une autre est de nos jours le "social scientese" de certains sociologues américains.

Voici quelques exemples empruntés à des domaines divers :

— l'arme sous-marine/les sous-marins
— la classe ouvrière/les ouvriers

— Nous avons donné un grand développement aux exercices (pré-
face de manuel)/Nous avons mis beaucoup d'exercices dans notre
livre.
— J'attacherais du prix à ce que vous.../J'aimerais que vous...
— Auriez-vous l'amabilité de.../Voudriez-vous...
— Assumer la responsabilité.../Se charger de...
— On account of my illness.../Because I was ill...
— Comprehension can often be facilitated by gesticular suggestion.
Gestures make it easier to understand.

Ce dernier exemple peut se traduire avec modulation du passif
à l'actif :

"Des gestes bien choisis facilitent la compréhension".

On aura noté qu'en français l'élaboration se fait la plupart du
temps en faveur d'une locution nominale ; c'est donc un phénomène
généralisé, qui intéresse le lexique aussi bien que la syntaxe. Le phénomène contraire est le **dépouillement,** qui s'exercera surtout dans le
sens français-anglais.

LA RETRADUCTION ET LA NOTION DE MARGE

§ 178. L'application à un texte des techniques d'amplification,
d'élaboration, de compensation, etc. ne se fait pas d'une façon automatique, puisque, ainsi que nous l'avons dit, ces "passages" relèvent
de l'option et non de la servitude. Pour ne parler que de la compensation, il est certain que le traducteur pourra choisir entre plusieurs
solutions, qui peuvent avoir pour effet de distribuer différemment
les UT dans le message LA, sans que le ton et l'effet global soit
différent. Ainsi, pour rendre "La plupart des gens le croyaient mort",
le traducteur pourra choisir entre : "Most people supposed him to
be dead", "Most people thought he was dead", "He was popularly
supposed to be dead" (cf. Zandvoort, *Grammaire descriptive de l'anglais contemporain,* §§ 43, 49). Contrairement aux variantes citées
au § 176, ces variantes stylistiques n'affectent pas le niveau de la
langue dans lequel le message est rédigé.

Supposons maintenant que l'on veuille se rendre compte de
l'exactitude d'une traduction ; le traducteur pourra procéder au
découpage de l'original, numéroter ensuite les UT ainsi délimitées,
et retrouvera ces mêmes UT, éventuellement dans un autre ordre et
distribuées différemment dans le texte LA. Cependant, si le texte
contient une variante stylistique, un étoffement, une compensation,

etc., il n'est pas certain que la retraduction retombe exactement sur l'original. Le sens sera naturellement respecté — c'est là le but du découpage sémantique, mais la forme pourra varier légèrement. En d'autres termes, en refaisant le même chemin en sens inverse, le traducteur peut fort bien se trouver devant un aiguillage aboutissant à deux voies parallèles et ne pas prendre précisément celle de l'original. On peut donc schématiser cette situation de la façon suivante :

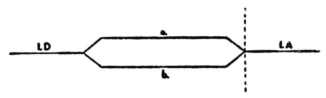

Il faut donc admettre que le traducteur qui retraduit a une certaine marge de liberté qui n'affecte pas le sens du message, et qui sera d'ailleurs faible dans la mesure où l'analyse des UT a été soigneusement conduite ; d'autant plus que cette marge peut, jusqu'à un certain point, refléter les préférences personnelles du traducteur, son entourage culturel et géographique — un texte canadien pouvant différer d'un même texte français ou belge par le choix de telle ou telle variante, de synonymes, de tournures locales qui n'influent pas sur le sens global du message.

Cette notion de **marge,** qu'il faut bien distinguer de la notion de divergence (31), est importante, si l'on se place au point de vue de l'historien ; en effet, deux tours très différents à une époque donnée peuvent être équivalents à deux époques différentes. Deux traducteurs, écrivant à une même époque, aboutiront pour un même découpage à des solutions très proches ; séparés par plusieurs siècles, leurs solutions sembleront divergentes. Il appartiendra à l'historien de prouver que leurs solutions sont en fait identiques.

§ 179. Par contre, en ce qui concerne les procédés de compensation par recherche des équivalences, il n'est pas certain que l'analyse aboutisse forcément à une solution identique. La marge ici sera discutable et formera une pierre de touche dans la critique de la traduction Dans le cas d'un tutoiement transposé, il est possible que l'on ne retombe pas sur la forme originale. L'expérience a été tentée, mais non systématiquement, par un groupe de traducteurs qui ont publié le résultat de leurs recherches dans *La Parisienne* (avril 1953, pp. 498-507). Il s'agit de traductions successives, faites par des individus différents, en langues différentes, à partir d'un même texte.

Mieux que la simple retraduction, dont elle est un cas extrême, la traduction successive met en relief les variantes stylistiques, démontre la valeur du découpage en UT, et permet de vérifier la validité des procédés obliques et leur réversibilité. Dans le cas de l'article de *La Parisienne*, le point de départ était un texte de Montherlant, dont nous pourrons extraire la phrase suivante : "A partir surtout d'un certain âge, une journée de bonheur éclatant (sous le signe amoureux, il va sans dire) appelle un lendemain de mélancolie, plus que la journée morne". (2) La traduction anglaise de Pierre Conrad rend cette phrase par "After a certain age, a day of great happiness (under the sign of love, that is) promises a sadder morrow than a day of gloom." L'expression "under the sign of" semble bien un gallicisme, qui facilitera la retraduction par ce fait même. (3) Pierre Javet : "A partir d'un certain âge, une journée de bonheur intense (sous le signe de l'amour, il va sans dire) annonce un réveil mélancolique plus qu'un jour de tristesse." (4) Carole Lavallée : "Passé un certain âge, un jour de grand bonheur (sous le signe de l'amour, du moins) promet de plus tristes lendemains qu'un jour de détresse." (5) Claude Martine : "Quand on a passé un certain âge, un jour de grand bonheur (redevable à l'amour, s'entend) promet un plus triste lendemain qu'un jour de chagrin." (6) Georges Roditi : "Passé un certain âge, une période de grand bonheur (j'entends de bonheur dans l'amour) annonce un lendemain plus triste que celui qui suit des jours sombres." (7) Ici s'interpose une retraduction anglaise de James Le Baron Boyle : "Especially after you reach a certain age, a wonderfully happy day (in the romantic sense, of course) entails, more than a depressing day, a melancholy morrow." (8) Retraduction française de Dominique Aubry : "Particulièrement lorsqu'on est arrivé à un certain âge, un jour de bonheur merveilleux (au sens romantique du mot) implique, plus sûrement qu'un jour de tristesse, un lendemain mélancolique." (9) La série se termine par la retraduction française de F.-A. Viallet, "Surtout lorsque vous êtes arrivé à un certain âge, une merveilleuse journée de bonheur (dans le sens romantique, naturellement) vous amène, avec plus de certitude qu'une journée de dépression, un lendemain mélancolique."

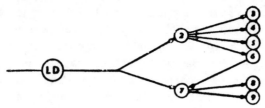

La succession de ces versions s'ordonne donc comme sur le cliché précédent.

Remarques : Certains segments ont été analysés au départ sans erreur possible : les différences entre les versions françaises seront des variantes stylistiques.

1. A partir surtout d'un certain âge.
3. A partir d'un certain âge.
4. Passé un certain âge.
5. Quand on a passé un certain âge.
6. Passé un certain âge.
8. Particulièrement lorsqu'on est arrivé à un certain âge.
9. Surtout lorsque vous êtes arrivé à un certain âge.

La perte de "surtout" dans les versions 3, 4, 5, 6 est sans doute due à l'anglais 2, alors que sa réintroduction dans l'anglais 7 peut expliquer qu'il figure à nouveau en 8 et 9 ; on notera en tout cas que "surtout" et "particulièrement" sont des variantes équivalentes.

"Sous le signe de l'amour" a donné plus de mal aux retraducteurs, surtout après l'introduction de "romantic" par l'anglais de 7, sans cependant qu'il y ait perte de l'idée originale ; il n'en va pas de même pour le dernier membre de phrase :

1. plus que la journée morne
3. plus qu'un jour de tristesse
4. plus... qu'un jour de détresse
5. plus... qu'un jour de chagrin
6. plus que des jours sombres
8. plus... qu'un jour de tristesse
9. plus... qu'une journée de dépression.

On voit ici où s'est produit le déraillement : la version anglaise 2 introduit dans la journée morne une note nouvelle : "a day of gloom". C'est elle qui est responsable de la série des "détresse", "chagrin", "jours sombres" ; la version anglaise 7 introduit "dépression", "tristesse", toutes nuances, on le remarquera, qui sont actives plutôt que passives ; "gloom" est pourtant exact, dans la mesure où "morne" est un état extérieur, subi par l'âme, mais il dépasse en force le terme français, d'où la montée en couleurs des textes 4, 5, 6 et peut-être 3 et 8.

§ 180. La **retraduction** permet de constater les cas de traduction défectueuse, y compris ceux de surtraduction. Nous avons déjà vu (12) l'exemple de "went to look for...", surtraduction de : "allèrent chercher". De même, si nous rencontrons une phrase telle que : "He watched the arrival of the postman", nous pouvons soupçonner qu'il s'agit d'une surtraduction de : "Il guettait l'arrivée du facteur" qui aurait dû se rendre en fait par : "He watched for the postman". La surtraduction change ici la situation, puisque "to watch the arrival of" voudrait dire : "surveiller l'arrivée de". Si le lecteur estime qu'une telle erreur est peu vraisemblable, qu'il se réfère à la traduction anglaise du livre de folklore de Paul Delarue intitulée *The Borzoi Book of French Folktales* (New York, Knopf, 1956) dans laquelle on lit : "...the king had been thinking of marrying his three daughters"; phrase dont l'absurdité saute aux yeux si l'on traduit "marry" par "épouser".

Autres exemples :

— On a relevé naguère "Navire blanc" comme traduction de "White Ship" qui, dans le contexte en question, n'était autre que la "Blanche Nef" de l'Histoire. La surtraduction repose ici sur un mauvais découpage de "White Ship", qui représente une unité et non pas deux.

— Dans une édition française de *A Farewell to Arms*, de Hemingway, on fait dire au héros: "...then I saw a low, open car of the sort they call gondolas : alors je vis arriver ce genre de wagon bas et ouvert que les Italiens appellent gondoles" ; la faute consiste d'abord à traduire "they" par "ils" explicité en "les Italiens", alors que ce sont les Américains qui emploient ce terme. Il aurait fallu dire "qu'on appelle gondola", mais à la réflexion, il aurait mieux valu omettre ce détail destiné aux lecteurs américains et non aux lecteurs français (surtraduction d'ordre métalinguistique).

— Dans la traduction anglaise des *Mémoires* du général de Gaulle, on lit : "He came over to the Hotel Splendide where I was swallowing my dinner"; nous rétablissons sans peine "avaler", mais le verbe français a ici le sens figuré de : "manger à la hâte" que "swallow" n'a pas. La traduction est évidemment : "where I was having a hurried dinner" ou mieux encore : "where I was hurrying through my meal." Dans les mêmes *Mémoires,* on trouve également : "I entered the office where M. Paul Reynaud was enclosed between Baudoin and de Margerie." La retraduction nous donne : "entouré de" (cf. un pré entouré d'une haie) alors que l'original dit : "encadré", qui aurait été mieux rendu par "flanked by".

MÉTAPHORES

§181. Dans son *Traité de stylistique française,* Charles Bally propose de classer les expressions du langage figuré en trois catégories : les images concrètes, les images affectives (ou affaiblies) et les images mortes. Le traducteur peut tirer parti de ce classement à condition, toutefois, de lire "métaphore" là où Bally dit "image". Nous réservons le terme "image" pour désigner l'effet que produisent les mots concrets et pittoresques sans qu'ils aient pour cela à prendre un sens figuré. Par exemple, "dodu" est une image, "en dos d'âne" est une métaphore. Outre ce changement de terminologie, nous proposons également de simplifier le classement de Bally et de distinguer seulement entre métaphore vivante et métaphore usée. Il importe en effet que le traducteur se rende compte du type de métaphore auquel il a affaire, et ne traduise pas une métaphore usée par une métaphore vivante, ce qui serait un cas de surtraduction (12).

En ce qui concerne la traduction, deux cas peuvent se présenter : 1) les métaphores, d'une langue à l'autre, se correspondent absolument ou à peu près. C'est souvent ce qui arrive quand les deux civilisations en présence ont des traditions communes, surtout quand il s'agit de métaphores mortes et de clichés. Ex. :

— It went like clockwork :
  Cela a marché comme sur des roulettes.
— His life hangs by a thread: Sa vie ne tient qu'à un fil.
— to praise sky-high : porter aux nues.

2) la langue d'arrivée ne permet pas de traduire la métaphore littéralement. S'il s'agit d'une image morte, on n'hésitera pas à ne rendre que le sens, en d'autres termes, à recourir à une équivalence. Ex. :

— flotter dans l'indécision :
  to dilly-dally (qui garde une note pittoresque)
— la marche à suivre : the procedure
— as cool as a cucumber : avec un sang-froid parfait.
— before you could say Jack Robinson :
  en moins de rien ; en deux temps trois mouvements.
— as like as two peas : comme deux gouttes d'eau.

En particulier, dans la mesure où les proverbes mettent en circulation des métaphores figées, on n'hésitera pas à pousser très loin la recherche de l'équivalence.

§ 182. Dans le cas d'une métaphore vivante on essaiera de trouver une équivalence et, si ce n'est pas possible, on s'attachera à traduire l'idée. Toute métaphore peut en effet se ramener à son sens fondamental, à ce que Bally appelle le *terme d'identification*. De toute façon, la métaphore est un moyen et non une fin. Le traducteur doit d'abord rendre le sens, et la métaphore par surcroît, si c'est faisable. Ex. :

> "But because progressive education carries a heavy burden of sins I do not think we can use its back as a convenient place on which to pile all our present troubles."
>
> (Mortimer Smith, *The Diminished Mind*.)

Traduit littéralement, cela donne :

> "Mais du fait que l'éducation dite nouvelle porte une lourde charge de péchés, je ne crois pas que nous puissions nous servir de son dos comme d'un endroit commode pour y entasser tous nos ennuis actuels. "

Il est évident qu'aucun Français n'écrira ainsi de lui-même. La phrase est lourde et n'explicite pas l'idée de responsabilité contenue dans le texte anglais. Notre tâche est d'être fidèle au sens et de le présenter, autant que faire se peut, sous une forme qui rappelle celle de l'original.

Nous proposons :

> "Du fait que l'éducation dite nouvelle a un lourd passif, il ne s'ensuit pas, à mon avis, que nous devions lui imputer tous nos ennuis actuels. Ce serait trop commode de la prendre comme bouc émissaire."

La dernière phrase pourrait à la rigueur être omise.

CHAPITRE III

L'ORDRE DES MOTS ET LA DÉMARCHE

§ 183. Un énoncé, un message se compose, avons-nous dit, de certains éléments du lexique disposés dans un certain ordre. Cet ordre est en majeure partie une servitude, et nous n'aurions pas à en connaître ici si le traducteur n'était susceptible de le modifier dans une certaine mesure.

Les différences dans l'ordre des mots que présentent deux langues rapprochées sont d'une grande utilité pédagogique. Elles permettent en effet de dégager certains faits de syntaxe que leur caractère prosodique rend parfois difficiles à saisir.

C'est ainsi que la place de l'adverbe, qui diffère souvent de l'anglais au français, est bien mise en valeur par le rapprochement de : "He never was one to complain : Ce n'est pas lui qui se serait jamais plaint" ; "autant vaudrait s'arrêter tout de suite : you might as well stop right away."

L'ordre des mots a donc un caractère de phénomène figé, qui relève tantôt du lexique (cf. "un sale type/un type sale"), tantôt de la morphologie ("to cut it fine/a fine cut/to cut fines" ; "vouloir bien/ bien vouloir" ; "parler franc/son franc parler"). Mais il y a plus : la présence en tel ou tel endroit de l'énoncé d'un membre de phrase ou d'un mot participe à des schèmes de pensée très généraux qui, dans la mesure où ils se laissent analyser, semblent souligner une tendance du sujet parlant à présenter les faits dans un certain ordre, qui ne correspond pas toujours à la réalité.

Etablissons donc la distinction entre l'ordre des mots, qui est un phénomène imposé relevant de la structure, et la démarche, qui semble être l'exploitation de certaines préférences dans la présentation des faits et qui relève, jusqu'à un certain point, de l'option. Ce faisant, nous reprenons en la modifiant dans le sens de la stylistique comparée, la distinction déjà faite par Bally (*LGLF* § 106) entre l'ordre grammatical, relevant de la langue, et l'ordre psychologique, relevant de la parole et parfois aussi de la langue.

Schéma général de la démarche en français :

§ 184. Dans tout syntagme, on distinguera en effet un terme connu, le sujet psychologique, A, à propos duquel on énonce un fait, le prédicat psychologique, Z, point culminant du syntagme. On appelle aussi A le thème et Z le propos. Entre les deux membres du syntagme peut se trouver un élément morphologique de liaison ou copule, c. Bally pose donc la formule du syntagme comme AcZ. Le thème A est la partie nominale, le propos Z la partie verbale du syntagme : ainsi "Ton frère (A), je ne l'ai pas encore vu aujourd'hui (Z)".

Il peut y avoir, selon les cas, concordance ou opposition entre l'ordre grammatical et l'ordre psychologique, qui va, rappelons-le, du connu à l'inconnu, du thème au but de l'énoncé. Soit la phrase anglaise :

I have read   this book
(thème)   (propos)

Nous dirons que le déroulement AZ est dans un rapport de linéarité avec la réalité. Mais si l'anglais veut mettre en relief l'action plutôt que le propos, il lui sera loisible d'accentuer fortement "read", sans changer pour cela l'ordre des mots. Le français devra, au contraire, recourir à la dislocation.

"Je l'ai déjà lu, ce livre."

Ces questions ont été étudiées notamment par A. Blinkenberg, et il ressort de cette étude qu'en français, le thème passe générale-ment avant le propos ; en d'autres termes, le français ne commence pas par l'essentiel, mais achemine le lecteur vers le but de l'énoncé, qui joue ainsi le rôle de point culminant du message. Plusieurs consé-quences de cette préférence (que nous appellerons précisément la démarche du français) seront visibles dans les exemples des pages qui suivent [24]. Notons-en immédiatement quelques-unes :

§ 185. 1. Puisque le propos est rejeté vers la fin, les circonstanciel-les, qui ne font que le qualifier sans être le but véritable du message,

---

(24) Comparer la phrase suivante, découpée et numérotée, avec sa traduction.

1   2   3
Ce thème / a été développé / au Sénat / *(Le Monde)*
This / has been the tenor of / Senate / speeches.
1   1 & 2   3   2

seront placées de préférence en tête de phrase ou avant le verbe surtout si elles ont un sens causal — ce qui correspond bien au plan de l'entendement, la cause précédant l'effet.

— "Sûr d'obtenir gain de cause, il attendit sans inquiétude l'ouverture du procès : He waited unconcernedly for the opening of the case, as he felt sure to win."

On pourrait évidemment dire : "Being sure to win, he etc..." Mais comme pour le présent historique et la fausse question, nous répéterons que si ces formes sont possibles en anglais, elles sont d'un emploi moins fréquent qu'en français.

— "Prévenus à temps, ils purent rebrousser chemin avant d'être surpris par l'orage : They were able to turn back before the storm overtook them, as they had been warned in time."

De même, une citation anglaise, qui se termine par l'indication du sujet parlant, demande à être transposée en français : "The new telephone rates are going into force at once, President Smith declares : M. Smith, président de la Cie X, a déclaré que les nouveaux tarifs téléphoniques entreraient immédiatement en vigueur."

2. Une phrase qui tend à commencer par le propos sera fréquemment présentée par un artifice stylistique permettant de rejeter le propos vers la fin. Ce trait caractéristique de la démarche du français, nous lui donnerons précisément le nom de **tour de présentation** ; par exemple, on rend la tournure anglaise "some people think..." par "Il y a des gens qui pensent que...". C'est qu'en effet "gens" est le propos ; traduire par "Des gens pensent..." serait adopter l'ordre ZcA, alors que "Il y a des... qui" est une tournure qui fait du propos un thème (AcZ). Il est remarquable de constater la fréquence des tours de présentation en français, aussi bien en style soigné, scientifique, philosophique que dans la conversation de tous les jours, où abondent des phrases telles que : "Il y a Un tel qui donne une conférence ce soir" ; "Il y a quelqu'un qui est venu pendant que vous n'étiez pas là (style écrit : "Pendant votre absence") ; nous aurons l'occasion de traiter ce phénomène aux § 199-200.

3. C'est sans doute à ce besoin du français de présenter sa phrase, et de préciser de toutes les manières possibles le thème (sujet psychologique) avant d'amener le lecteur au propos (prédicat psychologique) qu'il faut attribuer la prédilection de cette langue pour les mots ou groupes de mots destinés à préciser la place d'un argument dans le déroulement de la pensée, et que nous traitons en détail au chapitre IV (208 sq. Les charnières).

4. Enfin, s'il est possible d'appliquer les règles de la démarche

même à des règles figées de syntaxe, nous constaterons que là où le français dit

le cheval | blanc

(thème) | (propos)

l'anglais utilise l'ordre inverse

the white | horse

(propos) | (thème)

Ainsi la démarche des deux langues se trouve être parfaitement caractérisée par la simple place de l'adjectif par rapport au substantif. Si l'anglais accumule des adjectifs avant le nom, le français les placera après celui-ci, toutes les fois où ce sera possible.

"the cold, ugly little town... : la petite ville froide et laide"

Remarquons cependant que le déplacement, dans ce cas, n'affecte pas uniquement l'ordre des mots : la préférence du français pour le substantif, sur laquelle nous avons longuement insisté, pourrait bien être le signe d'une préférence pour l'ordre Thème-Propos. Cette préférence expliquerait le cas (complexe) de transposition de l'adjectif en nom, lorsque ce dernier peut exprimer la cause :

On account of their insufficient forces

Propos   Thème

en raison de leur infériorité numérique

Thème   Propos

§ 186. En résumé, les constatations que l'on peut faire sur le sens général de la démarche d'une langue sont, en quelque sorte, des indices externes d'une réalité (psychologique) interne. C'est cette réalité que nous allons maintenant examiner avec des exemples à l'appui. Disons tout de suite qu'on lui a donné plusieurs noms ; suivant les auteurs, on a parlé de "vue intérieure", "activation subjective", "représentation subjective" (par opposition à "représentation objective"), et enfin, dans certains contextes, d'"animisme". Toutes ces étiquettes rendent la même idée : la démarche du français semble favoriser constamment l'intervention d'un sujet, qui rapporte des faits et qui peut être l'auteur lui-même, un personnage ou un indéfini. Cette tendance explique sa méfiance envers les tournures passives, qui déroulent le procès sans en indiquer d'abord l'origine (121). Dans un premier paragraphe, nous étudierons cette tendance d'un point de vue général ; dans un deuxième paragraphe, nous verrons en détail quels sont les tours stylistiques et morphologiques que le français emploie pour éviter le passif.

REPRÉSENTATION SUBJECTIVE ET REPRÉSENTATION OBJECTIVE

§ 187. Nous appellerons **subjectivisme,** suivant en cela l'exemple de A. Malblanc, la tendance du français à faire intervenir le sujet pensant dans la représentation des événements et de leur cadre, ou si l'on préfère, à représenter les choses en fonction d'un sujet. L'anglais, comme l'allemand, reste plus objectif. Il lui arrive beaucoup plus souvent qu'au français de représenter ce qui est, ce qui se passe, en dehors de toute interprétation subjective de la réalité.

Il est beaucoup plus objectif, par exemple, de dire :
"There's a knock at the door." que : "On frappe à la porte." De même : "To-day is Thursday : Nous sommes jeudi aujourd'hui."

— On était au commencement de février :
It was the beginning of February.
— The dice rattled on the tables where the French were playing Quatre-vingt-et-un. (Graham Greene) :
On entendait s'entrechoquer les dés aux tables où les Français jouaient au "421".
— Tantôt on voit surgir des colonnes de feu... (X. Marmier) :
Sometimes pillars of fire will soar up...
— Quoique l'air fût encore tiède, on y sentait courir des fraîcheurs humides. (Fromentin) :
Although the air was still warm, it felt damp and cool at times.
— More markets for Canadian crude will have to be found if the industry is not to stagnate :
Le pétrole brut canadien devra trouver de nouveaux débouchés si l'on ne veut pas que l'industrie tombe dans le marasme.

§ 188. Au subjectivisme, et pour des raisons semblables, s'apparente l'**animisme** qui prête aux choses le comportement des personnes, qui, par exemple, fait courir des fraîcheurs dans l'exemple de Fromentin cité plus haut.

— Marseille compte une population de près d'un million d'habitants :
The population of Marseilles is close to the million mark.
— L'extraordinaire essor qu'allait connaître Los Angeles :
The spectacular development in store for Los Angeles.

— L'interdépendance échappe aux définitions précises :
There can be no precise definition of interdependence.

— Au XVIII° siècle la peinture délaisse les grands sujets d'histoire :
In the 18th century paintings are no longer about great historical subjects.

— Le mont... se peint sur le ciel... (E. Reclus) :
The mountain... stands out against the sky.

— Sur ses contours se dessine une auréole jaune. (X. Marmier) :
Around its edges a yellow halo becomes visible.

On ne peut pas dire que l'anglais ignore l'animisme, mais il semble bien qu'il y ait moins souvent recours. Très caractéristique à cet égard est la fréquence de la forme pronominale en français là où l'anglais va d'instinct au passif. Le passif constate simplement ; le pronominal anime.

— Le jambon se mange surtout froid :
Ham is usually eaten cold.

— Le blé se sème en automne :
Wheat is sown in autumn.

— Ici deux remarques s'imposent :
At this point two comments are in order.

La tendance animiste du français utilise aussi des verbes de mouvement comme "venir", "aller", "se mettre à", des verbes de perception comme "voir" et "entendre", qui s'insèrent tout naturellement dans les phrases les plus usuelles et qu'il serait une erreur de vouloir traduire en anglais. Ce sont des verbes adjonctifs, particuliers au français dans cet emploi.

— Il vint se joindre à nous : He joined us.

— Il se mit à rire : He laughed.

— Rien ne vint troubler sa quiétude :
Nothing disturbed his peace of mind.

— Elle était irritée de se voir ainsi tenue à l'écart :
She was annoyed at being kept out of things.

Cette pénétration de la réalité par le sujet pensant donne aussi naissance à des emplois métaphoriques de verbes ordinaires qu'on peut alors appeler des verbes expressifs et dont la traduction en anglais est parfois malaisée.

— La sueur perlait sur son front :
Beads of sweat stood out on his brow [*].

---

(25) La traduction est également imagée, mais elle n'y parvient que par une dilution.

— Une des fenêtres qui s'ouvraient au-dessus du magasin...
(A. France) :
One of the windows above the shop...
— Cette rivière baigne plusieurs villes :
This river flows through several towns.
— Le froid sévit dans plusieurs régions :
Cold weather is reported in several areas.

Il serait évidemment excessif de dire que ces verbes sont un monopole du français. Ce sont essentiellement des mots qui font image, et l'on sait qu'une image de LD ne se retrouve pas forcément en LA, ou inversement. Mais ce qu'on peut avancer, c'est que ce genre de verbes est plus répandu dans notre langue. Et s'il est vrai qu'ils y dénotent une certaine recherche, ils produiraient souvent en anglais un effet inattendu et forcé.

Ces différents procédés du français corrigent dans une certaine mesure la tendance au dépouillement si souvent notée au cours de cette étude. Le français est plus abstrait que l'anglais ; cependant il est riche en *métaphores*. Mais il convient de remarquer que l'impulsion qui les crée part du plan de l'entendement. Et les éléments concrets qui sont ainsi mis en œuvre aboutissent à une transfiguration et non pas à une transcription du réel.

LA MISE EN RELIEF

§ 189. On sait que la mise en relief (en anglais : "emphasis") est l'ensemble des moyens servant à insister sur un segment de l'énoncé.

Ces moyens sont de trois sortes : phoniques, syntaxiques et lexicaux. Ils ne sont pas les mêmes en anglais et en français ; ils varient aussi suivant qu'ils s'appliquent à la langue parlée ou à la langue écrite.

§ 190. a) **Mise en relief dans la langue parlée :**

La langue parlée dispose de certains moyens phoniques et gestuels dont la langue écrite ne peut toujours tenir compte : élévation de la voix sur une syllabe, accentuation plus forte de cette syllabe s'accompagnant parfois de redoublement des consonnes ou d'allongement des voyelles, phonèmes exclamatifs spéciaux, que l'orthographe ne sait comment rendre : "harrumph", "humph", "faugh", "tut tut", de l'anglais; "ho", "ah" ou "ha", "hum", "chut", "pstt" ou "psitt" du français. Une certaine partie de ces moyens phoniques passe dans le message écrit : l'anglais indiquera en italiques une syllabe ou un mot accentués : "I *told* you so : Je vous l'avais bien dit" ; "She *wants* to have orange and black curtains : Elle veut absolument mettre des rideaux orange et noir". Ces marques sont moins nettes en français où les italiques et les majuscules n'indiquent pas forcément un procédé phonique, mais plutôt une mise en relief graphique ; d'ailleurs le français n'a pas le loisir d'accentuer à volonté n'importe quel élément du message. On peut penser toutefois que les guillemets (vous trouvez ça "formidable", vous ?), les points de suspension (Permettez... J'ai aussi mon mot à dire !), certains accents ou graphies insolites (c'était hénaurme ; Elle se pââmait d'aise) sont les signes graphiques non codifiés de la mise en relief en français.

La langue parlée dispose aussi de moyens lexicaux et morphologiques pour effectuer ses mises en relief ; mais contrairement aux précédents, ces moyens peuvent en général se noter dans la langue écrite, surtout dans un style familier, dans les dialogues, au théâtre, dans la publicité, etc. Parmi ces moyens, que nous retrouverons sur le plan littéraire, notons le redoublement intensif du français : "Si, si ; Si, Si, Si, Si !" ; "c'est très, très bien" ; "il n'est pas gentil, gentil" ; le choix de certains diminutifs et augmentatifs qui peuvent d'ailleurs varier très rapidement, avec la mode : "formidable", "féodal", "carré", "hurfe" ; "rather", "you bet", "stupendous", etc. Passy faisait remarquer qu'il y a des mots qui appellent naturellement l'accent d'insistance (équivalent français du "emphatic stress") : "imbécile", "crétin", "vendu", etc. Comparer à cet égard les deux accentuations de "I say" dans les phrases suivantes : "I say without the least fear of contradiction..." "I say, isn't this a peach of a gown? : Elle est sensationnelle, cette robe".

§ 191. b) **Mise en relief dans la langue écrite :**

Si nous passons maintenant à la langue écrite, nous noterons d'emblée que l'anglais laisse implicites bon nombre d'exemples de mise en relief ; le lecteur doit rétablir, par la parole intérieure ou à voix haute, les intonations exactes voulues par l'auteur. Il s'en faut de beaucoup en effet que tous les cas de "emphasis" soient notés par des italiques ou autre signe graphique.

Voici les principaux moyens dont dispose le français pour rendre la mise en relief de l'anglais (Pour le détail, voir le commentaire du texte 3, page 289) :

§ 192. *La répétition lexicale :*

— It's *very* nice : C'est *très, très* bien.
— It's a *very* fine picture : C'est un *très, très* beau tableau.
— Yes, *indeed* : *Oui, oui.*

§ 193. *Le renforcement lexical obtenu par d'autres moyens que la répétition :*

— *We* Canadians... : *Nous autres* Canadiens...
— At that time Sweden and Norway were *one* country :
    A cette époque, la Suède et la Norvège *ne* formaient *qu'un seul* pays.

Ici, le renforcement lexical se complique d'un élément syntaxique, "ne... que..."

— His book met with *extraordinary* success :
    Son livre a connu un succès *sans précédent.*
— Do you? *Indeed, I do!* :
    Vraiment ? *Mais bien sûr ! (Et comment !*)

§ 194. *La répétition syntaxique avec le plus souvent dédoublement du pronom :*

— *I* know you, Dinah! : *Je* te connais bien, *moi* !
— I know what *you* want : Ah, *toi,* je sais bien ce que *tu* veux !
— Well, *I'm* not going to have it :
—   En tout cas, *moi,* je ne tolérerai pas ça.
— Why pick on *me?* : Pourquoi *me* faire ça, *à moi* ?
— That's done it! Alors *ça, c'est* le bouquet !
— *His* was all right, but *hers* was rather poor:
— Le sien à lui allait encore, mais *celui de Jeanne* était fort médiocre.
— Why, *that's* pretty good : Mais *c'est* très bien, *ça* !

§ 195. *Le tour de présentation, qui permet de détacher l'élément jugé important :*

— *Here* the Romans crossed the Thames :
    Voici l'endroit où les Romains traversèrent la Tamise.
— *I for one* am of a different opinion :
    Quant à moi (ou : *En ce qui me concerne),* je ne suis pas de cet avis.

— *Well, well, if it isn't...* : *En voilà une* surprise !

— *I did it* : *c'est moi qui* l'ai fait.

— Only *you* wouldn't let me : Mais *c'est toi qui* n'as pas voulu.

Il convient de remarquer que dans les exemples ci-dessus, l'anglais n'a pas uniquement recours à l'intonation ou à l'accent d'insistance ; voir en particulier le troisième exemple du § 192, le dernier du § 193 et le deuxième du § 195, où la mise en relief est obtenu par des moyens lexicaux. D'ailleurs l'anglais peut également avoir recours à des intensifs :

— He was *excruciatingly funny* : il était *impayable*.

— He was *good and* sorry : Il le regrettait *amèrement*.

— He was *good and* mad : Il était *absolument* furieux (MOD : il ne décolérait pas)

§ 196. Un bon exemple de mise en relief, obtenue par le tour de présentation, est cité par le commentateur du *Linguist* ", qui exprime de manière analogue la préférence du français pour le rejet du propos en fin de phrase :

«The proper bodies to direct suitable boys into an organization intented to reclaim the exceptionally tough are the juvenile courts : C'est aux tribunaux d'enfants qu'il incombe de diriger les sujets appropriés vers une institution chargée du redressement des garçons particulièrement difficiles. » Le commentateur ajoute :...«the lightest way of putting the emphasis on the juvenile courts is to turn the French sentence thus...» ce qui est exact ; nous croyons pouvoir ajouter que (1) l'anglais pouvait mettre "juvenile courts" à la fin parce qu'il lui réserve un accroissement d'accentuation, ce que le français ne peut pas faire ; (2) le français préfère l'ordre A-Z, et la présentation "C'est... que" lui facilite cet ordre. C'est encore une fois un exemple de la préférence d'une construction active, et cet exemple relève donc à la fois de la mise en relief (189), de la présentation (185), de la modulation actif-passif (120) et enfin de la préférence du français pour une terminaison adjectivale polysyllabique (202).

INVERSION OU DISLOCATION

§ 197. L'ordre des mots et la démarche d'une langue tendent, nous l'avons vu, à présenter le message selon un certain déroulement, et dans la mesure où ce déroulement est "normal", il ne joue pas de rôle stylistique particulier. Par contre, toute modification du déroulement est susceptible d'attirer l'attention du lecteur, et participe dès lors à la mise en relief ".

L'inversion est souvent figée (cf. "Perish the thought!" "A Dieu ne plaise !") et paraît moins propre que la dislocation à créer un effet de surprise ; ce dernier procédé, qui repose sur une inversion et la reprise du thème ou du propos, se confond intimement avec les autres procédés déjà examinés, et aboutit en fait à des répétitions lexicales ou syntaxiques. En voici quelques exemples :
— Did you send this letter, or didn't you ?
     Cette lettre, tu l'as envoyée, oui ou non ?
— Elle est stupide, ton idée ! : This is utter nonsense!
— Ça va durer longtemps, cette plaisanterie ? :
     Haven't we had about enough of this ?
— De cela, n'en parlez à personne : Keep this to yourself.
— Par un traitement énergique, on a enrayé le mal :
     Thanks to this rapid treatment, the disease was brought under control.

§ 198. Plus nuancées sans doute sont les inversions stylistiques, qui ne sont évidemment visibles que pour celui qui rapproche les deux langues. Elles aboutissent en fait à rétablir dans LA une séquence plus conforme à la démarche de cette langue que celle qui calquerait purement et simplement le texte LD. Il faut reconnaître que nous touchons là à un domaine assez mal connu, et que nous devons nous contenter d'une simple indication ; deux exemples illustreront ce type d'inversion de langue à langue :
— Sur un document remis par la douane anglaise aux voyageurs à destination de Londres on lit : "Pack separately [...] for convenient

(27) Sur l'inversion, consulter R. Le Bidois, *L'inversion du sujet dans la prose contemporaine*, Paris, d'Artrey, 1952 ; sur la mise en relief en français, cf. M.-L. Muller-Hauser, *La mise en relief d'une idée en français moderne*, Genève, Droz, 1943 ; pour l'anglais, on consultera Bryant, N. & J. Aiken, *Psychology of English*, New York, Columbia University Press, 1940.

inspection". La mise en relief de "convenient", qui est évidemment un élément essentiel du message, se fera par une transposition ordinaire et par un déplacement : Pour faciliter la visite de la douane, mettre à part [...].

— Autre exemple : "We have prepared this booklet for your information". On pourra admettre que c'est surtout le client qui est intéressé par la brochure en question. Commencer en français par "Nous avons..." serait au contraire mettre l'accent sur une activité extérieure au client, donc qui ne l'intéresse que secondairement. Nous proposons: "Vous trouverez dans cette brochure tous les renseignements que vous désirerez", ce qui laisse tomber le "prepared" inutile parce que allant de soi, et qui remet la personnalité du client au premier plan.

SÉQUENCES

§ 199. 1. *Mots qui ne peuvent commencer une phrase :*
En français, certains mots outils commencent rarement une phrase. Ils doivent être ou déplacés ou étoffés, et d'ailleurs l'étoffement entraîne un léger déplacement. En anglais, les mots correspondants ne sont pas soumis à cette restriction. Il est difficile, en l'état actuel des recherches, de discerner s'il s'agit d'une question de structure ou d'une démarche de l'esprit. Il semble, par exemple, qu'on commence volontiers une phrase par "puisque", mais qu'on hésite à le faire avec "parce que". Nous nous contenterons donc d'indiquer certains de ces mots auxquels le français paraît refuser la position initiale.

— Because my first letter may have miscarried I am writing you again:

Ma première lettre ayant pu s'égarer, je me permets de vous écrire de nouveau.

— Once he was almost captured:

Il y eut un moment où il faillit se faire prendre.

— Whether that policy has been scrupulously followed is a matter of controversy:

Quant à savoir si cette politique a été scrupuleusement suivie, c'est un point sur lequel les avis sont partagés.

— No two situations can ever be the same:

Il n'y a pas deux situations qui soient identiques.

— One was killed and two were injured:

Il y en eut un de tué et deux de blessés.

On compte un mort et deux blessés.

— Two more came:	Il en est venu encore deux.
— More will come tomorrow:	Il en viendra d'autres demain.
— More will be said about this later:	Nous en reparlerons. (Notons en passant l'économie du français)
— Only more people will make manufacturing in Canada really sound:	Seul un accroissement de la population établira l'industrie canadienne sur des bases solides.
— Both came the next day:	Ils sont venus tous les deux le lendemain.
— Much has happened since:	Il s'est passé beaucoup de choses depuis.
— Little will result from all this:	Il ne sortira pas grand-chose de tout cela.

§ 200. Les exemples ci-dessus appellent certaines remarques :

"Beaucoup" peut s'employer seul en position initiale quand il s'applique aux gens : "Beaucoup n'ont pas pu entrer", mais non quand il s'applique aux choses. Il est vrai que "much" et "little", quand ils sont sujets, sont généralement suivis d'un verbe au passif qui devient actif en français, avec renversement des termes. Mais nous avons pu donner des exemples où ils sont sujets de verbes actifs et où le français a alors recours à la tournure impersonnelle du type "il y a". Cette tournure et ses variantes (il vient, il se passe, etc.) s'offrent tout naturellement au traducteur dans beaucoup des phrases qui précèdent. Nous retrouvons ici le procédé particulier au français qui consiste à présenter un sujet encore indéterminé. Les tournures impersonnelles du type "il y a" sont des formules de présentation (185) qui font de leur déterminant le propos et se combinent avec lui pour former le thème de la phrase entière. "Des gens se figurent que..." nous paraît moins naturel que "Il y a des gens qui se figurent que...", alors que "Les gens se figurent que...", où "les gens" est un sujet déterminé, ne soulève aucune objection. Reprenant notre définition de la formule de présentation, nous dirons que "des gens" devient le propos dans "il y a des gens" et que cette proposition devient le thème de la phrase "Il y a des gens qui...". De même :

"Something is wrong. ■ : Il y a quelque chose qui ne va pas." On voit que l'anglais se passe aisément de cette formule d'introduction. Il n'a aucune peine à faire directement du sujet psychologique le sujet grammatical.

---

(28) On peut également dire "There's something wrong", comme en français.

Nous disons bien "Certains sont venus..." mais "certains" est moins indéterminé que "des gens". De plus cet emploi relève de la langue écrite ; la tournure "il y a" se rencontre surtout dans le style familier. Il faut d'ailleurs faire la part du caprice. On dit "Pas un n'est venu", mais non "Pas dix n'en ont réchappé".

§ 201. L'inversion existe dans les deux langues, surtout sous sa forme écrite, mais pas nécessairement à propos des mêmes mots. On la trouve en français surtout après: "à peine", "du moins", "aussi", "en vain", "sans doute", "peut-être", et en anglais après des expressions telles que : "hardly", "no sooner", "never", "on no account", "under no circumstances".

Ces deux listes n'offrent qu'un terme commun : "à peine : hardly". La liste anglaise est faite d'expressions restrictives ou négatives. Parmi les exemples français, "aussi" doit s'entendre au sens de "c'est pourquoi". Quand il veut dire "also" il n'est pas antéposé, alors que "also" peut très bien commencer une phrase et se traduit alors par "de plus" **.

— Also I knew you weren't too keen about it :	De plus, je savais que vous n'y teniez pas beaucoup.
— Also ran :	Ont également pris part à la course (ou, par équivalence : "Non classés").

L'inversion du sujet réel de "il y a" existe en français dans le corps de la phrase : "...et erreur il y a, puisque..." Cette construction est encore plus répandue après "si" : "si erreur il y a". L'anglais dit sans inversion : "if there is a mistake". Par contre, il peut commencer une phrase par le sujet réel de "il y a".

— New themes there are, no doubt.	Sans doute, il y a de nouveaux thèmes.
— Fifty millions of us there are on a rock.	Nous sommes cinquante millions à vivre sur un rocher.

Le participe présent de la forme progressive peut se placer en tête ; ce qui nous oblige alors à changer de structure.

— Participating in the program are teachers from the various schools.	Les organisateurs ont pu s'assurer le concours de professeurs des différentes écoles.

Par contre, c'est le français qui pratique l'inversion verbe-sujet dans certaines rédactions d'ordre administratif :

(29) Sur les affiches de cinéma, "also" se rend par : "Au même programme".

| Sont reçus définitivement : | List of successful candidates: |
| Sont promus au grade de commandant : | The following have been promoted to the rank of major: |

§ 202. 2. *Mots qui ne peuvent terminer une phrase :*

S'il y a des mots qui se prêtent mal à la position initiale, notamment en français, il y en a d'autres que l'on évite instinctivement en position finale absolue, c'est-à-dire en fin de phrase.

La position finale absolue est certainement privilégiée en français, du point de vue stylistique : on y trouve de préférence des mots forts, noms, verbes, adjectifs, plus rarement adverbes (cf. la phrase qui termine le conte de Flaubert "Hérodias" : "Et comme elle était très lourde, ils la portaient alternativement"). De plus, on remarque que ces mots sont en général étoffés, et comportent au moins deux syllabes, souvent plus. Aussi, la séquence nom polysyllabique + adjectif polysyllabique est-elle très recherchée comme chute de période, en position finale [30]. En voici quelques exemples pris à des discours : "...c'est aussi l'épanouissement et le gage de pérennité de la pensée humaine" (*Journal des Traducteurs*, 1.5 (1956) : 136) ; "regardant vers l'avenir avec confiance." (ONU, Assemblée générale, 1946). Puisque nous sommes sur le plan comparatif, il est intéressant de rapprocher des fins de paragraphe, prises au hasard dans les procès-verbaux de cette même assemblée :

— This report covers six different items.	Ce rapport traite de six questions différentes.
— If I may be allowed, I will read what the President said.	Si vous le permettez, je vais vous relire ce passage de la déclaration du Président.
— ...and the matter ought to be further studied.	...et que cela nécessitait une étude plus approfondie.
— ...and I venture to say, of a number of other nations also.	...non plus qu'à celles d'un grand nombre d'autres nations.
— ...news ... has shown the position to be worse than we originally thought it.	les nouvelles... montrent que la situation est pire que nous ne l'avons envisagée tout d'abord.
— ...a most resolute determination to overcome it.	...qui exige ...une énergique volonté d'intervenir.
— ...the immense work of reconstruction awaiting us.	...l'immense tâche de la reconstruction qui nous attend.

(30) Ce procédé devient par là même une charnière sémantique de terminaison (210).

Ces exemples suffisent pour montrer que le français évite de terminer ses phrases sur des mots aussi courts que "it", "us", "one", "also", "said", etc. qui seraient atones dans la plupart des cas. En outre, ces mots outils ne sont pas, en général, des éléments essentiels du propos, auquel le français réserve, nous l'avons vu, une place de choix en fin de phrase. C'est sans doute ainsi qu'il convient d'expliquer le déplacement suivant :

— I don't know where the post office is :

Je ne sais pas où se trouve le bureau de poste.

Si cependant le français exprime le propos par un adverbe, ce dernier pourra alors terminer une phrase ; c'est le cas de tous les morphèmes négatifs du type : "pas", "rien", "goutte", "guère", etc.

§ 203. *Cas particulier des* **"queues de phrase"** :

Les queues de phrases présentent également certaines différences d'une langue à l'autre. Partant de l'anglais, nous distinguerons plusieurs cas :

1. *les équivalents de* **"n'est-ce pas".**

You will do it, won't you?	Vous le ferez, n'est-ce pas ?
You wrote to him, didn't you?	Vous lui avez écrit, n'est-ce pas ?

2. *les cas où la reprise du verbe avec inversion du pronom ne correspond pas à "n'est-ce pas".*

— You couldn't wait, could you?	Vous ne pouviez pas attendre, non ?
— You don't care, do you?	Cela vous est bien égal.
— That's not the sensible way of doing it, is it?	Ce n'est quand même pas très intelligent.
— It's too big, the Atlantic, isn't it? (N. Coward)	C'est trop grand, l'Atlantique, vous ne trouvez pas ?
— I rather like him, don't you?	Je le trouve sympathique, pas vous ?
— You did it, didn't you?	C'est bien vous qui l'avez fait ?
— Of course, I will. I promised, didn't I?	Mais bien sûr. Est-ce que je ne vous l'avais pas promis ?
— You don't suppose I'd do a thing like that, do you?	Vous ne pensez tout de même pas que je ferais une chose pareille.
— You understand, do you? or don't you?	Vous comprenez, n'est-ce pas ? Ce n'est pas tellement sûr. (Je me le demande).

3. *la reprise du verbe* **to be,** *avec ou sans inversion, suivant la nature du sujet*[31].

— That's a good one, that is!	En voilà une bien bonne !
— He's a smart one, is John!	C'est un malin, Jean, y a pas à dire.

4. *l'adjonction, après virgule, de certains mots isolés.*

— Aren't they slow! Aren't they, though!	Ce qu'ils sont lents ! Je vous crois ! (Vous pouvez le dire !)
— There must be some biscuits, or something.	Il doit bien y avoir des biscuits ou quelque chose d'autre à manger.

5. *l'emploi d'un verbe d'opinion.* Le français a la même possibilité, mais il en use moins. D'où l'utilité de certaines variantes.

— You'll be there, I hope.	Vous serez là, j'espère.
— This one costs more, I think.	Je crois que celui-ci coûte plus cher.
— He didn't have time, I suppose.	Sans doute qu'il n'a pas eu le temps.

6. *le cas de la proposition incidente,* qui cite l'auteur de la remarque ou la source du renseignement. Ce procédé est très fréquent dans le style des journalistes. Il passe difficilement en français.

— The rebellion cost the lives of 3,000 civilians, a survey showed.	D'après les chiffres qui ont été fournis, la révolte a coûté la vie à 3.000 civils.
— No such safe conduct is sought by the resident New Yorker, the traffic officers plaintively report.	Le New-Yorkais ne s'embarrasse pas de telles précautions, si l'on en croit les lamentations des agents chargés de la circulation.

(Il s'agit de ne traverser les rues qu'au signal des agents.)

— Everything we do to reduce the number of accidents will make it easier to continue to improve our level of benefits, as time goes on, he observed.	Il a fait observer que nos efforts en vue de réduire le nombre des accidents faciliteront avec le temps le relèvement continu du taux des prestations.
— Mr. Smith was keenly interested in people like Mr. Brown, it was clear from the first.	Il fut tout de suite évident que M. Smith s'intéressait fort aux gens comme M. Brown.

(31) Il n'y a pas d'inversion quand le sujet est un pronom : "He is a smart one, he is."

Il ne semble pas téméraire de voir dans ce qui précède la tendance du français à organiser son énoncé, à le préparer. Sans doute il ne le fait pas dans les phrases segmentées ("Il est bien, votre ami.") et l'exception est d'importance, mais elle est le fait de la langue parlée, donc non rédigée.

MOUVEMENTS ORATOIRES

§ 204. Il est généralement admis que le français est plus oratoire que l'anglais. Or, l'un des mouvements oratoires les plus caractéristiques est la fausse question. Il est matériellement possible de traduire en anglais les questions ou exclamations qui relèvent de la rhétorique, et l'expression "rhetorical question" montre que le procédé n'est pas inconnu en anglais. Cependant un traducteur exercé qui se laisserait aller à l'employer à tout bout de champ aurait souvent le sentiment d'une légère incongruité. Ce qui veut dire que l'anglais ne fait pas de la fausse question un usage aussi large que le français. Hilaire Belloc, dans sa conférence sur la traduction, (*op. cit.*) l'avait déjà fait remarquer.

«The ample use of the rhetorical question is native to ordinary French prose, not to English. It is also native to French prose to define a proposition by putting the data of it first into question form. It is not native to English to do this.»

Remarquons que son affirmation est nuancée par "ample" et par "ordinary". Elle vise l'emploi trop généralisé de la fausse question dans la prose habituelle. La solution que propose Belloc est de transposer de telles questions en phrases déclaratives. C'est ce que nous avons fait dans nos propres exemples réunis ci-dessous :

— Ce que me racontait en arabe mon hôte de ce soir-là, quel est celui de mes précédents interlocuteurs musulmans, fût-il le plus dévoué à l'administration, qui ne me l'eût déjà dit et redit en français exemples à l'appui.

What I was being told in Arabic by my host of that evening had already been repeatedly stated to me in French, and duly documented, by my previous Moslem informants, no matter how loyal to the French regime.

(*Le Monde*, Sélection hebdomadaire, 26 mai-1er juin 1955.)

— Où est-il le temps où quand on lisait un livre on n'y mettait pas tant de raisonnements et de façons ? (Sainte-Beuve).

Gone are the days when the reading of a book did not require so much fuss and bother.

— Chacun de ses pavés nous dit quelque chose. Ne contient-il pas toute notre histoire ? N'est-ce pas comme une grande maison dont nous aurions habité toutes les chambres, et dans laquelle à chaque pas nous retrouvons un souvenir ? Où pouvons-nous passer sans avoir aux lèvres le mot du fabuliste : J'étais là, telle chose m'advint ? (Prévost-Paradol, à propos de Paris).

Each one of its paving-stones has something to tell us, for the city embodies the whole of our history. It is like a large house in every room of which we had lived and where we cannot move without being reminded of the past. Nowhere can we go without being tempted to say, like the fabulist: I was here, and this is what happened to me.

§ 205. On passe insensiblement de la fausse question à l'exclamation. L'anglais pratique volontiers celle-ci, peut-être parce qu'elle est une mise en relief d'ordre affectif mais sans caractère oratoire.

— Ain't we having fun!
— Was he pleased to hear it!

C'est fou, ce qu'on s'amuse!
Il a été rudement content d'apprendre ça.

— But wasn't Maria glad when the women had finished their tea and the cook and the dummy had begun to clear away the tea things! (J. Joyce, *Dubliners*).

N'empêche que Maria fut bien contente quand les femmes eurent fini leur thé et que la cuisinière et la laveuse de vaisselle se furent mises à débarrasser la table.

On notera que si l'exclamation est courante en français, elle ne s'accommode guère de la négation. "Quelle ne fut pas ma surprise" est à classer avec les locutions figées.

CHAPITRE IV

LES ARTICULATIONS DE L'ÉNONCÉ

§ 206. Comme le soulignait justement le regretté A. Dauzat, dans deux articles parus dans l'*Education Nationale* (8 janvier, 12 février 1953), le français est une **langue liée.** Il faut entendre par là qu'aux différents niveaux de l'analyse, on constate une tendance à présenter un message dont les éléments ont une très grande cohésion intérieure.

a) Sur le plan de la langue parlée, le français offre de multiples traces de cette cohésion : liaisons, segments anti-hiatus (vas-y, y a-t-il, etc.), enchaînement régulier des syllabes, d'où les ambiguïtés du type : "le tiroir est ouvert", "le tiroir est tout vert" ; en raison de la faiblesse des marques phonétiques destinées à ponctuer la frontière des mots ou des morphèmes, le français parlé repose essentiellement sur des groupes, souvent assez longs, quelquefois difficilement analysables.

b) Cette tendance est encore renforcée sur le plan de la morphologie : le français connaît de longues séquences de morphèmes, imbriqués les uns dans les autres, que l'orthographe sépare arbitrairement par des blancs : "je me le demande", "il ne l'a pas vu", "ils ne l'avaient probablement pas encore fait" (On notera la position des verbes dans ces trois phrases, qui découle de la tendance à rejeter le propos à la fin du message (184, 185).

A. Dauzat fait ici remarquer l'existence de morphèmes de liaison, très fréquemment employés dans la langue parlée, qui ont pour effet d'augmenter cette cohésion interne déjà favorisée par la structure sonore : il cite notamment le "de" de liaison, dans des phrases comme : "il y en a trente de blessés" ; "il n'est rien d'impossible à l'homme" ; "deux dollars de l'heure" ; "voilà du bon travail de fait" ; "il est honteux de mentir", etc. On notera que les phrases anglaises correspondantes ne comportent pas de morphèmes semblables: "Thirty were wounded" ; "nothing is impossible to man" ; "two dollars an hour"; "well done!"; "lying is despicable".

c) Dans le présent chapitre, nous nous intéresserons à la "liaison" sur un troisième plan, celui du message, où ce phénomène apparaît clairement par opposition à la démarche de l'anglais. Nous retrouverons, ce faisant, la grande dichotomie sur laquelle s'axent tant de nos remarques : l'opposition entre le plan de l'entendement et le plan du réel.

§ 207. Dans son compte rendu du déroulement des faits, le locuteur peut en effet se placer à un point de vue purement objectif et nous faire part de ses observations au fur et à mesure qu'elles se présentent ; la liaison entre les faits observés n'étant pas généralement évidente, une telle attitude aboutira normalement à un message composé d'éléments juxtaposés. Ce développement stylistique objectif est souvent appelé **intuitif** ou **sensoriel** ; on le caractérise également par l'expression : "le film du réel". L'anglais nous offre un excellent exemple de ce mode stylistique dans des phrases telles que : "He crept out from under the bed"; "He walked leisurely into the room"; "Pop goes the weasel"; "He drank himself to death"; "Off with you", etc. On retrouve cette attitude jusque dans les titres, où l'on pourrait s'attendre à un message statique, le titre ne faisant pas partie du contexte : *Across the River and into the Trees* (Hemingway) ; *Digging Up the Past* (L. Woolley); *Through the Looking-Glass* (L. Carroll); *Drums Along the Mohawk* (Water D. Edmonds); *Far from the Madding Crowd* (T. Hardy), etc.[*]

Mais une autre attitude est également possible ; le locuteur peut retarder, en quelque sorte, le déroulement des idées jusqu'à ce qu'il les ait ordonnées, qu'il en ait dégagé la succession, l'ordonnance cachée, la cause et l'effet. C'est là en général l'attitude française, qui est plutôt celle d'un spectateur commentant des faits que celles d'un acteur les traduisant au fur et à mesure de leur émergence. Cette deuxième sorte de développement, qui suppose une prise de position, un jugement de valeur, peut s'appeler le **développement raisonné** : et, pour s'y conformer, il faut se placer sur le plan de l'entendement.

---

(32) A titre de vérification, nous avons ouvert au hasard la *Bibliographie de la France* (145e année, No 44, novembre 1956, pp. 980-1). Sur 21 romans cités, 16 ont des titres "statiques" du type *Vol d'essai*, mais 5 rappellent les titres dynamiques anglais ci-dessus : "Je me damnerai pour toi". "Quand les genêts refleuriront", "Vous verrez le ciel ouvert", "Quand le diable a soif", "Quand l'amour refleurit". On notera la fréquence du tour avec *quand*, qui est un bon exemple de la tendance vers le dynamisme, caractéristique de la littérature contemporaine.

Nous pensons qu'en règle générale, l'anglais suit le premier mode dit intuitif ou sensoriel, le français, le second mode dit raisonné *. Voyons dans le détail si cette hypothèse semble confirmée par les faits. Nous allons conduire cette étude d'abord sur le plan du paragraphe (charnières) puis sur celui du message (modulation).

§ 208. Articulation du paragraphe : **les charnières.**

Sur le plan du paragraphe, nous voudrions montrer que notre distinction entre les deux types de développements est toujours valable. Un développement intuitif tend à laisser son autonomie à chaque phrase ou segment du message ; cette liberté correspond à la réalité, où les séquences d'actes ne sont pas toujours visiblement reliées entre elles par des rapports de causalité. Au contraire, un développement raisonné essaie précisément de marquer les rapports qui unissent chaque segment dans un déroulement logique. Pour ne pas entamer une discussion sur le sens qu'il faut donner à "logique", disons que nous voulons seulement indiquer par là une tendance à grouper les segments du message dans un certain ordre arbitraire, mais voulu, qui se retrouve sous des formes comparables de texte en texte, un souci de marquer les articulations de l'énoncé. Le français, tout au moins dans la langue littéraire, philosophique, scientifique et juridique, affectionne les articulations, et se passe difficilement des précisions qu'elles peuvent apporter dans le déroulement de la pensée. L'anglais au contraire, même dans ses formes classiques, fait beaucoup moins appel aux articulations explicites, donc laisse au lecteur le soin de suppléer lui-même les articulations qui s'imposent et joue plutôt avec la juxtaposition des phrases et segments de l'énoncé.

§ 209. En se voulant une langue "articulée", en accordant par conséquent une très grande place au jeu des **charnières,** le français reste dans la tradition classique latine et surtout grecque. M. A. Bernelle,

---

(33) Nous voudrions citer ici l'opinion d'un critique anglais qui, pour être subjective, n'en est pas moins révélatrice : ..."French, Italian... are reasonable codifications of as much of human experience as can be translated into speech. They give each separate object, process or quality a permanent label duly docketed, and ever afterwards recognize this object, process or quality by its label rather than by itself; ...these languages are therefore also the rhetorical languages, rhetoric being the poetry of labels and not the poetry of the things themselves. English proper has always been very much a language of "conceits", ...the vocabulary is not fully dissociated from the imagery from which it developed; words still tend to be pictorial and not typographic... It is the persistent use of this method of "thought by associations of images" as opposed to "thought by generalized preconceptions", that distinguishes English proper from the more logical languages." (Robert Graves, "Impenetrability or the Proper Habit of English", *The Fortnightly*, décembre 1926.)

dans sa "Présentation du grec ancien" (*Vie et Langage*, 44 (1955) : 492), insiste avec raison sur l'importance des articulations dans le développement de la pensée grecque :

« Quant à la coordination, elle devient une véritable charpente du langage, très apparente, solide et souple à la fois, abondante et variée. Nombre de "particules" lient les phrases et les propositions entre elles pour bien en marquer le rapport logique : opposition, explication, exemple, résumé, conclusion, objection. C'est encore une des grosses difficultées du grec pour les jeunes hellénistes, et même pour les traducteurs chevronnés. Si l'on traduit toutes les particules, on alourdit intolérablement la phrase française. Si on les escamote, on fait disparaître un des traits essentiels du génie grec : la démarche prudente et sûre de la pensée,... »

D'après ces remarques, il faut croire que le grec allait encore plus loin que le français dans le sens de l'articulation. Ceci nous donne l'occasion de souligner une fois de plus que traduire, c'est transposer le message original rédigé en LD sans pour cela fausser le mécanisme de LA. Par conséquent, et pour revenir aux langues qui nous intéressent ici, traduire du français articulé en anglais, c'est se résigner à laisser les charnières implicites dans une large mesure, et nous verrons en effet que certaines ne figurent même pas au répertoire lexical de l'anglais. Inversement, la traduction vers le français oblige le traducteur à expliciter les charnières zéro du texte anglais, qu'il importe donc de bien dégager au moment de l'analyse et du découpage du texte. Cette double attitude vis-à-vis des marques articulatoires du français et de l'anglais pose parfois au traducteur des problèmes redoutables. Dans la traduction d'un texte juridique ou diplomatique, par exemple, ce serait trahir le lecteur français que d'omettre les charnières, qui ponctuent le déroulement de l'énoncé : mais comme ces charnières sont souvent très différentes d'une langue à l'autre, il faudra faire admettre aux usagers l'explicitation ou l'implicitation de segments de l'énoncé dans des textes habituellement considérés comme intangibles.

§ 210. Différentes sortes de charnières :

Nous appelons **charnières** les marques linguistiques de l'articulation (cf. donc, et, cependant) et charnière zéro le procédé de juxtaposition qui ne marque pas explicitement les rapports articulatoires entre les différents segments de l'énoncé.

Pour la stylistique comparée, basée essentiellement sur le rapprochement de deux structures à travers le pont sémantique de la traduction, toutes les articulations du discours sont des charnières. C'est dire que nous ne considérons pas les segments de l'énoncé, au moment de l'analyse du message, sous l'angle de leur nature linguistique (cf. la notion de "parties du discours"), mais sous l'angle de leur fonction. Ainsi le terme "charnière" groupera des réalités linguistiques très diverses : conjonctions, adverbes, locutions, relatifs, copules, etc. Le traducteur doit se sentir très libre devant la notion de charnière, qui se dégage tantôt d'unités lexicales spéciales, tantôt du sens même du mot. Dans ce dernier cas, on pourrait considérer la fonction de charnière comme superposée à la fonction sémantique.

Par exemple, dans le paragraphe précédent, "ainsi" est une charnière du type lexical, et "c'est dire que" une charnière du type sémantique. Cette dualité explique (sans l'excuser) l'absence de nombreuses charnières dans les dictionnaires, trop souvent placés en dehors du contexte.

On notera que si les charnières apparaissent le plus fréquemment dans le discours soutenu, pour marquer les articulations entre les propositions ou les phrases, elles existent également dans la langue parlée, même dans le cas de messages très courts ne comportant qu'une seule proposition : c'est le cas des charnières d'appel du dialogue : "John, won't you pass me the salt?"; "Dis-donc, toi, qu'est-ce que tu dis de ça?"; "Now look here, I don't think this will do", etc.

Il y a plusieurs façons de classer les charnières, selon que l'on se place au point de vue de la forme ou de la fonction. Disons quelques mots d'abord sur ce dernier point. Les charnières ont de toute évidence plusieurs fonctions, soit séparément, soit simultanément. Elles peuvent fonctionner comme le rappel d'un évènement qui précède : "Comme nous l'avons dit plus haut..."; elles annoncent également ce qui va suivre, et comment l'auteur va traiter la question : « Passons maintenant aux causes de ces évènements...". Elles établissent encore une liaison entre ce qui précède et ce qui suit : "C'est à vous que je m'adresse, puisque aussi bien vous êtes le seul représentant officiel, etc...". Certaines enfin annoncent la fin d'un développement, d'une énumération : c'est précisément le rôle de "enfin" dans la présente phrase. On peut donc classer les articulations du message selon leur fonction déictique (234) en charnières de *rappel* (retour en arrière), de *traitement* (annonce de ce qui suit), de *liaison* (cf. conjonctions de coordination) et de *terminaison*. C'est la classification la plus utile dans le cas du découpage, et surtout du démontage d'un texte : elle permet de faire ressortir nettement les éléments vectoriels de l'énoncé, particulièrement dans le cas des charnières zéro, qu'il faut dégager d'après le sens global du message.

Toutefois, ces distinctions formelles sont difficiles à maintenir sur le plan de la stylistique, parce que la même charnière peut avoir plusieurs fonctions, être à la fois rappel et traitement, et même liaison. Nous aurons donc ici recours à un autre principe de classement. Nous garderons néanmoins la catégorie des charnières de terminaison parce qu'elles sont nettement différenciées et aussi parce que l'anglais les remplace souvent soit par des charnières zéro, soit par des charnières de liaison qui n'annoncent pas la fin du développement. Ex. : "furthermore", qui se traduit tantôt par "de plus" tantôt par "enfin" pour marquer qu'il ne vient plus rien après. Ceci se rattache à la tendance du français d'annoncer plus tôt que l'anglais la démarche de sa pensée, tendance qui s'exprime également par sa préférence pour des charnières à balancement : "tantôt... tantôt", "non seulement... mais encore"[34].

§ 211. Etant donné le comportement respectif des deux langues et la difficulté de séparer le rappel du traitement, nous classerons les charnières d'après leur forme, selon les grandes subdivisions ci-dessous :

Type A : Charnières explicites, qui s'expriment de trois façons :
— par un mot-outil[35], type A₁ : "aussi", "de plus", "cependant", "par conséquent", qui sont en fait les conjonctions de la grammaire traditionnelle ;
— par un membre de phrase qui articule l'énoncé, type A₂ "Comme nous l'avons déjà vu..." ; "J'en viens maintenant à..."
— par un mot-outil qui reçoit dans LA un étoffement par rapport à LD, type A₃ "also : au même programme".

Type B : Charnières constituées par le sens d'un mot plein ou charnière sémantique (donc implicites).
Ex. : "this", "those".
Il est difficile de donner ici des exemples sans citer en même temps le contexte. (Voir l'exemple de "c'est dire que..." au § 210).

Type C : Charnière de simple liaison : "et", "ou", "de plus".

Type D : Charnière zéro, avec simple juxtaposition des éléments.
(souvent marquée par des prosodèmes)
Ex. : "Il pleuvait ; nous ne sommes pas sortis".

(34) Ne pas oublier que le français reste encore une langue plus oratoire que l'anglais.
(35) La distinction entre mots pleins et mots outils est empruntée à F. Brunot ; cf. en anglais l'opposition entre "notional" et "structural words".

Les types A, B et C se rencontrent dans les deux langues. Il semble toutefois que le type D soit très fréquent en anglais (voir par exemple l'omission des équivalents de "en effet") et que le type A prédomine en français. Le type B se rencontre couramment en anglais où il correspond souvent au type A en français. La charnière membre de phrase (type A₂) est généralement mixte, à la fois structurale et sémantique.

§ 212. *Choix d'exemples*

Type B/A : In all *this* immense variety of conditions, the objective must be..."

Nous sommes ici entre deux énumérations, celle des difficultés que présentent la diversité des conditions et celle des choses à faire. Le "this" a ici une valeur de rappel et insiste également sur la complexité des difficultés à résoudre. Nous préférons marquer nettement l'opposition entre les obstacles et le but à atteindre et nous commencerons par : "*Et cependant, malgré* la diversité des conditions". Remarquons que "la" suffit alors amplement pour traduire "this".

Type A/A : "He has more and better... social security services, some of which are *even* unknown in the East."

Il s'agit d'une comparaison entre les services d'hygiène et d'assurances sociales dans l'ouest et dans l'est du Canada. On peut évidemment traduire littéralement, mais dans une langue oratoire comme le français le mouvement de l'argumentation gagne à rendre "even" par un "parfois même" initial qui relance l'argument.

"*Parfois même* il bénéficie, dans le domaine de l'hygiène et de la sécurité sociale, de lois dont nous n'avons pas ici l'équivalent."

Type B/B :

"*It is popularly supposed* that art knows nothing of frontiers."

Le mot "popularly" laisse entendre que l'auteur ne partage pas cette opinion du public et s'apprête à la réfuter. Il a donc la valeur d'un traitement et constitue une charnière sémantique. Nous rendrons ce "popularly" par un verbe qui exprimera la même attitude vis-à-vis de l'opinion en question : "*Les gens se figurent* que l'art ne connaît pas de frontières."

Type B/A :

"*It was not enough* to produce glass of low expansion in order to . Furthermore, they had to see to it that...:

Mais, *en plus de* la mise au point d'un verre à faible coefficient de dilatation et capable de... En dernier lieu il fallait veiller à ce que..."

"Was not enough" rappelle un segment de l'énoncé et en montrant son insuffisance, annonce ce qu'il faut faire pour y suppléer (charnière sémantique). "Mais" et "en plus de", à la fois rappel et traitement, constituent une charnière diluée.

"Furthermore" n'indique pas nécessairement que nous arrivons au terme de l'énumération, comme c'est le cas ici. Le français, soucieux de marquer la fin d'un développement, non moins que l'articulation de ses différentes parties, dira : "En dernier lieu".

Types A/D, A/A, A/A :

"Il errait *alors* de café en café. Il atteignait *ainsi* le soir. Il passait *aussi* de long moments dans la gare." (Camus)

Des trois charnières que nous avons ici, la première peut être omise sans dommage en anglais. La deuxième peut être rendue par l'articulation virgule + participe présent. Seule la troisième exige d'être rendue littéralement en anglais.

"He vould drift from one café to the next, killing time until nightfall. He would also hang around the station a great deal."

Type D/A :

"...But one feels that this is an abnormal condition which lacks the elements of healthy growth, the growth that augurs eventual stability.

Socially and politically there is widespread discontent,...

(T. Taggart Smyth) :

Cette situation toutefois ne laisse pas de sembler anormale par l'absence apparente des éléments essentiels d'un progrès sain, avant-coureur d'un équilibre définitif.

Il règne *en effet* dans les masses... un profond mécontentement, un malaise politique, etc..."

Dans l'exemple qui précède, l'auteur est allé à la ligne sans marquer le lien entre les deux paragraphes. Il est évident cependant que le mécontentement qui règne explique, justifie l'affirmation précédente. La situation est anormale, comme le montre ce mécontentement. Quand nous donnons un exemple pour appuyer un jugement, quand nous motivons ce jugement, la charnière "en effet" apparaît tout naturellement entre les deux. Ce n'est pas le cas en anglais.[*]

Type D/A :

"He has more and better hospital accommodation... :

---

(36) On notera que les dictionnaires ne peuvent pas donner de bons équivalents de "en effet", parce qu'il leur faudrait citer autant d'exemples que de situations. Beaucoup d'Anglais sont portés à traduire "en effet" par "in fact", qui correspond au français "en fait". Mais au fond, "en fait" est le contraire de "en effet" : "Il a dit qu'il s'en occuperait, en fait c'est moi qui ai tout fait / il a dit qu'il s'en occuperait, et en effet il a fait tout le travail".

Il jouit *en effet* de services d'hospitalisation plus vastes, plus perfectionnés..."

L'anglais n'éprouve pas le besoin de marquer, comme le fait le français au moyen de "en effet", le rapport entre cette phrase et celle qui précède. Il s'agit d'un rapport explicatif.

Type C/A :

"They have to be installed in metropolitan districts... and *also* in areas where... (Texte de l'OACI où l'auteur insiste sur l'importance des aérodromes, etc.) :

Au lieu d'une conjonction de coordination, le français préférera montrer dès le début les deux aspects de la question par l'emploi d'une tournure dichotomique

"tantôt... tantôt" ou "non seulement... mais encore"

Remarquons en passant que "tantôt... tantôt" est beaucoup plus fréquent que le "now... now" anglais.

D'autre part, dans la mesure où cette phrase révèle un certain heurt entre les circonstances mentionnées auparavant et la nécessité d'avoir des aérodromes dans deux sortes d'endroits différents, le "have" risque de porter un accent d'insistance que nous rendrons par "or", qui fait ainsi office à la fois de charnière et de compensation.

Type C/A :

"...the drive for a uniformly high standard presents national problems to every government, and international ones as well."

Comme cette phrase est une conclusion, nous expliciterons le rôle qui lui est assigné dans l'ensemble par l'adjonction d'un "donc". De plus, comme nous l'avons fait précédemment, nous marquerons beaucoup plus tôt que l'anglais, qu'il y a un double problème :

"La recherche de standards uniformément élevés présente *donc* pour chaque gouvernement des problèmes tant sur le plan national que dans le domaine international."

Type D/A :

"Nous feignons d'en parler en savants, en psychologues, avec un cynisme apparent, mais en nous quelque chose proteste, et ce conflit intérieur se traduit par des troubles physiologiques... *Or* l'alcool nous sauve... *oui*, l'alcool nous affranchit pour quelques heures de la conscience puritaine".

(A. MAUROIS, *La Machine à lire les pensées.*)

Dans la traduction anglaise de ce passage "or" n'a pas été retenu, ce qui confirme notre théorie que l'anglais peut se passer facilement de ce mot introductif. Le "oui" est traduit littéralement. "Alcohol comes to our rescue; yes, it delivers us for a few hours..." On pourrait sans doute l'omettre lui aussi, en mettant "delivers" à la forme d'insistance : "It *does* deliver us..."

Type D/B :

"The walls of Roman London burst with the compelling growth of the City's trade... (Court historique de la ville de Londres) :

L'enceinte de la Londres romaine dut bientôt céder sous la poussée vigoureuse du..."

L'adjonction de "devoir" et de "bientôt" semble être une exigence de l'esprit français. Elle permet de rendre la nuance que cet éclatement de la ville a été le résultat d'une pression qui a fini par triompher. La phrase anglaise ne marque pas explicitement les deux temps de l'opération : la poussée et la rupture.

Type C/A :

"We ate sandwiches and crackers..., and were thirsty and tired, and glad when we finally were out and on the main road back to town..." (Hemingway)

Même en essayant d'écrire comme Hemingway il est douteux que le français s'accommode de deux "et" de suite. Le "when" lui-même fera place à une articulation plus serrée :

"Nous avons mangé des sandwiches et des biscuits salés. Nous avions soif et nous étions fatigués, de sorte que nous n'avons pas été fâchés de rejoindre la grand-route qui nous ramenait à la ville."

C'est une des caractéristiques du style de Hemingway d'utiliser très peu de charnières. Il est possible, surtout en français moderne, de procéder de même, jusqu'à un certain point.

Il arrive un moment cependant où, comme nous venons de le voir, le procédé se heurte à nos habitudes mentales. En voici un nouvel exemple, également tiré de Hemingway, et qui montre la tendance du français à lier les faits par le raisonnement.

"We shot two, but then stopped, because the bullets that missed glanced off the rocks *and* the dirt, *and* sung off across the fields, *and* beyond the fields there were some trees along a watercourse, with a house, *and* we did not want to get into trouble from stray bullets going toward the house. (Hemingway, *Winner Take Nothing*):

Nous en tuâmes deux, mais jugeâmes ensuite prudent de nous arrêter, car les balles qui les manquaient ricochaient sur les rochers *et* sur la terre, *et* risquaient d'aller se perdre du côté d'une maison qu'on voyait au delà des champs, à proximité d'un cours d'eau bordé d'arbres, *et* nous aurions pu nous attirer des ennuis."

L'un des "and" anglais a été éliminé. De plus, l'idée de risque a été explicitée. La traduction laisse échapper la notation de son, par contre elle fait davantage place à la réflexion du sujet parlant. Elle est un bon exemple de **subjectivation** (187). Si on ajoute qu'elle trahit un plus grand souci d'élaboration, on voit qu'elle rend compte, en quelques lignes, d'importantes différences entre les deux langues.

Ponctuation et charnières

§213.   Nous avons montré plus haut (162-4) que la ponctuation était un ensemble assez peu cohérent de marques destinées à découper le message en grandes unités. Nous pouvons maintenant ajouter que la ponctuation est un type particulier de charnières. Le traitement est en effet bien présenté par les deux points /:/, l'incidente par les parenthèses, les crochets parfois, et surtout les tirets, dont les deux langues font également usage. La mise à la ligne d'une phrase, le renforcement des paragraphes pour détacher une série d'arguments, l'espace blanc plus ou moins grand qui entoure certaines parties du message, voilà autant de façons graphiques d'articuler le texte.

En fait il faut considérer, sous cet angle, la ponctuation comme l'un des systèmes dont dispose l'écrivain pour mettre son texte en relief. Si l'on songe à l'importance considérable qu'attachent certains auteurs, surtout les poètes, à la disposition typographique de la page (au point de se laisser influencer parfois par la forme de certaines lettres) — si, d'autre part, on se souvient que certains linguistes considèrent le français comme une langue faite surtout pour l'œil (Cf. Galichet, *op. cit.*, p. 116), on accordera volontiers une place aux problèmes de présentation graphique dans le cadre plus vaste de la stylistique comparée.

Parmi tous les exemples que l'on pourrait citer à l'appui de notre thèse, ne retenons que les plus marqués :

— Présence d'une virgule en français avant "et" (162-163) permettant d'interpréter cette conjonction comme la première partie d'une dichotomie (Traitement) : "Un arrangement financier de ce genre serait avantageux, et pour les Provinces qui veulent des subventions, et pour le gouvernement fédéral qui a des surplus à distribuer." (*Le Devoir*, 12 novembre 1956).

— Présence d'un point et virgule annonçant dans un texte anglais la fin d'une énumération : "His hair was brown and crisp, his hands were large, reddish, intelligent, the veins stood out in the wrists; and his thighs and knees seemed massive." (D.H. Lawrence, *England, my England*, p. 78). Noter que la phrase est curieusement ponctuée, comme si l'auteur travaillait par petites touches séparées; le point et virgule, venant avec "and", renforce pour un lecteur anglais la virgule qui se trouve habituellement dans cette position et joue le rôle de charnière de terminaison.

— Présence d'un tiret, conjugué avec une phrase très courte, concédant un point de l'argumentation, annonçant en même temps une nouvelle phase du dialogue : "Mais il s'agit d'un mystère (ajoute-t-on) où vous-même, qui menez l'enquête, êtes tout le premier transformé. — Il se peut." (J. Paulhan, *La Preuve par l'étymologie,* p. 91).

§ 214. Plus subtile que ces signes de ponctuation est la disposition matérielle du texte imprimé. Le fait d'aller à la ligne, par exemple, représente une charnière aussi explicite et aussi importante que le fait de commencer une phrase par : "En conclusion..." ; et on peut fort bien concevoir que deux langues ne considèrent pas sous un même angle la subdivision des textes en paragraphes. Les deux extrêmes, — paragraphe très long à la Proust ou à la Ruskin, paragraphe très court, de quelques mots, à la Victor Hugo — produisent chez le lecteur des effets voulus. Ce sont donc des moyens stylistiques non négligeables. Dans un texte de philosophie, au contraire, le découpage sera plutôt un moyen de faire ressortir le déroulement de l'argumentation : les paragraphes seront des charnières.

Dans la traduction d'un texte, il faut donc admettre que le traducteur a droit à une grande liberté dans la présentation du message LA ; c'est ce qu'exprimait fort bien Hilaire Belloc dans son article théorique sur la traduction (*op. cit.*) : «The translator must be emancipated from mechanical restriction, of which the two chief forms are the restriction of space and the restriction of form.» La liberté sur le plan de la forme, qui doit être canalisée par des procédés à la fois souples et codifiés, fait en somme l'objet principal de nos préoccupations. La liberté de découpage est plus difficile à codifier parce qu'elle porte sur de très longs messages ; mais elle n'en est pas moins essentielle, et l'on peut aisément fausser le déroulement d'un argument par le simple décrochage d'un paragraphe au mauvais endroit.

Nous pouvons donc poser en principe que, dans le cas surtout d'une langue "liée" comme le français, le découpage des paragraphes est une charnière du message, qui doit être rendue en LA au même titre que les autres unités de traduction. Il semble bien que cette liberté d'articulation ne soit pas toujours reconnue aux traducteurs de textes officiels ; par exemple dans les publications bilingues de l'ONU, on semble attacher un certain prix à ce que les deux textes aient le même découpage. Un tel procédé facilite certainement la consultation de l'ouvrage par les délégués au cours d'une discussion ; mais il est dangereux d'en faire une règle absolue. D'ailleurs, une rapide statistique effectuée à partir de documents bilingues canadiens et européens montre que, pour un même texte, les paragraphes anglais sont moins nombreux que les paragraphes français et ne tombent pas toujours au même endroit.

§ 215. Ne prenons qu'un exemple, en terminant ; nous l'emprun-tons à un texte décrivant la fabrication du fromage de Cheddar. A la fin d'un assez long paragraphe, on trouve cette phrase :

"...It was here that Cheddar cheese was first systematically manufactured by Joseph Harding, an enterprising and progressive farmer.

He systematized the crude methods of farmers of that section of England and it was his method of manufacture that became the model for cheese-making in America."

Pour un lecteur français, il n'y a pas d'idée nouvelle entre ces deux paragraphes et le traducteur doit pouvoir les grouper ensemble, comme il l'aurait sans doute fait spontanément s'il avait rédigé ce texte en français. Il est possible cependant que le découpage anglais ait voulu mettre un accent d'insistance sur "He systematized", que l'on pourra rendre alors par un tour de présentation : "C'est à lui que l'on doit le procédé de fabrication, etc.". Nous sommes là sur un plan très délicat du message, où les procédés d'articulation sont indirects, parfois confusément sentis plutôt que systématiques ; il est très probable que, dans une large mesure, de tels procédés ne seraient pas réversibles (cf. Retraduction 178) et que nous tou-chons ici à l'une des limites de la traduction systématique qui est le but pratique de la stylistique comparée. Nous pourrions donc poser, en anticipant la conclusion du présent ouvrage, que dans la mesure où les techniques de la traduction que nous avons dégagées sont susceptibles de réversibilité, elles rentrent dans un système structu-ral classifiable et jusqu'à un certain point mécanique. Tout le reste, en traduction, est subjectif et relève de la création littéraire.

CHAPITRE V

LA MODULATION DANS LE MESSAGE

§ 216. A propos du lexique (75), nous avions laissé entendre que la question de la modulation serait à reprendre dans le cadre du message. Rappelons en effet qu'une modulation, en stylistique comparée, est un changement de point de vue ; or, comme on pouvait s'y attendre, un tel changement n'est pas conditionné par la seule structure ; s'il en était ainsi, toute modulation serait à considérer comme un phénomène figé. On constate au contraire que les solutions obliques, au niveau du message, ne s'imposent pas d'elles-mêmes. Un traducteur peu expérimenté, ou peu curieux de dépasser la surface des choses, ne sent pas spontanément le besoin de recourir à un changement de point de vue [37]. Envisagée sous cet aspect, la modulation devient la pierre de touche du bon traducteur, du traducteur qui a "du métier", alors que la transposition révèle simplement une bonne connaissance de LA. La modulation s'explique par la métalinguistique (246 sq.) et le démontage de son mécanisme devant une classe d'étudiants assez avancés pour en saisir la finesse et la pertinence, est l'un des exercices les plus formateurs, sur le plan culturel, que permettent les techniques de la traduction.

Aussi bien, nous avons assez longuement insisté sur la modulation lexicale pour que la légitimité du procédé apparaisse même à ceux qui n'en seraient pas persuadés. L'équivalence indiscutable entre deux unités du lexique telles que "firewood" et "bois de chauffage" permet de procéder par analogie dans le domaine du

---

(37) Plus la structure s'impose à un individu et moins il pense à recourir de lui-même aux solutions obliques. C'est le cas des populations bilingues, chez lesquelles la traduction n'est trop souvent qu'un simple calque des structures étrangères. Il faut ajouter à leur décharge que fréquemment ces populations parlent deux langues, mais tendent de plus en plus à partager une même culture, et par conséquent une même métalinguistique ; il devient de ce fait difficile de recourir à des modulations, qui sont précisément l'indice de divergences métalinguistiques.

message : "Don't stoop! : Tenez-vous droit!" Reste à défendre le changement de point de vue ; il est certain que "stoop" est plus direct que "se pencher", et que l'ordre : "Ne vous penchez pas" serait ambigu ; en fait, "stoop" exprime une attitude, qu'il faudrait rendre par une phrase négative : "ne vous tenez pas penché comme ça, ne vous voûtez pas ainsi". Nous serions ici, comme c'est fréquemment le cas, dans un domaine à cheval sur la structure (difficulté d'utilisation de "se. pencher") et sur la métalinguistique : préférence pour les ordres positifs : "Taisez-vous !" plutôt que : "Ne parlez pas!", donc "Tenez-vous droit" plutôt que "Ne soyez pas penché".

Dans la presque totalité des exemples, l'explication de la modulation est à chercher exclusivement dans la métalinguistique. Soit le verbe "to fill" : le français n'emploie guère cette image pour indiquer une satisfaction gastronomique : "Je suis plein, je suis rempli" ne se disent guère ; "j'ai le ventre plein" est vulgaire. Il faut voir là une conséquence de la "civilité puérile mais honnête" de nos grands-parents, auxquels répugnaient certains mots tels que "manger", "boire", "digérer", etc. Ces tabous culturels obligent le traducteur à des changements de point de vue qui n'ont aucune excuse structurale, et qui par conséquent ne s'imposent pas à tous les usagers de LA avec une force égale. L'affiche de Coca-Cola qui proclame : "Coca-Cola refreshes without filling" (variante: "Coca-Cola does not fill") ne peut se traduire littéralement, d'autant plus que le sens de "fill" est subjectif. Les traducteurs canadiens ont bien vu la nécessité d'une modulation : "La boisson légère, qui rafraîchit." C'est une modulation par renversement, dont on peut trouver de nombreux exemples.

§ 217. A la différence des exemples d'équivalences et surtout d'adaptation, dont nous parlerons dans les deux derniers chapitres, la modulation a donc des causes qui participent à la fois de la pensée et de la structure. On pourrait poser en principe que la modulation exprime, d'une façon générale, l'opposition entre deux raisonnements et qu'elle est, de ce point de vue, un indice de divergence (31) entre deux langues, traduisant ainsi une divergence entre deux attitudes mentales vis-à-vis d'une même situation. Nous pensons en particulier aux modulations qui permettent au français de rester sur un plan conceptuel, par opposition au plan sensoriel où évolue l'anglais : "I read in the paper : j'ai appris par les journaux", par opposition à : "j'ai vu dans les journaux", qui indique un mode plus succinct de connaissance : "I heard of your appointment : j'ai appris (la nouvelle de) votre nomination".

Les deux exemples ci-dessus, représentant des points de départ différents (mots images), aboutissent en français à un même concept abstrait (mot signe), soit "read, heard : appris". Voici d'autres exemples de modulation exprimant cette même tendance :

"Have your secretary write us for a demonstration : Que votre secrétaire nous demande une démonstration". Mais la secrétaire elle-même est-elle indispensable ici? "Faites-nous la demande d'une démonstration. Demandez-nous une démonstration". Le français simplifie le réel, lorsqu'il consent à l'évoquer : "Phone for a taxi : Appelez donc un taxi" ("appeler" laisse implicite le moyen de communication); "I boarded a west-bound train at Winnipeg : j'ai pris à Winnipeg un train pour l'ouest". "He had dinner an hour earlier : Il avança son dîner d'une heure". "Ils passèrent dans un rapide mouvement : Quick-moving feet pattered by." "He stood looking at the sea : Il s'arrêta pour contempler la mer". "Pour" implique une volition de la part de l'agent ; l'anglais constate seulement que ce dernier est immobile et regarde la mer ; il a très bien pu le faire sans le vouloir. C'est le même scrupule, la même défiance du jugement de valeur qui fait dire à un Anglais, auquel on demande la permission de téléphoner : "I'm afraid we're not on the telephone : Je regrette, mais nous n'avons pas le téléphone."

Ce passage du plan du réel au plan de l'entendement, que la modulation permet de réaliser tout en conservant intact le sens du message à traduire, n'est sans doute que l'une des raisons profondes qui justifient ce type de passage. Si, dans l'état actuel des recherches en ce domaine, il est difficile d'aller plus loin, il n'est pas inutile par contre de tenter un classement des différentes espèces de modulation.

Différentes espèces de modulations

§ 218. Le classement proposé ci-dessous se base sur la nature des opérations mentales que représente chacune des modulations ; par exemple, entre la phrase "to hang up the washing" et sa traduction "étendre le linge", il y a passage d'une vue concrète de la situation (hang, washing) à une vue plus abstraite (étendre, linge). Même si l'opposition "hang/étendre" est à la rigueur discutable, le mot français ayant fort bien pu naître à une époque où l'on faisait sécher le linge en l'étendant sur l'herbe, le terme "washing", lui, est plus concret que "linge" ; nous classerons donc cette modulation comme le passage du concret à l'abstrait (Type N° 1) qui s'applique, notons-le en passant, aussi bien dans un sens que dans l'autre : Les modulations sont réversibles, au même titre que les autres procédés de traduction.

Remarque. On retrouvera tout au long de cette liste les procédés classiques de la rhétorique, procédés qui étaient appliqués en général à une seule et même langue. C'est ainsi que le procédé N° 1 rappelle la métonymie ; le N° 3 la synecdoque ; le N° 6, la litote, le N° 9 la métalepse, etc. Il est intéressant de retrouver, dans la subdivision en deux grandes classes des figures de rhétorique, l'ambivalence déjà notée pour les modulations ; celles-ci se trouvent en effet à cheval sur la structure et la métalinguistique, d'où leur répartition en figures de pensée et figures de mots ou tropes. Le lecteur retrouvera dans la liste ci-dessous sensiblement les mêmes divisions que pour les modulations lexicales (76).

§ 219. *Procédé N° 1* : **L'abstrait pour le concret** (ou encore le général pour le particulier).
— ...and I don't mean maybe : ...et je ne plaisante pas [1]
— To sleep in the open : Dormir à la belle étoile
— She can do no other ⎰ Elle ne saurait faillir à sa mission ;
                 ⎱ Elle ne saurait agir autrement.
— THIS IS YOUR RECEIPT (Sur une facture) : Reçu du client.
— Buy Coca-Cola by the carton : Achetez Coca-Cola en gros
        (ou encore "à la douzaine", qui reste plus abstrait que "carton")
— Give a pint of your blood : Donnez un peu de votre sang.
— This parcel may be opened for inspection :
    Peut être ouvert d'office.

Le français préfère insister sur les droits de l'administration des douanes plutôt que sur la mesure particulière qui en est la manifestation, dans ce cas l'ouverture du colis.

Cas particulier du procédé N° 1 : les "fausses abstractions" de l'anglais.

Un certain nombre de mots anglais recouvrent une conception de l'abstraction généralisée qui rend leur traduction très délicate en français. Ces mots sont reconnaissables au fait qu'ils tiennent souvent lieu de toute une proposition antérieurement exposée ; ce sont des espèces de déictiques abstraits. Le français, contrairement à ce qu'on attendrait, rendra ces mots par des termes concrets ; on effectue ainsi une modulation inverse allant vers le particulier, ce qui s'explique par ce caractère déictique, faussement abstrait, des exemples anglais.

Il a déjà été question de ces mots à propos du lexique (45). Nous avons vu comment, pour traduire "conditions" dans "Glass subject to such conditions is liable to break", il fallait se demander de quelles conditions il s'agissait, la réponse étant, en l'occurrence, "écarts de température". "Installation" rendra souvent "facilities". C'est un mot très général, bien que son extension soit moindre que celle de "facilities". Mais dans certains cas il devra faire place à un terme plus précis. Ex. : "mooring facilities : coffres d'amairage".

On rattachera au procédé N° 1 le passage du pluriel (collectif) au singulier, ainsi que celui de l'article indéfini à l'article défini.

— I saw two men with huge beards :
  Je vis deux hommes à la barbe de fleuve...
— Two priests over glasses of beer at a café (Sinclair Lewis) :
  Deux ecclésiastiques attablés devant un bock...
— Troops can never be expected to fight on empty stomachs :
  Il ne faut jamais demander aux troupes de se battre le ventre vide.
— Je la vois les yeux fermés : I can see her with my eyes closed.
— I wouldn't lift a finger : Je ne lèverais pas le petit doigt. **

§ 220. *Procédé N° 2* : La **modulation explicative.**

Cette modulation se retrouve sous diverses formes : la cause pour l'effet, le moyen pour le résultat, la substance pour l'objet. C'est une des modulations les plus caractéristiques du français, en ce qu'elle suppose une analyse de la réalité et un jugement de valeur sur cette dernière :

This baffles analysis : Ceci échappe à l'analyse.
You're quite a stranger : On ne vous voit plus.
The sequestered pool (W. Irving) : L'étang mystérieux.
Paris on Berlin Time : Horloge de Paris, Heure de Berlin.

§ 221. *Procédé N° 3* : **La partie pour le tout.**

Dans cette rubrique, nous classons les modulations qui reposent sur l'application d'une caractéristique particulière à un ensemble (synecdoque), et qui sont à la base des variantes oratoires : *Le Palais Bourbon*, pour le parlement français ; *le septième art* pour le cinéma ; *la cité Phocéenne* pour Marseille ; *Auld Reekie* pour Edimbourg,

(38) Nous retrouvons ici, à un autre point de vue, les cas étudiés à propos des marques.

the Windy City pour Chicago, etc. Nous aurons l'occasion d'y revenir
à propos des allusions prestigieuses (233).

Autres exemples :
— The islands had been the scene of several attacks :
    Ces îles avaient été le théâtre de plusieurs attaques.
— He shut the door in my face : Il me claqua la porte au nez.

§ 222. *Procédé N° 4* : **Une partie pour une autre.**

— He cleared his throat : Il s'éclaircit la voix.
— He read the book from cover to cover :
    Il lut le livre de la première à la dernière page.
— The railway that spans Canada from coast to coast :
    Le réseau qui dessert tout le Canada (ou : qui s'étend d'un
    océan à l'autre ; qui relie l'Atlantique et le Pacifique)

Ce dernier exemple est également une explicitation, puisque
"coast to coast" pourrait s'appliquer en fait à bien des pays.

§ 223. *Procédé N° 5* : **Renversement des termes.**

— The reckless swoops downhill :
    les plongeons effrénés du haut des collines (cf. texte N° 4)
... as if he owned the house : comme si la maison lui appartenait.
— His clothes hung loosely around him :
    Il flottait dans ses vêtements.
— I saw the town with the hill and the old castle above it with
    the mountains beyond (Hemingway) :
    Je vis la ville dominée par la colline et le vieux château,
    sur un fond de montagnes.
— This figure is made up as follows :
    Ce chiffre se décompose comme suit.
— Don't call up the stairs : N'appelle pas du bas de l'escalier.
— Yield right of way :
    Priorité à gauche. (voir équivalences § 230).
— He had a hunch that all was not well :
    Il eut le sentiment qu'il y avait quelque chose qui n'allait pas.
— You can have it : Je vous le laisse.

§ 224. *Procédé N° 6* : **Le contraire négativé.**

— It does not seem unlikely that... : Il est fort probable que...
— He made it plain... : Il n'a pas caché que...

— Men will not always die quietly (J. M. Keynes) :
Les hommes ne mourront pas toujours sans se plaindre.
— He has a guilty conscience :
Il n'a pas la conscience tranquille.
— Come along quietly (policeman to man being arrested) :
Suivez-moi sans protester.
— a minor detail : un détail sans importance.
— little thinking that... : ne se doutant guère que...
— Forget it! : N'y pensez plus.
— with small hope of : sans grand espoir de
— The line's busy : La ligne n'est pas libre.
— Don't make me laugh : Laissez-moi rire.
— I know as little as you do about it :
Je n'en sais pas plus que vous.
— to keep Germany down by force :
empêcher par la force le relèvement de l'Allemagne. (TR et
MOD)

§ 225. *Procédé N° 7* : **De l'actif au passif,** ou vice-versa.

Il en a été question à propos de la voix (120).

§ 226. *Procédé N° 8* : **L'espace pour le temps.**
— This in itself (lieu) presented a difficulty :
Cette opération présentait déjà (temps) une difficulté.
— Where my generation was writing poetry... these youngsters
are studying radio scripts :
Alors que ma génération faisait des vers... les jeunes d'au-
jourd'hui travaillent des textes pour la radio.
— Where earlier it was enough to obey the law now it is required
to expound it (L. Kronenberger) :
Alors qu'autrefois il suffisait d'observer la loi, il faut main-
tenant la faire connaître.
— I see him there, Bringing a stone, etc... (R. Frost) :
Je le vois encore, Agrippant fermement dans chaque main
une pierre, etc.

§ 227. *Procédé N° 9* : **Intervalles et limites** (*de l'espace ou du
temps*).

Dans le cas du temps la limite devient une date, et l'intervalle
une durée. Cette modulation, qui joue un grand rôle dans les consi-

dérations ethnologiques, sera reprise à propos de l'adaptation (253). Citons-en deux exemples :

1) *dans le temps :*
— For the period under review : Depuis notre dernier numéro.
2) *dans l'espace :*
— No parking between signs : Limite de stationnement

§ 228. *Procédé Nº 10* : **Changement de symbole.**

On se rend bien compte, en comparant des métaphores figées (cf. la moutarde lui monta au nez, as like as two peas, etc.) que la symbolique des deux langues s'appuie tout naturellement sur des images différentes. Dans la recherche de la modulation, le traducteur aboutira ainsi à des changements de symboles, pour éviter une surtraduction qui consisterait à garder à tout prix la métaphore originale, même si celle-ci crée dans l'esprit du lecteur un effet de surprise, voire de dépaysement :

He earns an honest dollar : Il gagne honnêtement sa vie.
He plays second fiddle to him : Il joue les utilités.
gossamer fidelity (Poe) : fidélité de gaze (Baudelaire)
Hollow Triumph : Château de Cartes.
Trade followed the flag : Les soldats firent place aux commerçants
No one sees them fall : Elles tombent sans témoin.
the white man's burden : le fardeau de la civilisation ".

§ 229. **La modulation figée dans le message :**

A plusieurs reprises, au cours des exemples ci-dessus, on aura noté que la modulation s'imposait d'elle-même, globalement en quelque sorte. C'est qu'on avait affaire à des modulations figées, correspondant sur le plan du message aux modulations figées du lexique (75-76) du type "fireboat : bateau-pompe". Nous appelons ces modulations figées syntaxiques des **équivalences,** et nous en traitons en détail dans le prochain chapitre. (ex. : Vous l'avez échappé belle : You've had a narrow escape).

Cependant, avant de quitter le domaine des modulations libres,

---

(39) Il faut bien noter que les modulations, comme les transpositions et d'une façon générale les principaux procédés de la stylistique comparée, sont susceptibles de se combiner entre eux ou à d'autres procédés. Soit la phrase : "Let sleeping dogs lie : Il ne faut pas réveiller le chat qui dort". On peut la considérer comme un tout, et dire que la phrase française est un équivalent (230). On peut aussi la découper en : "Let/Il ne faut pas" (Modulation Nº 6) ; "dogs/chat" (Modulation Nº 10) ; lie/réveiller (Modulation Nº 5).

il convient de noter que ces dernières ont naturellement tendance à se figer dans la mesure où elles frappent l'esprit du lecteur et où elles acquièrent une notoriété publique. Il y a donc une différence entre le parallélisme des équivalences, qui se sont créées indépendamment dans chaque langue, devant une même situation — et à ce point de vue, on pourrait rechercher l'extension géographique plus ou moins grande des équivalences : "There's no room to swing a cat : C'était grand comme un mouchoir de poche" — et la diffusion d'une métaphore avec traduction-calque dans les autres langues : "le rideau de fer : the iron curtain" ; "the policy of containment : la politique d'endiguement" ; "the rollback policy : la politique de refoulement", etc. Cette création stylistique, suivie de stabilisation et de traduction, est donc un processus normal pour la création d'équivalences ; on peut citer en exemple l'émergence progressive de la formule "a new deal", venue spontanément sous la plume de Mark Twain pour se figer dans un sens politique chez Roosevelt : the "New Deal" (d'où les autres "deals" politiques, le "Fair Deal", etc.)

Dans la mesure où une modulation se fige, sa traduction viendra plus rapidement à l'esprit du traducteur pour finalement s'imposer d'un seul coup, et apparaître dans les dictionnaires. C'est ce processus que nous allons maintenant étudier.

CHAPITRE VI

L'ÉQUIVALENCE ET L'ALLUSION DANS LE MESSAGE

§ 230. L'équivalence participe de la même démarche que la modulation ; elle découle d'un changement de point de vue opéré par rapport à LD ; mais elle va beaucoup plus loin et quitte le domaine de la parole pour pénétrer dans celui de la langue. En effet, si l'on analyse les segments soumis à l'équivalence, on constate que la complexité de l'attitude de LD devant la situation est telle qu'on ne peut plus appliquer les opérations habituelles de la traduction ; l'équivalence, contrairement aux autres passages, s'impose du premier coup, une fois reconnue la valeur exacte du segment à traduire.

L'équivalence part donc de la situation et c'est là qu'il faut en chercher la solution en LD ; ce procédé permet de rendre compte d'une même situation en mettant en œuvre des moyens stylistiques et structuraux entièrement différents. Considérées sous cette forme figée, les équivalences pourront donc figurer dans des répertoires [40], sous des étiquettes variées : gallicismes, idiotismes, proverbes, phrases idiomatiques, etc. Nous verrons que nous pouvons élargir encore le domaine de l'équivalence, et que ces répertoires ne sont jamais complets de ce fait.

Toutes les équivalences participent au même processus de reconnaissance globale, basée sur une connaissance poussée des deux langues, abandonnant l'analyse des UT pour ne retenir que la situation. Par exemple, on traduira "Open to the public" par "Entrée libre", s'il s'agit d'un endroit que l'on peut visiter gratuitement, par "Visites organisées" dans le cas contraire. Il y a bien un rapport analytique entre les groupes "Open/Entrée" (transposition) et "to the public/libre" (modulation) ; mais il est plus simple de traiter "Open to the public" comme un segment non analysable, auquel peuvent corres-

---

(40) Voir en particulier Y.P. de Dony, *Léxico de Lenguaje Figurado* (Castellano, Français, English, Deutsch). Buenos Aires, Desclée de Brouwer, 1951.

pondre plusieurs segments LA également non analysables ; le choix entre ces segments dépend donc totalement de l'appréciation de la situation.

Autres exemples : "Take one", analysé en UT, donnerait : "Prenez-en un", qui est une traduction acceptable ; mais, sur une étiquette posée devant une pile de boîtes dans un grand magasin, on traduira par une équivalence : "Echantillon gratuit". "French keyboard", appliqué à une machine à écrire canadienne, au Canada, sera considéré comme un message analysable, comportant deux UT, et traduit par "clavier français" ; en Angleterre, cette phrase se rapportant à une machine à écrire française, sera considérée comme un tout, et rendue par l'équivalence "Clavier universel". Il en va de même de "French cleaning", qui se rend en France par "Nettoyage américain", "invisible mending : stoppage", etc.

§ 231 Une fois reconnu le caractère global d'un segment du message, il devient évident que toute traduction serait une surtraduction, et partant un contresens. Vouloir analyser la formule figée anglaise qui s'étale partout à l'époque des fêtes : "Greetings of the Season" aboutirait à un non-sens : "Compliments de la saison", malheureusement trop répandu au Canada. Si l'on considère au contraire cette phrase comme un tout, on recherchera des équivalents du type : "Meilleurs Vœux de...", "Bon Noël...", "Bonne Année", etc. Il faut d'ailleurs remarquer que la coutume voulant qu'on échange des cartes coloriées et impersonnelles pour la Noël est d'introduction relativement récente en France : autrefois, on échangeait des cartes de visite, ou des lettres de nouvel an, qui comportaient des formules stéréotypées, sans doute, mais jamais aussi générales que la formule anglaise ci-dessus.

Pour explorer le domaine de l'équivalence, qui joue un rôle essentiel en traduction, nous nous servirons du principe directeur suivant : contrairement aux autres segments du message, qui font allusion à une situation que l'énoncé révèle progressivement à l'auditeur, les segments figés font allusion à une situation déjà connue, soit globalement, soit dans ses grands traits. Cette allusion est prosodique, dans ce sens qu'elle coiffe en quelque sorte l'ensemble d'un message, et s'oppose à l'analyse des unités qui le composent. La force de l'allusion est si grande qu'elle n'a pas besoin de marques linguistiques pour s'imposer. On le constatera en lisant les deux messages suivants : "Le canal apportait de l'eau à son moulin/cet argument apportait de l'eau à son moulin : the conduit brought water to his mill/this argument brought grist to his mill". Il importe donc d'examiner comment fonctionne le principe de l'allusion, qui nous paraît être le facteur décisif dans la reconnaissance des équivalences.

§ 232. L'allusion prestigieuse.

M. Galliot, dans une étude récente ", utilise les expressions "réfé-rences flatteuses" et "allusions prestigieuses", pour caractériser les textes publicitaires qui exploitent la connaissance répandue dans le public de certains faits historiques, certaines valeurs culturelles et sociales, qui confèrent un éclat particulier au produit qu'on veut vendre.

Il est hors de doute qu'il s'agit bien là d'allusions, qu'il faudra rendre en traduction par des allusions équivalentes, ce qui ne laisse pas d'être très difficile à réaliser. En effet, ces allusions puisent tout naturellement dans un fonds national, et se prêtent mal à la transpo-sition dans une autre culture. Par exemple, la ville d'Agen étant célèbre pour ses pruneaux, une affiche portant : AGEN, SES PRU-NEAUX indique clairement le renvoi à un fait bien connu de tous, et le possessif "ses" est la marque d'une supériorité indiscutée sur toutes les autres sortes de pruneaux. Un restaurant qui s'intitule "Au Petit Vatel" fait évidemment allusion au Grand Vatel, et cette attitude de fausse humilité explique l'emploi fréquent de l'adjectif "petit" dans les enseignes, titres, etc. Un vin qui demande au public de se "rallier à son postillon blanc" spécule sur la célébrité des mots historiques d'Henri IV. Il est par contre peu probable que Vatel ou Henri IV puisse "passer" en traduction ; force nous sera de recourir à des équivalences.

On voit tout le parti qu'un auteur peut tirer du principe de l'allusion prestigieuse ; et c'est pourquoi la connaissance des allu-sions est une des tâches essentielles du traducteur, et s'acquiert par un contact journalier avec la culture et la civilisation reflétées dans LD. Avec l'équivalence, nous quittons définitivement le domaine structural pour entrer de plain-pied dans le domaine métalinguis-tique.

§ 233. *Exemples d'allusions prestigieuses dans les deux langues* :
— *en français*. allusions au 14 juillet, au 4 septembre, à "l'homme

---

(41) M. Galliot, *Essai sur la langue de la réclame contemporaine.* **Toulouse,** Privat, 1955, pp. 151 et 169 sqq.

du 18 juin" ; "la fille aînée de l'Eglise" ; "la laïcité" ; "la ligne bleue des Vosges" ; "la poule au pot" ; "le vase de Soissons" ; etc. — *en anglais*, allusions à un éléphant (the GOP), "farflung outposts", "the playing fields of Eton", "the deep South", "no taxation without representation", "the Boston tea-party", etc.

Nous plaçons dans cette catégorie les appellations de rhétorique, qui existent en français comme en anglais (elegant variations) (a) La Ville Lumière (Paris), l'Empire chérifien (le Maroc), la Régence (la Tunisie, mais ce pourrait être aussi une allusion à Philippe d'Orléans), le Quai d'Orsay (le Ministère des affaires étrangères de France) (b) "the Granite City" (Aberdeen), "the Athens of the North" (Edimbourg), "the Court of St. James's" (the British Court), "a Bourbon" (a conservative), "the Brahmin caste" (a conservative class of New Englanders), "the Old Dominion" (Virginia), "Old Glory" (the national flag of the U.S.), "the Old Colony" (Massachusetts), etc.

Si les premiers exemples se passent tout naturellement de commentaires pour un public français, les exemples anglais ou américains peuvent poser de sérieux problèmes ; en effet, beaucoup de ces allusions risquent de passer inaperçues pour un public non prévenu ; il convient donc d'étudier d'abord les allusions qui possèdent des marques linguistiques (234), pour s'élever progressivement aux segments dépourvus de toute marque, relevant par conséquent exclusivement de la métallinguistique des deux langues.

§ 234. Les marques d'allusion ordinaire.

Le cas le plus simple d'allusion ressort à la fonction déictique de certains mots, qui ont précisément pour but d'attirer l'attention du lecteur sur tel ou tel passage de l'énoncé. On sait que l'adjectif "déictique" signifie "qui montre du doigt" ; on l'emploie en stylistique comparée pour désigner la forme particulière d'actualisation qui relie un mot à un endroit précis du contexte ou de la situation (cf. Bally, *LGLF* § 41, 60, 125, 358). Dans l'analyse des segments, on pourra présenter les déictiques par des flèches ; certaines pointeront vers un élément passé du message (←this), d'autres pointeront vers des éléments à venir (this→), et la traduction, tenant compte des flèches, sera correctement orientée vers les déictiques français correspondants.

Ces déictiques font généralement allusion à des faits particuliers, contenus dans le message tel qu'il se déroule sous les yeux du lecteur ; il n'est pas question d'allusion "prestigieuse", mais le mécanisme en est le même. Il ne serait pas nécessaire de traiter ce sujet si la fonction déictique portait en anglais et en français sur des éléments de même nature ; mais tel n'est pas le cas. Soit le déictique anglais "the" ; non seulement il est plus déictique que le français "le", mais le sens du déictique anglais est orienté vers le passé : "←*The* balanced and integrated qualities which characterize French books (P. Hofer) : *Cet* équilibre, *cette* harmonie des parties qui caractérisent le livre français..." ; "←*The* din goes on all night (Hughes) : *Ce* vacarme se poursuit sans interruption toute la nuit..." (95). D'autres déictiques sont orientés vers le futur; par exemple, "this/these" que l'on trouve fréquemment dans les textes publicitaires ou officiels: (1) "these pages are contributed by a group of patriotic citizens". (2) "This is the third article of a series of informative columns on modern air travel." (3) "This is an advertisement" (Variante : "This space has been paid for by XYZ"). Tous ces déictiques ne passent pas en français, langue plus statique et qui préfère dans ces cas un substantif, précédé parfois, il est vrai, d'un démonstratif atone : (1) "Communiqué" (ou : Inséré sur demande) avec comme signature : "Un groupe de citoyens conscients de leurs devoirs". (2) "A suivre" ou "Suite et fin", selon le cas. (3) "Annonce payée".

Le principe de l'allusion simple repose donc en anglais sur des déictiques qui, en français, seront souvent transposés ou étoffés par des substantifs (92).

"*All that*" (←) part of the map that we do not see before us is a blank (Hazlitt) : *Toute* partie de la carte que nous ne voyons pas à l'instant même n'existe pas pour nous."

"It was necessary, of course, to give *the* baking dish (mentionné ici pour la première fois) fairly thick walls : *Un* plat allant au four exige en effet des parois assez épaisses". (Il s'agit de la fabrication du pyrex.)

"All the chief tea-growing countries ship *tea* (déictique zéro) to the Port of London : Tous les principaux pays producteurs de thé expédient *ce produit* sur le port de Londres."

"There is no future in the country if *this* (←) is allowed to prevail : Avec *un pareil* (→) *état d'esprit*, le pays est voué à la stagnation." On notera ici l'étoffement du déictique, qui explicite l'allusion que l'anglais se contente d'esquisser par le démonstratif. C'est pourquoi la traduction de "This in itself presented a difficulty", déjà citée ailleurs : "Cette opération présentait déjà des difficultés..." devra tenir compte de l'allusion, et choisir un substantif d'étoffement en connaissance de cause : "Ce fait", "ce phénomène", "cette solution", etc. Il y a en fait autant de solutions possibles que de situations.

Dans ce dernier exemple, le "this" déictique jouait un rôle de charnière ; il ne faut pas s'en étonner, puisque nous avons dit que les charnières sont les articulations du message, orientant ses segments tantôt vers le passé, (rappel), tantôt vers le futur (traitement, terminaison). Vues sous cet angle, les charnières sont donc des marques d'allusion simple, au même titre que les déictiques.

§ 235. Les marques d'allusion prestigieuse :

Le cas de "this" nous servira de transition pour entamer l'étude des allusions renvoyant à des faits déjà connus du lecteur et qui ne sont donc pas explicités par le contexte. Nous sommes ici au niveau le moins élevé de l'allusion ; il peut s'agir d'un fait divers, connu de la population d'une ville pendant quelques heures et vite oublié. Le cas est typique au Canada ; peut-être sous l'influence du "this" anglais, beaucoup de journaux français utilisent en manchette CE, alors qu'aucune allusion explicite ne justifie un tel déictique :
CETTE SITUATION NE PEUT PAS DURER / CE GARÇONNET REMPORTE UN PRIX / CETTE DÉCISION BIEN ACCUEILLIE A OTTAWA / etc. On se rend compte que la présence d'un déictique de ce genre, en tête d'un article qu'on n'a pas encore lu, est ambiguë, pour ne pas dire plus [42]. Il fallait utiliser les tournures nominales, généralement réservées aux titres et manchettes : SITUATION QUI NE PEUT PAS DURER, ou SITUATION INTOLÉRABLE (suivant le cas) ; DÉCISION BIEN ACCUEILLIE A OTTAWA. Pour le deuxième exemple, on préférera l'article indéfini, puisqu'il est encore moins "probable" que l'allusion soit connue des lecteurs : UN GARÇONNET REMPORTE LE PRIX DE... (Il vaudrait mieux préciser tout de suite de quel prix il s'agit, autrement on parle dans le vide). Une analyse rapide des titres du *Figaro* du 30 mars 1956 montre que la majorité des titres sont du type nominal : l'allusion, si allusion il y a, est donc sous-entendue : FRAUDE SUR LE TRANSPORT DES VINS ; PRUDENCE SANS ALARMISME ; RENFORTS POUR L'ALGERIE, etc. L'article défini fait allusion à des faits normalement connus : L'INDE N'EST PAS NEUTRE... ; LES PARISIENS PARTENT NOMBREUX EN VACANCES ; LE TIBET ACCUEILLERAIT LES AMERICAINS. On notera que l'anglais, dans ces cas, n'aurait pas de déictique du tout : INDIA NOT NEUTRAL ; TIBET REPORTED TO WELCOME AMERICANS or

---

(42) Mais là aussi, le français évolue, et l'allusion prestigieuse peut se servir de ce déictique ; cf. la réclame "C'est une chaise Flambo !" (*Vendre*, octobre 1953, p. 994). Ici, l'image ou la photo ont suffi à expliciter le déictique.

TIBET EXTENDS WELCOME TO U.S., MONTREALERS SEEK MOUNTAIN RESORTS, etc.

On comprend donc que l'emploi de "this ←" pose pour le traducteur français de réelles difficultés : dans une dépêche de Londres (*Montreal Star*, 21 novembre 1956), le correspondant écrit (deuxième colonne) "*This* reporter was unable to find out yet whether...". Rien dans les paragraphes précédents ne faisait allusion à un reporter, sauf le nom inscrit en haut de l'article ; la référence est donc à comprendre comme s'appliquant à l'auteur du texte : "*Je* n'ai pas encore réussi à m'assurer que...". Autrement dit, dans le cas de l'allusion, il faudra en français expliciter et trouver de quoi il s'agit. Le cas de "this government" (mon gouvernement, le gouvernement britannique, le gouvernement canadien, etc.) est semblable et peut donner lieu à de multiples équivalences. Cf. également : "this island : les Iles britanniques" ; "in this country : en Angleterre, aux Etats-Unis, au Canada"; "this country : la France, le Royaume-Uni", etc. On pourra vérifier ce fait en comptant la fréquence du mot "France" dans le discours d'un homme politique parlant à une tribune internationale ; au contraire, l'allusion directe à "the United Kingdom", "Canada", "the United States" dans un discours semblable prononcé par un Anglo-Saxon est relativement rare, alors qu'il se trouvera à peu près à coup sûr une allusion du type : "this ←".

L'allusion est plus directe avec la tournure "Your rapporteur", "Your Reviewer", "Your Committee", "Your Secretary", "Your Chairman" ; il faudra rendre ces tours par des substantifs étoffés. Cf. "en ma qualité de Secrétaire général", "en tant que Président", etc.

§ 236. *Le comparatif comme marque d'allusion :*

Le comparatif est normalement employé par l'anglais dès qu'il peut y avoir comparaison implicite entre deux notions. Cette tournure répugne apparemment au français, qui préfère la vision absolue à la vision comparative de l'anglais [43]. Nous pouvons considérer que souvent ce comparatif est une marque d'allusion prestigieuse. Dans une affiche pour un hôtel de Nassau, on lit "It's warmer down there". Une affiche de compagnie aérienne : "It's quicker by plane". Le superlatif, que l'on trouve aussi, nous surprend moins, parce que le français l'emploie volontiers : "Scarborough, Perfect for the children : Scarborough, Sa plage" ; "Rhode Island, America's First Vacation Land :

(43) Voir J.-P. Vinay, "Vision comparative et vision absolue" *Journal des Traducteurs*, 1-3 (1956) : 59-63, et supra (113).

L'endroit rêvé pour vos vacances" ; "Smith Hotel, North Shore's Finest : La Perle de la Rive Nord" ; "More for your money by ship : Voyagez par mer, Profitez de la vie!"

§ 237. Autres marques anglaises et françaises :

Le cas possessif anglais est souvent utilisé dans les journaux (par exemple *TIME*) pour indiquer qu'un personnage représente une entité considérable, qu'un nom est bien connu dans une certaine région . "France's Pineau"; "Miami's Lafayette"; "General Electric's Smith"; "Dewar's White Label"; notons à propos du dernier exemple, que le français développe à l'heure actuelle un déictique absolument comparable : "Le Dôme ; *Sa* cuisine, *Son* bar". Cf. aussi "Vichy, *Son* casino" ; "Nadeau, *Ses* chaussures de sport" ; etc. De marque morphologique qu'il est normalement, l'adjectif possessif devient alors marque d'allusion prestigieuse. On notera un cas semblable en anglais: "Morgan for fine shoes" (ce qui revient à dire "*famous* for fine shoes"). Au contraire, il semble que le français n'ait pas encore d'équivalent pour "France's Pineau" : "M. Pineau, représentant de la France", "M. Pineau (France)", "le délégué de la France" (sans mentionner les noms, ceux-ci étant plus rarement employés en français qu'en anglais).

On notera que l'emploi de "son" pour rendre l'allusion prestigieuse est plus automatique, moins varié que les tournures anglaises correspondantes. La conception de textes publicitaires français, plus courts que les textes anglais, est un nouvel exemple de la tendance intuitive et généralisatrice du français.

Voici quatre exemples tirés d'une même annonce relative à un hôtel qui aboutissent à un même déictique.

> Renowned European Cuisine : Sa cuisine
> Epicurean Wine Cellar : Ses vins fins
> Scenic Aerial Chair Lifts : Son monte-pente pittoresque
> Private Heated Swimming-pool : Sa piscine.

On remarquera par contre que le français a tendance de plus en plus à utiliser en publicité l'image comme déictique, de même qu'il utilise des flèches, des symboles, des notations conventionnelles sur les panneaux de signalisation et les avis officiels. Le français, moins déictique que l'anglais dans sa structure, a besoin de signes concrets pour s'exprimer pleinement.

§ 238. *L'article défini* : En français, et dans une certaine mesure en anglais, l'article défini est une marque caractéristique de l'allusion prestigieuse ; puisqu'en effet ce déictique doit obligatoirement faire allusion en français à un fait connu (*Le* problème de la Sarre), son emploi en dehors de toute allusion précise aiguille l'esprit vers des allusions prestigieuses ; d'où "*le* poulet Marengo", *le* canard de Brome" et autres petits plats qu'on trouve sur tous les menus qui se veulent chic ; noter "*le* sorbet maison", où "maison" est également une marque prestigieuse, s'opposant à tous les autres établissements qui font des sorbets. On a relevé récemment quelques exemples de ce déictique en anglais : sur un nouveau "Cunarder", les salles sont indiquées par "*The* Theatre", "*The* Lounge", "*The* Buttery" (également le nom d'un bar à Mayfair) ; on trouve maintenant des magasins s'intitulant "*The* Bootery", "*The* Pet Shop", ce qui représente peut-être une influence du français dans le domaine du commerce de luxe, où le snobisme joue beaucoup et où les termes français abondent. (La situation inverse est vraie aussi en français.)

§ 239. *Le "that" affectif de l'anglais.*

Il convient de traiter à part, le cas du "that" affectif anglais, qui doit s'entendre comme renvoyant le lecteur à un fait bien connu ; la difficulté de la traduction réside dans le fait que de telles allusions sont souvent ignorées du public français (la difficulté est moindre lorsqu'on traduit pour un public canadien) et qu'il faut par conséquent recourir à des **adaptations** (246 sq.) plutôt qu'à des équivalences.

En voici quelques exemples :

— Dans un texte de J. & S. Alsop (*The Herald Tribune*, octobre 1955) où il n'a jamais été question de yacht, on relève la phrase suivante : "She had better not buy *that* yacht, or do they spare her feelings by suppressing the bad news?". Il faut voir dans "yacht" un exemple typique de "dépense à ne pas faire" et traduire par une équivalence française : "Ce n'est pas le moment de jeter l'argent par les fenêtres". Il n'est pas sûr, en effet, qu'une traduction : "Ce n'est plus le moment d'acheter un yacht" ne créerait pas d'ambiguïté dans l'esprit du lecteur.

— On connaît l'affiche célèbre de Bovril représentant un passager en pyjama à cheval sur une bouteille du produit en question, et souriant de toutes ses dents ; la légende proclame : "Prevents *that* sinking feeling". Il y a là allusion prestigieuse (bien que désagréable) aux nausées du mal de mer, trop connues de tous les voyageurs empruntant la Manche, mais dont on aime mieux ne point trop parler, — sinon par allusion. Ce slogan est suffisamment passé dans les mœurs pour qu'on apprécie la phrase suivante de P.G. Wodehouse, qui devient une allusion à une allusion : "And I get that sinking feeling in the morning". Les Français, moins enclins à emprunter les voies maritimes, ne sont pas hantés par le mal de mer. Il faudra donc rechercher d'autres maux de nature à affecter la santé des gens le "morning after" (la gueule de bois?) : "Vous savez comme on se sent tout chose le matin au réveil" ; "on a l'estomac tout barbouillé en se levant" ; "vous savez" et "on" sont des dilutions de l'aspect prestigieux de "that".

— A propos du changement d'heure : un journal rappelle à ses lecteurs "And don't forget that clock on retiring! : Surtout n'oubliez pas votre pendule avant de vous coucher!".

— Lors d'une tempête de neige, des automobilistes ont été asphyxiés par les gaz de leur auto, parce qu'ils n'avaient pas ouverts les fenêtres : "The best advice is to keep *those* car windows open : le meilleur conseil qu'on puisse donner est de bien tenir les glaces ouvertes". "Bien" est une compensation.

— "It's a name [litterbug] a good many of us might well think of when we're about to toss that empty package out of the window of a car : C'est une épithète à laquelle beaucoup d'entre nous feraient bien de penser lorsque nous sommes sur le point de jeter un paquet de cigarettes vide par la portière."

— Il est d'usage aux Etats-Unis de distribuer des cigares lors de la naissance d'un enfant. D'où cette remarque : "Now we're ready for those cigars : C'est le moment où jamais de passer les cigares" (cf. "de payer une tournée", équivalence métalinguistique).

— Dans une réclame d'automobile, on déclare que l'auto est si stable que : "It sticks to the road like that white line!" Il faut savoir qu'il y a, sur les routes nord-américaines, une ligne de peinture blanche qui divise la chaussée en deux : "Elle colle à la route comme la traditionnelle ligne blanche ! " Dans un pays qui n'aurait pas de ligne blanche (ou qui utiliserait une autre couleur, le jaune par exemple), il faudrait transposer l'image.

— Un effet semblable, quoique généralement péjoratif, est obtenu avec "this/these" : "He is one of these artistic chaps (Galsworthy) : C'est encore un de ces artistes..." (dilution de "these" par "encore" et la ponctuation).

En terminant, citons le cas d'un anglicisme causé par une traduction-calque de "that" prestigieux : En parlant du bricolage américain, Y. Philip (*Le Devoir*, Montréal, 21 novembre 1955) écrit :

"Ce n'est pas par hasard qu'une photo de la Reine du Do-It-Yourself à l'exposition d'Oakland... nous la montre perchée sur son escabeau, tenant d'une main un marteau prêt à s'abattre sur *ce* malencontreux index de la main gauche". Pour qui a fait du bricolage, ou qui a lu Jerome K. Jerome, l'index en question est très significatif. Mais l'allusion n'est pas courante en français sous cette forme. On aurait pu chercher l'équivalence vers : "et gare aux doigts ! "

§ 240. Allusions figées dans le lexique :

L'analyse des UT d'un message fait ressortir clairement certains segments entiers qui forment un tout et constituent une allusion, non pas tant à une situation particulière qu'à un type général de situations. Nous voulons parler des idiotismes, clichés, *elegant variations,* etc. qui sont généralement dépourvus de toute marque particulière et supposent donc chez le traducteur une bonne connaissance du "répertoire" [⁴].

Les clichés :

Fowler a donné une définition célèbre, sinon claire, du cliché (*Modern English Usage*) sans arriver à cerner complètement la question. Le cliché est certainement "suffisamment typique pour être reconnu de prime abord", (Marouzeau, *Lexique de la terminologie linguistique*) et, dans la mesure où il est reconnu, risque de sombrer dans la banalité. Mais l'intérêt du cliché en stylistique comparée réside plutôt dans la recherche de son équivalence. L'utilisation du cliché peut être involontaire, "the first thing that comes into one's head" ; elle n'en demeure pas moins l'expression d'un conformisme linguistique, d'un souci stylistique qui tend vers les formules figées relevant, non plus de la parole, mais de la langue. A ce titre, un cliché forme une seule UT, et doit être, si possible, rendu par une UT équivalente. Comme le souci de recourir aux clichés provient en général d'un désir d'éviter les répétitions (elegant variation), il se peut que LA n'en ait pas besoin : on sait que l'anglais ne craint pas les répétitions, au contraire. On doit donc s'attendre à ce qu'il y ait plus de clichés en français qu'en anglais : "Le français, écrit Bally (*LGLF* § 571) est une langue où il est extrêmement facile de parler et d'écrire en enfilant des clichés. [.. Le Français a] le goût des formules définitives, des maximes frappées comme des médailles [et souvent] à base d'antithèse."

(44) Noter que les guillemets fonctionnent ici comme une marque d'allusion : les guillemets peuvent également donner une valeur péjorative à certains mots ; on peut les conserver en anglais, ou les rendre par des explétifs péjoratifs tels que "so called".

Le cliché est donc un cas particulier de la citation, une citation qui serait plus floue, parce que ne se rattachant pas à un texte précis, ni à la personnalité d'un auteur. Les stylistes anglo-saxons voient, sans doute avec raison, dans les clichés anglais une influence française ; c'est ce qui ressort d'une analyse des clichés cités par Partridge dans son *Dictionary of Clichés* ; mais il ne faudrait pas sous-estimer le nombre de clichés d'origine purement anglo-saxonne qui ne sont pas parmi les plus faciles à traduire ! Citons quelques clichés, accompagnés d'un essai de traduction par équivalence.

— une déclaration marquée au coin du bon sens :
bearing the hallmark of common sense.
— mener une vie de chien : to lead a dog's life
— Engine troubles were the order of the day :
Le moteur faisait des siennes. (Fam. On avait la poisse)
— He's an asset to the firm :
C'est un précieux collaborateur. Il nous rend de grands services.
— You could have knocked me down with a feather :
J'en suis resté sidéré, estomaqué, etc.
— You could have heard a pin drop : ,
On aurait pu entendre voler une mouche.
— Was my face red? : Je ne savais plus où me mettre.
— It was sitting there all the time : Il me crevait les yeux.
— He is on the payroll : Il émarge au budget[45].

§ 241. Allusions figées dans le message :

Les clichés sont dans la langue, et ne portent pas de marque de fabrique : ils sont traditionnels, bien qu'il en naisse tous les jours de nouveaux ; on ne connaît en somme que ceux qui ont réussi.

Les allusions figées dans le message diffèrent des clichés en ce qu'elles ont une origine individuelle, qu'elles se réfèrent à un auteur, à un livre, ou encore à un fait historique connu. Elles font donc partie du patrimoine culturel d'une nation, et on peut fort bien concevoir

(45) On remarquera que certains clichés existent sous une même forme dans les deux langues : il peut s'agir de calques. On classera parmi les clichés les groupes allitératifs ("by fits and starts", "as large as life", "fair and square") dont certains relèvent d'une très ancienne habitude germanique, cf. "kith and kin", "wear and tear" ; d'autres sont nés au Moyen-Age, où pendant les époques de bilinguisme on exprimait fréquemment la même idée avec un mot roman et un mot germanique : "aid and abet", "hue and cry". L'habitude est restée dans la langue moderne, et nombre de ces expressions devront être ramenées en français à un terme unique : "for the comfort and convenience of our patrons... : Pour la commodité de notre clientèle..."

que deux Etats parlant la même langue n'aient pas le même répertoire d'allusions littéraires ou historiques ; c'est souvent le cas des
textes britanniques par opposition aux textes américains.

Pour dépister ces allusions, il faut consulter des dictionnaires
spécialisés et surtout avoir beaucoup lu. On aura ainsi le flair voulu
pour reconnaître au passage des citations qui sont fondues dans le
corps du texte. Car, si les allusions ont parfois des marques : guillemets, références à l'auteur, renvoi à un ouvrage, majuscules, etc., il
arrive fréquemment qu'elles ne soient caractérisées que par une marque
sémantique, sorte d'aura qui les détache sur le fond structural du
message. Un texte qui commencerait par "Fourscore and seven years
ago..." devrait attirer par son archaïsme l'attention du traducteur qui
par hasard n'y reconnaîtrait pas une allusion au discours de Lincoln
à Gettysburg. "The unkindest cut of all" (le coup de pied de l'âne)
se distingue également par son étrange superlatif. Mais il ne faudrait
pas trop s'y fier ; l'explication détaillée d'un texte à des étudiants
de licence est révélatrice à cet égard. Telle allusion qui semble trans-
parente au professeur échappe complètement à l'apprenti-traducteur,
auquel on conseille dans la marge "Lisez beaucoup d'auteurs et de
genres variés". Dans un dialogue, par exemple, une phrase comme :
"Mr. Ponsonby, I presume?" peut être une allusion au célèbre
"Dr. Livingstone, I presume?" de la rencontre Livingstone-Stanley en
Afrique. Même dans des textes diplomatiques ou scientifiques, des
citations peuvent se glisser et les Anglo-Saxons en sont friands. Leur
dépistage demande une vaste culture littéraire, puisqu'il faut non
seulement les reconnaître au passage, mais aussi leur trouver des
équivalents appropriés en LA. En voici quelques exemples :

— LE MIRACLE DE LACQ : UN TRÉSOR EST CACHÉ
DEDANS. (*Le Monde*, 28 août 1956). Référence à la découverte
de gisements de pétrole. On pourrait rendre ce titre par LACQ
STRIKES OIL : A CASE OF TREASURE TROVE, ou, pour employer un autre cliché, PROSPECTING DREAMS COME TRUE.

— "When lawyers get together, however, they, like the Walrus,
consider it time to talk of many things..." (*The New York Times*,
2 sept. 1956). On reconnaît une allusion au livre de Lewis Carroll,
Through the Looking-Glass et bien que ce livre ait été traduit en
français plusieurs fois, il semble difficile de supposer chez le lecteur
français une familiarité suffisante avec ce classique de l'humour
anglais. On pourrait dire "Mais quand des avocats se rencontrent,
ils considèrent, comme le phoque de Lewis Carroll, que le moment
est venu d'aviser..."

— "Ce n'est pas aussi simple qu'un vain peuple le pense : There's more in it than meets the eye."

— ou encore cette adaptation de la célèbre phrase de Beaumarchais qui pourrait s'appliquer au présent manuel : "Etudiez, étudiez, il en restera toujours quelque chose : Keep at it. Some of it is bound to stick."

— "Wise Men of the East Go West by CPR" (Slogan créé pour le Canadien Pacifique par William van Horne en 1896) : la difficulté réside dans une triple allusion (1) jeu de mot sur "Wise Men" et les gens sensés (2) l'est du Canada et l'Orient (3) allusion au fameux conseil de Greeley "Go West, young man!" On pourrait rendre cette phrase par : "Aujourd'hui dans leur sagesse les Trois Mages feraient le voyage par le CPR" ou, par adaptation, "De nos jours, Philéas Fogg aurait pris le Canadien Pacifique".

— "There's no royal road to learning : Travaillez, prenez de la peine." Ce dernier exemple relève déjà de la citation, car pour traduire cette expression que l'on relève un peu partout dans les ouvrages de pédagogie, il faut chercher une allusion équivalente, et c'est sans doute dans le domaine littéraire qu'on la trouvera.

§ 242. **Formules-réflexes :**

Les formules réflexes, pour reprendre l'expression proposée par M. Thérond. (*Du Tac au Tac*, Didier, 1955), sont très souvent des « tournures elliptiques, des constructions [...] d'origine ancienne ou obscure [...] devenues, par les caprices de l'usage, monnaie courante dans la langue parlée ». Il est évident que seule la situation peut nous renseigner sur leur véritable signification et c'est par la situation que nous trouverons des équivalents acceptables en LA.

- Hold the fort! : Je vous confie la maison! (Dit à quelqu'un qui reste au bureau, pendant qu'on va faire une course en ville) ou encore : Gardez nos places !
- Wrong number! (Au téléphone) : Vous vous trompez de numéro !
- You've had it! : Vous pouvez vous mettre la ceinture.
- Ça lui pend au nez : He's got it coming to him.
- Vous ne m'avez pas regardé: What are you trying to put over?
- Lady, you've just made it! : Alors, la p'tite dame, il était moins cinq !
- Be good ! : Pas de blagues, hein !
- That's the story : Et voilà !
- Down! (à un chien) : Couché ! Bas les pattes !
- Down! (dans l'ascenseur) : On descend ! Pour la descente !

§ 243. Affiches et avis officiels : Un cas particulier du cliché et de l'allusion figée est celui du style officiel, employé dans des circonstances bien définies : écriteaux, titres d'articles, avis, affiches administratives, etc. et dont nous sommes partis, à l'origine, pour démontrer l'importance de l'équivalence et du recours à la situation (cf. Préface, page 17). En voici quelques exemples typiques : on remarquera qu'ils constituent en fait des modulations ou des transpositions figées.

— Keep off the grass : Ne marchez pas sur le gazon.
— Under new management : Changement de propriétaire
— Men at Work : Travaux en cours
— Drive slowly : Marchez au pas
— To the boat : Accès au paquebot
— To the tracks : Accès aux quais
— To the trains : Accès aux quais
— Clearance 10 ft : Hauteur libre 3 mètres
— Closed for Holiday (U.S.: vacation) : Fermeture annuelle
— Slippery when wet : Chaussée glissante par temps humide
— Winding Road : Virage sur 2 kilomètres **.

§ 244. Aux citations, il convient d'ajouter les proverbes, qui ont l'avantage d'être assez facilement repérables par leur fréquence et leur caractère de maxime qui découle d'une stylistique assez spéciale : "Like father, like son". "Bonne renommée vaut mieux que ceinture dorée", etc. On trouvera assez facilement, dans des répertoires ad hoc, les équivalents des proverbes d'une langue à l'autre, puisqu'en général la "sagesse des nations" a fait partout les mêmes découvertes. Il faut noter cependant que la traduction d'un cliché ou d'un proverbe, qui constitue évidemment une surtraduction, permet d'obtenir à bon marché de la couleur locale. Par exemple, "as like as two peas" (se ressembler comme deux gouttes d'eau) peut être rendu, avec un gain stylistique, par : "se ressembler comme deux petits pois". Le procédé est facile, et partant dangereux, sauf dans les ouvrages satiriques ou humoristiques dans lesquels on campe des personnages étrangers (cf. les calques français de Hercule Poirot dans les romans d'Agatha Christie; et ceux, plus nuancés, d'Audré Maurois dans ses livres sur les Anglais.)

La traduction des allusions aux proverbes est donc délicate, à

---

(46) L'analyse de ce besoin de précision (sur deux km) est intéressante. L'anglais suppose que l'automobiliste s'apercevra de lui-même que la route cesse à un moment donné de faire des lacets, alors que le français préfère le lui dire d'emblée. Cf. l'écriteau d'une précision extrême, qui a sans doute contribué auprès des touristes étrangers à donner au français la réputation d'une langue claire : PARIS A 600 MÈTRES (Gare St-Lazare).

moins que les deux langues connaissent le même proverbe. On en jugera par cette citation d'Ogden Nash : "I prefer charity to hospitality, because charity begins at home, but hospitality ends there : Je préfère la charité à l'hospitalité, car si charité bien ordonnée commence par soi-même, il n'y a pas d'hospitalité bien ordonnée."

§ 245. Allusions figées dans la métalinguistique :

Il nous reste une dernière sorte d'allusion, dont le domaine est celui des faits et gestes de tous les jours, des coutumes, des traditions, du *way of life,* comme disent les Américains. Elles nous fournissent en fait une transition pour aborder notre dernier chapitre du message, l'adaptation. En effet, ces allusions portant sur des faits très particuliers, intimement liés à la vie d'une nation, il faut renoncer à toute traduction et chercher simplement à faire comprendre au lecteur de quoi il s'agit.

Pour prendre un exemple typique, citons le fait que les villes américaines sont fréquemment traversées par la voie du chemin de fer ; les habitants se sont répartis de chaque côté de la voie, de sorte qu'il y a un côté chic et un côté moins chic à chaque ville, "a right side and a wrong side of the tracks". Cf. "He lives on the wrong side of the tracks : Il n'est pas de notre milieu." C'est ainsi qu'on doit interpréter cette remarque d'Ogden Nash : "And she at once assigns you to your proper side of the tracks, and which is not the right one". Puisque ce trait culturel n'existe pas en France (il existe au Canada), il faudra recourir à une image parallèle, bien que différente : "Elle se dépêche de vous replacer à votre rang de l'échelle sociale, de préférence vers le bas".

Mais, pour bien comprendre le mécanisme de ces équivalences, il convient de pénétrer plus profondément dans le domaine de la métalinguistique ; c'est ce que nous allons maintenant faire.

CHAPITRE VII

L'ADAPTATION ET LES FAITS DE MÉTALINGUISTIQUE

§ 246. Nous avons à plusieurs reprises évoqué le concept de **métalinguistique** comme une sorte d'ultima ratio vers laquelle on peut se tourner lorsqu'on est à court d'explications structurales. Du moins avons-nous retardé jusqu'à maintenant un développement plus considérable, permettant de délimiter l'aire de ce terme et d'en explorer brièvement le contenu.

On peut se demander, en effet, de tous les rapprochements cités au cours des pages antérieures, s'ils sont l'effet d'un hasard ou les traces linguistiques d'une attitude philosophique ou psychologique. Evidemment, notre réponse a été donnée déjà, et en maints endroits ; si nous avions pensé en effet que les divergences de moyens stylistiques et de démarches étaient purement fortuits, ce livre n'eût pas été écrit ou il l'eût été d'une autre façon. On peut toujours rapprocher deux séries de faits ou d'objets, mais leur rapprochement ne prend un sens que dans la mesure où ils représentent deux aspects d'une même réalité. Nous avons donc postulé, au moins implicitement, tout au long de ces pages, que les deux langues étaient comparables, et cela à travers le pont sémantique de la traduction.

Il y a donc, dans notre propos, le sentiment qu'un rapport existe entre le monde extérieur tel que nous le concevons et la forme linguistique de nos pensées, de notre culture. L'idée est essentielle, sinon nouvelle ; on la trouve formulée ou sous-entendue dans des ouvrages comme ceux de Vossler, Cassirer, von Humboldt, Bally, Malblanc, et les termes utilisés pour désigner le rapport entre la langue et la conception du monde, le *weltanschauung* et la structure, ont varié suivant les auteurs. Peut-être l'expression la plus populaire est-elle la référence au "génie" d'une langue [*].

(47) cf. K. Vossler, *Geist und Kultur in der Sprache*, Heidelberg, 1925.

Un groupe de linguistes américains, notamment Whorf et G.L. Trager, se sont efforcés d'éclaircir les rapports entre la langue et l'ensemble des activités sociales et culturelles d'un groupe ethnique donné ; même si leurs travaux et ceux qui vont dans ce sens * n'ont pas encore abouti à une technique d'enquête utilisable, nous pouvons prendre comme point de départ la définition que Trager donne du mot "métalinguistique" (metalinguistics), qu'il a contribué à populariser :

« Language [is...] one of the systematic arrangements of cultural items that societies possess. A culture consists of many such systems: language, social organization, religion, technology, law, etc. Each of these cultural systems other than language is dependent on language for its organization and existence, but otherwise constitutes independent systems whose patterning may be described. ...The full statement of the point-by-point and pattern-by-pattern relations between language and any of the other cultural systems will contain all the 'meanings' of the linguistic forms, and will constitute the metalinguistics of that culture. » (G.L. Trager, *The Field of Linguistics*. S.I.L. Occasional Papers N° 1, 1949).

§ 247. Disons donc que nous entendons par "métalinguistique" l'ensemble des rapports qui unissent les faits sociaux, culturels et psychologiques aux structures linguistiques. Cet ensemble très vaste, "a greatly expandable field" comme le dit Trager, nous est fourni par un double courant de forces : nos conceptions de l'univers, nos schèmes sociaux et culturels influencent notre langue ; mais de son côté, la langue, s'interposant entre nous et l'univers extérieur, colore et analyse ce dernier. Déjà Cassirer avait pu dire que les différences entre les langues reposent moins sur des différences de phonèmes ou de signes que sur des conceptions différentes de l'univers.

Il y a donc interaction entre l'univers et le langage ; et Whorf exprime bien cette dualité par ces deux phrases : «We dissect nature along lines laid down by our native languages» (projection des catégories linguistiques sur l'univers) et «The study of the structural-semantic categories... yield significant information concerning the "thought-world" of the speakers of the language» (influence de l'univers sur les catégories linguistiques).

Autrement dit, si l'Anglais aime les tours passifs, c'est parce qu'il

(48) On a récemment réuni tous les écrits de Whorf en un seul volume : *Language, Thought and Reality*, New York, Wiley, 1956 ; la discussion des théories de Whorf se trouve exposée dans *Language in Culture* (H. Hoijer, ed.), American Anthropological Association, Memoir 79, 1954.

conçoit le procès comme imposé au locuteur, qui reste passif ; inversement, puisque chaque petit Anglais reçoit de ses parents une langue qu'il n'a pas contribué à façonner, c'est parce que les tours passifs abondent en anglais qu'il conçoit le procès sous un angle imposé, donc passif.

Il serait vain de vouloir ici démêler ces deux courants, qui co-existent et jouent tous deux un rôle important. «Language is at one and the same time helping and retarding our exploration of experience, and the details of these processes of help and hindrance are deposited in the subtler meanings of different cultures.» (Whorf). Il est donc légitime de rechercher une explication de certains phéno-mènes linguistiques, surtout ceux du domaine de la stylistique, ailleurs que dans la structure pure et simple.

§ 248. Divergences métalinguistiques :

Puisqu'il semble bien acquis qu'une langue est à la fois le miroir d'une culture et son instrument d'analyse, il ne faut pas s'étonner que les divergences entre deux langues soient particulièrement nombreuses sur le plan de la métalinguistique. Et par conséquent, plus grande est la divergence entre les cultures des deux langues rapprochées, et plus il est difficile de traduire. Les linguistes américains qui étudient les problèmes de traduction à l'heure actuelle préfèrent tout naturelle-ment rapprocher une langue de grande culture (anglais) avec une langue de culture locale (zuñi, shawnee) ; E. Nida, que nous avons déjà cité à propos de la parabole du figuier, montre notamment que certains Indiens n'ont pas de terme correspondant à "frère" ou "sœur", ou ne boivent pas de vin, ou n'élèvent pas de veaux, et par consé-quent ne peuvent comprendre, pour des raisons culturelles, certaines images essentielles de la Bible. Pour les leur faire comprendre, il propose des "adaptations" : il garde le sens, mais prend ses éléments significatifs dans d'autres domaines.

Il serait intéressant à cet égard de classer les langues rapprochées selon la fréquence du recours aux traductions obliques, surtout quand ce sont des adaptations. Et sous ce rapport, malgré ce que semble penser E. Nida, nous dirons que l'anglais et le français sont aussi divergents, sinon plus, que l'anglais et certaines langues amérindien-nes et que, si les ethnologues ont cru devoir partir aux Antipodes pour trouver des schèmes nouveaux de culture et de pensée, la simple traversée de la Manche leur en aurait appris tout autant sur le plan de la métalinguistique.

Examinons certains points à propos desquels cette assertion semble pleinement justifiée.

§ 249. **Découpage différent de la réalité :**

Les ethnologues sont friands des exemples de "découpage", parce qu'ils frappent l'esprit particulièrement nettement. Le découpage du spectre en couleurs est ainsi l'un de leurs exemples favoris : on cite des Indiens dont la langue ne distingue pas entre le rouge et le brun, ou entre rouge-brun-noir, ou entre blanc-gris-bleu pâle, etc. Plus près de nous, on cite le gallois, pour lequel on pourrait poser le schéma ci-dessous :

gallois	*anglais*
glas	blue
	green
llwyd	grey
	brown

Pour un Gallois, le ciel est "glas" et l'herbe est "glas" et la mer est "glas". Point n'est besoin cependant d'aller si loin, puisque le même phénomène existe entre l'anglais et le français. Soit la couleur "brown" :

anglais	*français*
	roux
	brun
	bistre
brown	bis
	marron
	jaune
	gris

Le découpage du français est donc beaucoup plus nuancé dans ce cas, comme on le verra par les exemples suivants : "brown eyes : des yeux bruns" ; "brown butter : du beurre roux" ; "brown pencil : un crayon bistre" ; "brown shoes : des chaussures marron" ; "brown bread : du pain bis" ; "brown paper : du papier gris" ; "brown hair : des cheveux châtains", etc. Il est à noter qu'au Canada beaucoup des distinctions de la colonne de droite n'existent pas, et que le mot "brun" tend à prendre une extension comparable à celle de "brown". Autres exemples de découpage différent de la réalité :

§ 250. a) *Le temps :* le découpage de la journée en après-midi, soir ou soirée, et nuit, n'est pas absolument le même dans les deux langues. Nous pouvons dire : "quatre heures du soir", ou "de l'après-

midi" ; l'anglais ne dit guère que "Four o'clock in the afternoon". "French night at University College" sera "Soirée française à l'université" ; "good night" recouvre à la fois "bonsoir" et "bonne nuit".

§ 251. b) *Bâtiment :* Dans les fermes américaines, les vaches et les chevaux sont abrités dans un même bâtiment où l'on met aussi le fourrage et qu'on appelle "barn". Notre distinction entre "étable" et "écurie" n'a donc pas lieu de s'appliquer. Cependant "stable" s'emploie pour les chevaux de selle et de course.

§ 252. c) *Métiers :* Comme nous l'avons vu, l'organisation du commerce de détail aux Etats-Unis tend à effacer certaines distinctions qui restent valables dans la vie française. Avec la diffusion des magasins d'alimentation (supermarkets), les charcuteries (cf. Br. pork-butcher's), poissonneries, (cf. Br. fishmonger's), crèmeries et même boucheries n'ont plus de raison d'être, ou sont ravalées au rang de "counters" (fish counter, meat counter). Dans certains cas "delicatessen store" pourra se rendre par "charcuterie".

§ 253. d) *Mesures :* L'anglais utilise fréquemment la notion de poids pour caractériser la réalité ; c'est déjà vrai pour le calibre des balles et obus, donné en livres et non en pouces ou millimètres (a 3-pounder shell) ; mais c'est vrai aussi pour les personnages d'un roman : "He had blue eyes, close-cropped hair and weighed 180 lbs. : Assez corpulent, il avait les yeux bleus et les cheveux en brosse". D'ailleurs, l'ensemble du système de mesures anglo-saxonnes, restées traditionnelles et même locales dans certains cas, reflète une pensée essentiellement concrète et respectueuse de la tradition : le yard anglais est différent du yard USA et canadien, et les « coefficients de conversion... sont sujets à révision lors de toute nouvelle détermination des unités anglaises » (Bernot, J., *Échelles de conversion,* Dunod, 1950).

Remarquons en passant, toujours à propos de la subdivision différente de l'espace, que l'Américain découpe sa ville en "blocks" (pâtés de maisons) et non en rues ; le résultat final revient évidemment au même, mais ce découpage représente en fait une modulation (227) dans le domaine métalinguistique.

Au lieu de dire comme la traductrice d'une nouvelle de Scott-Fitzgerald, parue dans la *Revue de Paris* (octobre 1956) : "...et elle savait qu'à deux blocs de maisons, devant l'hôtel Marlborough, elle trouverait facilement un taxi", nous proposons : "Elle savait qu'à moins de deux cents mètres (ou : deux rues plus loin), etc."

§ 254. e) *Repas* : Les repas ne sont pas les mêmes d'un pays à l'autre, le fait est bien connu. On mange la soupe (on la trempe) en France le soir, en Angleterre à midi (thick or clear). Dans le nord de l'Angleterre, le "high tea" est le dîner, et non le thé : on le prend vers 6 heures. Le repas de midi, en Amérique du Nord, est certainement plus succinct et plus rapide que le repas de midi en France. "Dinner" est le repas du soir aux Etat-Unis, mais le dimanche et lors de certaines fêtes de l'année, telles que Thanksgiving, Noël et le Jour de l'An, il se prend vers une heure de l'après-midi. Le Français qui est invité à venir "have Sunday dinner with us" devra donc se garder d'arriver vers sept heures du soir. Notre expression vieillie "demi-tasse" a encore cours outre-Atlantique pour désigner la petite tasse de café que certains prennent après le repas, et non en même temps, comme c'est le cas ordinairement. Tous ces faits sont bien connus, mais n'en posent pas moins des problèmes de traduction ; on pourra les résoudre le plus souvent en rapprochant des faits culturels différents, mais qui jouent un même rôle : p. ex. le goûter que les enfants français emportent à l'école (pain, tablette de chocolat) correspond à la pomme que les enfants anglo-saxons emportent à leur école et qui est passée dans les mœurs au point qu'une corbeille de pommes, dans les vitrines des magasins en septembre, suffit à évoquer la rentrée des classes. Comme cette coutume est généralisée au Canada, on traduira facilement pour un public canadien "the sight of those apples announced the re-opening of school : la vue de ces pommes annonçait la rentrée des classes" ; pour un public français, il vaudrait mieux chercher une adaptation vers les expositions de livres, cartables, bérets, crayons qui préludent également à la rentrée des classes.

Pour rester dans le domaine gastronomique, nous ne pouvons que constater des lacunes métalinguistiques qui se traduisent le plus souvent par des lacunes linguistiques : des mouillettes pour les œufs, l'opposition entre mie et croûte, voilà deux lacunes lexicologiques bien connues (52) qui ont la métalinguistique pour base. De même, sur les menus anglais ou américains apparaît souvent la rubrique "Beverages". Le mot est un faux amis, car il n'a ni la nuance médicale de breuvage, ni l'extension de boisson. C'est un terme générique sans équivalent en français pour désigner le lait, le café, le thé et le chocolat. Il a sa place dans une civilisation où la distinction entre boissons alcooliques et boissons non alcooliques est appliquée systématiquement ("drink" employé seul est en général alcoolique, par opposition à "drink of water"). Il n'y a guère d'autre solution que de remplacer ce terme général par des termes particuliers que le contexte appelle. Il y aurait des adaptations de ce genre à rechercher pour les termes militaires, par ex. la soupe, le rata ; l'américain *chow, chow line, K-rations,* l'anglais *tea* (le nom du repas du soir dans l'armée britannique, donc l'équivalent de soupe **). Citons en passant un faux-ami de structure qui relève de la métalinguistique et qu'une traduction littérale rendrait vraiment dangereux : "Il avala d'un trait son petit verre" (Maupassant).

§ 255. f) *Vie sociale :* Lorsque l'anglais parle de "residential areas", il évoque des quartiers où il n'y a pas de commerçants. Même dans les "beaux quartiers" de Paris (sauf autrefois dans les avenues de l'Etoile), il y a des commerçants, et ce mélange surprend toujours les Anglais qui visitent Paris. Mais le découpage différent des zones d'habitation peut avoir des échos dans un texte : une adresse, par exemple, n'est pas indifférente dans un roman ; force est au traducteur de rechercher un effet équivalent, à moins qu'il se résigne à perdre la nuance, ou à mettre une note, suprême recours qui équivaut le plus souvent à une défaite. Le développement urbain fait que "suburban" a une tout autre valeur que "faubourien" ; il correspond souvent en effet à notre mot "bourgeois". Il y a déjà longtemps qu'en Angleterre et en Amérique la classe moyenne préfère se loger en dehors de la ville plutôt que dans les quartiers du centre ; "le quartier des affaires", "le centre", pourront sans doute évoquer le "downtown" ou le "business center" américain, l'opposition entre Paris et la province (provincial France) rappeler celle de "town and country", qui est vieillie. Mais que dire de "sitting on the porch", sinon "prenant le frais sur le pas de sa porte", ce qui fait un peu pipelet. De même, le claquement des portes d'ascenseur en France risque de ne pas porter sur un public américain, non plus que le fait de s'asseoir sur les bancs du square, réservés en somme aux classes inférieures aux Etats-Unis, ni le "No loitering" qui trahit une conception très particulière de la vie en commun, à l'opposé de celle des populations latines, particulièrement dans les pays du midi.

(49) Pendant la guerre de 1914-18 l'opinion publique française fut surprise de lire dans les journaux que les Britanniques prenaient "le thé", et en conçut quelque inquiétude quant à leur valeur militaire.

§ 256. g) *Les écoles et les universités* : Pour ne prendre qu'un simple exemple, les cours universitaires sont généralement affublés d'un numéro en Amérique du Nord ; c'est très commode, mais comment traduire "French 101" ? En Sorbonne, les cours portent un titre et non un numéro ; on s'y réfère couramment en citant le nom du professeur. "French 101" pourra se traduire, à la rigueur, par "le Cours 101", le contexte indiquant qu'il s'agit de français, ou en donnant le sujet du cours sans mention du numéro.

Il y a plus : le mot "science" aux Etats-Unis ne comprend pas les mathématiques, les "humanities" n'englobent pas l'histoire et la géographie et probablement pas la linguistique ; les "students" peuvent être des étudiants ou des élèves du secondaire, et un "college" ou une "university" tient à la fois des grandes classes d'un lycée, de la propédeutique et de l'université proprement dite. Le mot "teacher" s'applique aux instituteurs et aux professeurs des écoles secondaires ; par contre, le titre de Professeur, suivi du nom propre semble réservé en France à des chirurgiens ou à des docteurs professeurs de médecine, mais non à des professeurs en Sorbonne, qu'il semble plus naturel d'appeler M. X que : le professeur X.

§ 257. Incidence de ces faits sur la traduction :

Les faits que nous venons brièvement de rappeler sont connus des traducteurs qui ont vécu à l'étranger et étudié attentivement les coutumes et les habitudes de pensée des peuples dont ils apprennent la langue. Nous les avons cités pour montrer que les divergences culturelles et métalinguistiques peuvent obliger à des traductions obliques, faute de quoi on perd un effet particulier de l'original ou même on aboutit à un véritable contresens. Voici quelques exemples de ces faits :

Soit la phrase "He shook me by the hand" ; puisque les poignées de main sont rares en pays anglo-saxon, c'est un fait digne d'être rapporté : on traduira par "Il me serra la main avec effusion". Les rapports entre membres d'une même famille nous ont déjà fourni l'exemple du père embrassant tendrement sa fille. Dans le même ordre d'idées, "he greeted his father" pourra très bien se traduire en français par "il embrassa son père" mais la réciproque n'est pas vraie, car cette dernière phrase ne se rendra par "he kissed his father" que s'il s'agit d'un enfant encore très jeune. Une personne qui entre dans une maison au moment d'un repas dira : "Bon appétit" et l'anglais pourra rendre cette exclamation par "Hello", "Hi!", "Hi, there" ; "On lui demanda sa carte d'identité" (la carte d'identité a existé au Canada pendant la guerre, mais a été abolie depuis) se rendra par "He was asked to show his papers".

On hésite à traduire automatiquement "hospital" par "hôpital", le terme français évoquant, à certaines époques tout au moins, la gêne sinon l'indigence. "I went to see him at the hospital" gagnera dans certains cas à être traduit par : "Je suis allé le voir à sa clinique". L'exemple de la bouteille de vin, cité plus haut (175) pourrait également figurer ici.

§ 258. Les coutumes épistolaires offrent plusieurs exemples du même genre. Nous avons déjà observé que "Dear Sir" n'est pas "Cher monsieur", mais simplement "Monsieur". "Dear Professor x" sera, suivant le cas, "Monsieur le professeur", "Cher Monsieur", "Monsieur et cher collègue". A la gamme de nos formules finales, si nuancées, ne correspond qu'un choix limité à "Yours truly" (Salutations distinguées), "Yours sincerely" (Veuillez agréer l'expression de mes sentiments les meilleurs) et "Yours ever" (Amitiés).

§ 259. Nous ne saurions mieux terminer cette série d'exemples que par le cas suivant qui concrétise un aspect caractéristique de la vie rurale française. Dans *Nationale 6* de Jacques Bernard, le père propose à sa fille d'installer chez eux à la campagne un petit élevage de poules et de lapins. La jeune fille accepte, et, prise d'enthousiasme, ne veut pas se contenter de ce qu'elle appelle : "un élevage banal comme dans une ferme" et elle ajoute : "Je tiens à faire les choses très bien, scientifiquement."

La traduction des remarques ci-dessus risque de ne pas porter, car "farming" ne s'oppose pas à l'agronomie, au contraire. La difficulté tient à ce que dans les pays anglo-saxons le machinisme agricole est plus répandu et l'agriculture, en Amérique tout au moins, est plus spécialisée.

Traduction proposée :

"I don't want the usual barnyard: I want a real chicken farm run on scientific lines."

Noter que le mot "farm" est maintenant accolé à "scientific", au lieu de s'y opposer.

CONCLUSION

En guise de conclusion, nous ne saurions mieux faire que de commenter les réflexions auxquelles s'est livré André Gide dans la préface qu'il a écrite pour sa traduction du premier acte d'*Hamlet*.

Il y fait le procès de ces traductions "si consciencieuses et exactes" qu'elles deviennent incompréhensibles en raison même de leur "littéralité" et qu'elles exigent par conséquent d'être récrites. André Gide conseille donc aux traducteurs de ne pas traduire "des mots, mais des phrases", de façon à rendre le sens sans rien perdre de la pensée et de l'émotion exprimées par l'auteur. Ceci ne peut se faire que par "une tricherie perpétuelle" qui amène le traducteur à "s'éloigner beaucoup" du texte. Une dernière condition est que le traducteur connaisse toutes les ressources de sa propre langue (dans laquelle il traduit) et possède en somme les qualités d'un écrivain professionnel.

Appliquant à ces conseils notre technique de la terminologie (App. 2) nous pouvons dégager un certain nombre de mots-clés.

1. "consciencieuses et exactes", que Gide assimile à "littéralité"
2. les phrases comme cadre de la traduction
3. "la tricherie", qui permet de biaiser avec les difficultés du texte
4. le conseil donné par Gide de s'éloigner beaucoup de la simple littéralité
5. le traducteur promu au rang de créateur dans le domaine littéraire.

Reprenons ces termes un à un.

1. Nous nous élevons contre cette mise en équation de l'exactitude consciencieuse et de la littéralité. Nous y voyons posé implicitement ce qui est pour nous un faux problème : Faut-il traduire littéralement ou librement ? Nous répondons, et toutes les pages précédentes ont déjà répondu pour nous, que le choix s'établit non pas entre une traduction littérale et une traduction libre, mais entre une traduction exacte et une traduction inexacte. Grâce à la stylistique comparée,

on doit arriver à ne s'écarter de la littéralité que pour satisfaire aux exigences de la langue d'arrivée. En d'autres termes, on ne doit pratiquer la traduction oblique qu'à bon escient, et dans des limites nettement définies. On doit rester littéral tant qu'on ne fait pas violence à la langue d'arrivée. On ne s'écarte de la littéralité que pour des raisons de structure ou de métalinguistique et on s'assure alors que le sens est sauvegardé.

2. En second lieu, s'il est exact qu'on ne doit pas traduire des mots, il ne s'ensuit pas que le découpage de l'énoncé doive coïncider avec les phrases. La phrase est un message qui a besoin d'être analysé, sauf dans les cas exceptionnels où le message est traduit globalement. Nous avons essayé de mettre au point une unité de la traduction qui résulte d'une analyse méthodique du message. On a vu que très souvent elle ne se réduit pas au mot, mais, sauf exception, elle n'atteint guère l'ampleur d'une phrase entière.

3. La tricherie dont parle Gide est aussi un faux problème si on reconnaît que le passage de LD à LA exige l'emploi de certains procédés qui sont légitimes parce qu'ils tiennent compte des caractéristiques particulières aux deux langues en présence. Nous avons montré, par exemple, que la modulation, reconnue implicitement par les dictionnaires sur le plan du lexique, peut être étendue au message, où elle fournit un procédé contrôlable et parfaitement justifié.

4. Il est dangereux de conseiller au traducteur de s'éloigner de la littéralité, sans indiquer les limites de cet éloignement. Il faut délimiter la marge qu'on peut consentir au traducteur, et c'est ce que nous avons fait dans les cas de traduction oblique. Sur sept procédés de traduction, il y en a quatre qui précisément canalisent cette nécessité de l'éloignement. Le fait même d'établir des cadres est une garantie contre l'application inconsidérée du précepte de Gide.

5. Accordant à Gide que le traducteur doit (a) *bien connaître* la langue de départ (b) *bien posséder* la langue d'arrivée (qui en principe doit être sa langue maternelle), on ne peut quand même s'attendre à ce que tous les traducteurs soient des maîtres écrivains. Disons qu'une connaissance exacte des deux langues servie par un style correct permet déjà d'éviter la plupart des fautes qui déparent encore trop de traductions. On peut pousser très loin la connaissance d'une langue sans être pour cela un grand écrivain, et on peut aussi être à la fois bon écrivain et mauvais traducteur. Il semble que là encore nous ayons affaire à un problème mal posé.

On voit que nos préoccupations sont très proches de celles d'André Gide, mais que nous nous séparons de lui sur le choix des moyens. Là où il se fie surtout à l'inspiration et à l'art, nous préférons, tout au moins pour commencer, l'utilisation de procédés soigneusement mis au point, et auxquels nous sommes arrivés par une comparaison méthodique des ressources des deux langues.

Dans le cas du français et de l'anglais, il semble bien qu'une étude de stylistique comparée doive s'appuyer sur certaines distinctions fondamentales :

d'une part l'opposition et l'interaction entre les structures, qui sont souvent des servitudes, et les modes de pensée, qui sont tantôt la cause et tantôt l'effet des structures ;

d'autre part l'opposition entre le plan du réel et le plan de l'entendement. Cette dernière, dont nous sommes redevables à A. Malblanc, s'est révélée particulièrement fructueuse. Elle nous a permis, en effet, d'expliquer bon nombre des divergences que nous avons constatées entre le français et l'anglais.

APPENDICE I

DOCUMENTATION ET NOMENCLATURE

La documentation.

Si le lecteur veut bien se reporter au tableau général des procédés de traduction donné à la page 55, il constatera que nous proposons une classification par ordre de difficulté croissante, les passages successifs pénétrant chaque fois plus profondément dans le domaine métalinguistique. Si donc les traductions et les transpositions exigent, pour être bien conduites, une connaissance approfondie des structures de LD et LA, les modulations, les équivalences et les adaptations réclament d'autres qualités du traducteur. Ce dernier doit replacer la structure dans son contexte social, être au courant de la pensée littéraire, scientifique, politique qui informe les textes qu'il traduit. C'est donc ici que se placent les techniques de documentation.

On pourrait épiloguer longtemps sur l'importance de la documentation, mais nous nous contenterons de dire qu'elle est indispensable, et que de plus, elle ne vaut que dans la mesure où elle est recueillie personnellement par chacun de nous. C'est dire que le travail du traducteur dans ce domaine est un éternel recommencement (a translator's work is never done!) et que le fait, par exemple, de n'avoir pas été dans un pays depuis dix ans est parfois suffisant pour faire les plus grossiers contresens sur des textes en apparence inoffensifs.

La documentation peut se distribuer en deux secteurs :

1. Documentation générale :

Elle porte sur l'insertion de la langue dans la métalinguistique : on peut la concevoir au moins sous trois formes :

a) *Voyages à l'étranger* : c'était autrefois le moyen classique pour apprendre les langues : "envoyez donc votre fils à l'étranger" ; il ne faut pas y voir une faillite de l'enseignement, mais seulement le fait qu'il est plus facile d'enseigner des structures que d'enseigner la métalinguistique. Le voyage permet de préciser continuellement la situation, ce que la structure ne saurait faire. Les contacts humains donnent le contexte indispensable dans lequel naissent les messages ; ils les expliquent, ils leur donnent leur complète valeur. Le traducteur doit pouvoir remplir ses carnets d'équivalences et d'adaptations qu'il utilisera ensuite dans son travail professionnel ; il y trouvera même des faits purement lexicaux ou syntaxiques, en regardant autour de lui les affiches et les écriteaux, les manchettes des journaux et les titres des films.

b) *Films et livres spécialisés* : On peut faire le voyage à domicile avec certains films qui ont su capter l'esprit d'un peuple, qui en présentent le décor authentique par opposition aux films de studio qui ne font qu'exploiter les idées traditionnelles d'un public. Puisque les dialogues sont écrits en général dans une langue parlée familière, ceux-ci fournissent de bons exemples d'usage, donnent des "formules-réflexes" souvent difficiles à trouver dans les dictionnaires, peuvent même renseigner sur l'évolution de la langue. Les livres spécialisés sur la vie du pays valent par leur auteur, et certains, écrits avec beaucoup de verve et un sens aigu de l'observation doivent figurer dans la bibliothèque de tout traducteur. Les livres de phrase prennent également une grande importance, ainsi que les vocabulaires présentés dans leur contexte, formule qui seule peut rendre compte de l'influence des contextes. (cf. l'excellent *Vocabulaire de géomorphologie* de H. Baulig, Paris, Belles Lettres, 1956).

c) Mentionnons ici les documents appelés *realia* aux Etats-Unis, qui sont des collections de photos, cartes, objets divers ayant un rapport direct avec un texte expliqué ou un auteur ; leur valeur associative, leur fonction d'explicitation des messages est indéniable. A moins d'avoir été sur les lieux, peut-on, sans une photographie ou une gravure se représenter ce qu'est une *lane* dans la campagne anglaise, ou aux Etats-Unis, le *campus* d'une université et ces pharmacies-bazars qui s'appellent "drugstore".

d) *Dépouillement de revues et journaux :*

C'est la documentation la plus facile à trouver, et celle où s'associent le mieux le texte et la situation : photos, croquis, textes publicitaires, dessins humoristiques, etc. Elle offre cependant des dangers ; par exemple, l'imitation consciente ou non des revues américaines par certaines revues françaises fausse la présentation des messages, dont certains ne sont d'ailleurs eux-mêmes que des traductions. Et il faut souligner que, le plus souvent, il est relativement facile de déceler les textes traduisant de l'anglais: emploi du faux comparatif, allusions prestigieuses tirées par les cheveux, une certaine emphase et une verbosité inaccoutumée, à tous ces signes on reconnaît une traduction. Et il est trop fréquent de constater que souvent le client, qui tient absolument à une traduction calque de l'original, est responsable de ces gaucheries, que de vigoureuses transpositions ou d'habiles modulations eussent suffi à dissiper.

2. Textes parallèles :

Bien qu'il soit possible de se documenter à partir de traductions, il est bon de se méfier de l'influence, généralement inconsciente, de l'original sur le traducteur ; même si la terminologie de LA est parfaite, il se peut toujours qu'une partie des attitudes métalinguistiques de LD ait déteint sur le texte LA, particulièrement s'il s'agit de documents officiels internationaux, dont les cadres sont rigides.

L'avantage de la documentation parallèle est donc d'assurer des éléments unilingues, correspondant à une situation identique ou de même nature ; la réaction de l'écrivain est en principe tout entière inscrite dans la langue et sa métalinguistique, sauf dans les cas de contamination culturelle. (P. ex. un texte canadien français peut contenir des caractéristiques métalinguistiques anglo-saxonnes, même si l'auteur ignore complètement l'anglais).

La recherche peut s'effectuer ici selon deux principes :

(a) situation identique ou comparable : Des écrivains anglais et français ont écrit, par exemple, sur le naufrage du Titanic, sur un accident de mine, sur un épisode de la Grande Guerre. On pense à Peisson et Montsarrat ; Hemingway et Barbusse (Le Feu) ; Proust et James Joyce, etc.

(b) réaction semblable quant au style, et par conséquent à l'emploi stylistique de la langue par rapport à une situation comparable : Proust et Ruskin ; Hemingway et Romain Rolland, etc.

La Nomenclature

Jusqu'ici nous avons considéré l'aide qu'apporte au traducteur la connaissance du milieu dans lequel baigne en quelque sorte le texte à traduire. Mais une autre ressource qui s'offre à lui, non plus en dehors, mais à l'intérieur du texte est la nomenclature. On peut dire que tout énoncé recèle un ensemble de mots-clés qu'il n'est pas indifférent de repérer au préalable. C'est évident dans le cas d'un passage technique. On peut, par exemple, relever les termes de construction navale dans le texte 5. Mais nous pensons aussi à des mots ordinaires qui prennent une importance particulière du fait qu'ils sont au service des idées essentielles du message.

Prenons par exemple ce paragraphe emprunté à une nouvelle de Maupassant :

"Une averse de soleil tombait sur ce désert blanc, éclatant et glacé, l'allumait d'une flamme aveuglante et froide ; aucune vie n'apparaissait dans cet océan des monts ; aucun mouvement dans cette solitude démesurée ; aucun bruit n'en troublait le profond silence."

Il s'en dégage les quatre impressions dominantes de froid, de lumière, d'immensité et d'immobilité. La nomenclature du morceau pourra être présentée comme suit :

> froid : glacé, froid
> lumière : averse de soleil, blanc, éclatant, allumer, flamme
> aveuglante
> immensité : désert, océan de monts, démesurée
> immobilité : désert, aucune vie, aucun mouvement, solitude,
> aucun bruit, le profond silence.

Une fois saisie au moyen de ces mots la contexture du passage, la qualité du travail dépendra moins de la traduction littérale de chaque mot que d'une équivalence d'effets, même si les mots qui la réalisent ne se correspondent pas un à un. Nous proposons :

The sun shone fiercely over this frozen desert of glittering ice and snow, now ablaze with a blinding, inhuman light. The mountains stretched away in their emptiness and showed no sign of life. Nothing stirred in this boundless solitude. The silence lay unbroken.

Autre exemple :

"Today the current of communication between serious writers and serious readers must seep through a variety of blockages. Some of the channels are fouled by a lot of extremely foolish criticism. Some have been clogged by unnecessarily obscure language. All, to a greater or less degree, have been hampered by the strange conditions within the book trade."

Hugh MacLennan, The Challenge to Prose,
Mémoire de la Société royale du Canada, juin 1955.

L'idée d'obstacle, d'entrave est exprimée par "to seep through", "blockages", "fouled", "clogged", "hampered". Il n'est pas nécessaire que ces mots soient traduits littéralement. Il n'est pas même indispensable de conserver la même image dès l'instant que notre analyse lexicale a permis de dégager l'idée essentielle et ses modalités d'expression. Nous pouvons par exemple prendre un fleuve comme terme de comparaison et dire :

"Entre les écrivains sérieux et leurs lecteurs les communications ressemblent aujourd'hui à un fleuve dont le lit est étranglé ou engorgé par toutes sortes d'obstacles. Une critique souvent absurde, une langue inutilement obscure sont autant d'entraves à l'échange des idées. A des degrés divers, c'est la situation anormale de la librairie qui est responsable de cet état de choses."

Cette technique s'adresse plutôt à l'étudiant qu'au traducteur professionnel. Celui-ci n'aurait pas le temps de se livrer, sous sa forme écrite, à l'analyse que nous venons de faire. Nous pensons cependant que s'il l'a pratiquée au cours de sa formation il la fera mentalement, rapidement et presque inconsciemment. D'une façon générale, on peut y voir encore une application du principe que le sens l'emporte sur la forme et que le traducteur doit, si besoin est, s'affranchir de la forme pour rester fidèle au sens. La nomenclature lui permet de dominer son texte, en allant des mots à la pensée et de la pensée aux mots.

APPENDICE II

LE DÉCOUPAGE

Nous avons essayé de montrer (17-26) l'importance des unités de traduction. Nous appelons *découpage* l'opération qui consiste à délimiter ces unités à l'intérieur d'un texte.

On peut distinguer entre le découpage ainsi défini et le *démontage,* qui réduit la langue de départ à une *langue neutre* dont les éléments sémantiques sont simplement alignés avec l'indication de leur mise en œuvre structurale. C'est là une technique qui a sa place dans une étude de syntaxe comparée, mais qui dépasse les besoins pratiques du traducteur. Le lecteur en trouvera les éléments dans *Stylistique et Linguistique,* Montréal, Section de Linguistique, 1956, pp. 46-58.

Le découpage permettant de vérifier qu'on a effectivement tout traduit, il est recommandé, dans le cas de phrases particulièrement complexes, de découper à la fois le texte LD et le texte LA, de numéroter les éléments ainsi dégagés pour établir ensuite leur correspondance. On a intérêt à procéder ainsi chaque fois que la traduction littérale a dû faire place aux procédés obliques. Nous en donnons la démonstration dans les textes ci-après.

(1) Relativement à sa longueur le texte suivant offre une grande variété d'unités de traduction :

Fortunato, | lorgnant | la montre | du coin de l'œil, | ressemblait à | un chat | à | qui | l'on | présente | un poulet | tout entier. | Comme il sent qu' | on se moque de lui, | il | n' | ose | y porter la griffe, et | de temps en temps, | il détourne les yeux | pour | ne pas | s'exposer à | la tentation ; | mais | il se lèche les babines | à tout moment, | et | il a l'air de | dire à | son maître : | "Que | votre plaisanterie | est | cruelle !" | (Mérimée).
Nous relevons ici :

a) des verbes se construisant avec une préposition :
ressembler à   se moquer de   s'exposer à   succomber à

b) des groupes unifiés :
    du coin de l'œil   à tout moment
    de temps en temps   avoir l'air de

c) des groupements par affinité :
    lorgner du coin de l'œil
    porter la griffe sur
    tout entier
    se lécher les babines
    détourner les yeux
    s'exposer à la tentation

Ces unités de traduction ont servi de base à l'essai de traduction que nous donnons ci-dessous :

Fortunato | kept darting sidelong glances at | the watch, | like | a cat | who, | presented with | a whole | chicken | and | suspecting that | she is being made fun of, | dares | not | reach out for it, | and | at times | looks away | to resist temptation, | all the while \ licking her chops | and | wanting to | tell her master | how | mean | he is.

Ainsi, sans perte de sens, les unités françaises | "ne pas | s'exposer à | s'exposer à | la tentation" | ont fait place à une seule UT anglaise : | "resist temptation." |

(2) Voici maintenant un passage où le numérotage permet de rendre compte des traductions obliques et de vérifier que le contenu de LD est passé tout entier en LA :

LD : The questions | are to | remain under seal | until | the
           1   2   3   4
appointed time | when | in the presence of | the students | the seal |
     5   6   7   8   9
is to | be broken | and | the directions | read.
 10   11   12   13   14

LA : Le texte des épreuves | ne | devra | être décacheté | qu' |
            1   4 2, 10   3, 9, 11   4
au début de la séance | et | en présence des | candidats | à qui |
     5   6   7   8   12
il sera donné lecture des | indications à suivre.
    14   13

Le numérotage permet de montrer les raccourcis du français, qui est plus bref parce qu'il a repensé le message, au lieu de suivre pas à pas les étapes de l'opération :

1) "devra" traduit à la fois "are to" et "is to".

2) "être décacheté" rend compte de "to remain under seal" et "the seal (is to) be broken."

3) "et" rend "when", conjonction appositive qui a d'ailleurs un rôle de coordination (cf. "when: and then").

4) "à qui" correspond à "and", modulation qui remplace la coordination par la subordination.

5) "ne que" traduit "until".

6) le français est plus explicite quand il dit
"texte des épreuves"   pour "questions"
"début de la séance"   pour "appointed hour"
"candidats"   pour "students"
"donner lecture"   pour "read"

TEXTES

Pour montrer comment on peut passer de la théorie à la pratique, nous donnons ci-dessous un choix de textes avec traduction et commentaire.

Nous avons traduit nous-même les textes anglais. Dans le cas des textes français nous avons utilisé des traductions déjà parues.

Les notes succinctes du commentaire permettent d'illustrer certains procédés de traduction ou de mesurer l'écart entre deux équivalents.

Pour l'autorisation gracieuse de reproduire les textes ci-après nous remercions respectueusement :

La Société du Mercure de France pour un extrait du *Notaire du Havre* de Georges Duhamel.

MM. J. M. Dent and Sons pour la traduction de ce passage par Béatrice de Holthoir.

La Librairie Plon pour un extrait du *Journal d'un Curé de campagne* de Georges Bernanos.

MM. Macmillan et The Bodley Head pour la traduction de ce passage par Pamela Morris.

MM. Methuen et Curtis Brown pour un extrait de *Mr. Pim Passes By* de A. A. Milne.

MM. Heinemann, Pearn Pollinger et Higham pour un extrait de *England, My England* de D. H. Lawrence.

MM. Collins pour un extrait de *Barometer Rising* de Hugh MacLennan.

MM. Harcourt Brace pour un extrait de *Seasoned Timber* de Dorothy Canfield Fisher, et pour un extrait de *North to the Orient* d'Anne Morrow Lindbergh.

TEXTE I

L'escalier sort du noir. Il se purifie, marche à marche. Il s'évertue en plein ciel vers ces régions bénies où l'odeur du poireau elle-même devient agreste et balsamique. Et, tout à coup, tel un sentier abrupt qui s'épanouit enfin dans les pâturages d'un col, l'escalier triomphe et meurt au seuil d'un large palier. Ce n'est pas un palier semblable à ceux des régions basses. Il est spacieux, propre, visité d'un trait de soleil à certaines heures du soir. C'est, au faîte de l'escalier, comme la fleur au bout de la tige. O sommet ! O lieu de rêve et de poésie ! L'enfant aime de venir, bien que ce soit défendu, s'asseoir au bord de l'abîme, jambes flottantes dans le vide, et d'appuyer sa joue, sa bouche contre un des barreaux de la rampe, fraîche brûlure.

. . . . . .

Père avait demandé quatre pièces au moins : il y avait quatre pièces. Elles donnaient toutes les quatre, magnifiquement, sur la rue, et, comble d'orgueil, sur un balcon. La rue, le moignon de la rue, qui pouvait y penser d'abord ? Elle était en bas, tout en bas, noyée parmi les ombres infernales. A peine la fenêtre ouverte, l'âme s'envolait sur Paris. Ce n'était pas le Paris clair et bien dessiné qu'on découvre du haut des collines illustres. C'était une immensité confuse de toits, de murs, de hangars, de réservoirs, de cheminées, de bâtiments dif-formes. A gauche, en se penchant, on apercevait la Tour Eiffel enfouie à mi-corps dans ce chaos rocheux, et qui, lors de notre emménagement, était à peine achevée.

Georges Duhamel, *Le Notaire du Havre*,
Paris, Mercure de France, 1933, p. 61 sq.

TRADUCTION DU TEXTE I

Texte de B. de Holthoir

The staircase climbs out[1] of the darkness, and grows clearer and clearer[2] step by step. It strives in the full light[3] of the sky towards those blessed regions where even the smell of leeks[4] takes on[5] a health-giving countrified tang[6]. Then suddenly, like a steep path merging into[7] the pasturage on a hillside[8], the staircase arrives triumphant[9], turns and meets the landing[10]. It is a very different landing from[11] those in[12] the lower[13] regions. It is wide and clean and catches[14] a

1) "sort : climbs out'
   traduction d'un mot signe par un mot image (41).
2) "se purifie : grows clearer and clearer"
   dilution qui rend par un comparatif redoublé le sens du suffixe — "-fier" (165).
3) amplification qui permet de marquer l'aspect lumineux du ciel (165) par contraste avec l'obscurité de l'escalier.
4) "du poireau : of leeks"
   le pluriel concret au lieu du singulier conceptuel.
5) "devient : takes on"
   transposition d'un verbe avec attribut en un verbe suivi d'un complément direct. C'est ici l'anglais qui remplace l'adjectif par le nom.
6) "agreste et balsamique : a health-giving countrified tang"
   dilution de "balsamique" en "health-giving" et "tang" (165).
7) "qui s'épanouit enfin dans les pâturages d'un col : merging into the pasturage on a hillside"
   modulation : le sentier ne s'épanouit plus, il disparaît en se fondant avec quelque chose de plus large.
8) "les pâturages d'un col : the pasturage on a hillside"
   adaptation : les deux situations sont jugées équivalentes ; en fait, elles ne le sont pas en elles-mêmes.
9) "triomphe : arrives triumphant"
   dilution qui permet de dégager du contexte l'idée d'arrivée, d'aboutissement ; "to arrive" est ici une charnière (210) qui annonce le terme de l'image ; l'animisme de LD est maintenu en LA (188).
10) "meurt au seuil d'un large palier : turns and meets the landing"
   l'image "meurt au seuil de" n'est pas rendue, "meets" étant un terme usuel et non imagé ; l'adjonction de "turns" ne compense ni cette perte ni l'absence de "large". Nous proposons : "gives out as it meets the broad expanse of the landing."
11) "Ce n'est pas un palier semblable à... : It is a very different landing from"
   modulation par contraire sans négation (224).
12) "ceux des... : those in..."
   dégrammaticalisation de la préposition française (143)
13) "régions basses : the lower regions"
   emploi du comparatif en anglais au lieu du positif (113).
14) "Il est... visité d'... : It catches a..."
   modulation : passage du passif à l'actif (120).

glint[15] of sun towards the late afternoon[16]. The pinnacle of the stairs is like a flower on an immensely long stem[17]. O hill-top! O crest[18]! Land[19] of poetry and dreams! In spite of its being forbidden, how the child loves to come and sit[20] on the edge of the abyss, legs dangling[21] in the void and cheek and mouth against[22] a banister, burning coolness[23]!

.. ...

Father had insisted on[24] four rooms at least; there were[25] four rooms. All four looked out[26] magnificently on the street, and, grandeur of grandeurs[27], there was a balcony. The street, the stump of a street, one hardly remembered[28] at first. It was too far sunk[29] in the depths[30],

15) "un trait de soleil : a glint of sun"
   modulation : la lumière pour la forme (76) ;
   "glint" rend le reflet sur une surface sombre.
16) "à certaines heures du soir : towards the late afternoon"
   cas de métalinguistique : la journée n'est pas divisée de la même façon dans les deux langues. Notre "soir" commence plus tôt. Cf. "nuit" et "night" (250).
17) "comme la fleur au bout de la tige : like a flower on an immensely long stem"
   le singulier conceptuel est rendu par un singulier concret ; dilution apparente de "tige" en "immensely long stem" mais qui en fait compense, et fait plus que compenser, l'insuffisance de "on" à traduire "au bout de".
18) "sommet : hilltop... crest"
   dilution de "sommet" où l'on peut voir une compensation à la traduction un peu étriquée de "triomphe et meurt".
19) "lieu : land"
   modulation par extension.
20) "venir s'asseoir : to come and sit"
   l'anglais usuel préfère ici la coordination à la subordination ; sa démarche est ainsi plus lente ; elle est aussi plus proche du réel.
21) "flottantes : dangling"
   perte de l'originalité de l'expression française, "dangling" étant un mot usuel, qui devrait donner lieu à une compensation en un autre point du texte.
22) "appuyé sur : against"
   cas inverse de l'étoffement de la préposition en français ; c'est un dépouillement (91).
23) "fraîche brûlure : burning coolness"
   transposition conjuguée (82). Cf. note 36.
24) "avait demandé : had insisted on"
   "ask" ou "request" aurait également fait l'affaire, mais la traductrice a préféré particulariser et dégager ainsi un trait de caractère du personnage en question tel qu'il apparaît dans d'autres scènes du livre.
25) "il y avait quatre pièces : there were four rooms"
   Dans les deux cas il y a juxtaposition plutôt qu'articulation. On pourrait articuler le texte anglais en soulignant "were". La retraduction donnerait alors : "et en effet il y avait quatre pièces".
26) "donnaient... sur : looked out on"
   passage du plan de l'entendement à celui du réel (41)
27) "comble d'orgueil : grandeur of grandeurs"
   le superlatif anglais est obtenu par la répétition ; Cf. vrai de vrai.
28) "y penser : remember"
   modulation qui ne s'impose pas ; on pourrait dire "one was hardly aware of it"; comme on pouvait s'y attendre, la traduction élimine la fausse question (204).
29) "en bas, tout en bas : too far sunk"
   contrairement à ce qu'on pourrait prévoir, c'est l'anglais qui explique : on ne peut pas y penser parce qu'elle est trop bas.

lost. No sooner was the window open than the soul could float over[31] Paris. It was not the clear and sharply outlined Paris to be seen[32] from[33] hill-tops[34], but an immense wilderness[35] of roofs, walls, sheds, reservoirs, chimneys, and shapeless buildings. On the left, by leaning out[36], one could see the Eiffel Tower waist-high[37] in stony wreckage[38], for[39] at the date of our arrival it was barely finished.

G. Duhamel, *The Pasquier Chronicles,*

Traduction Beatrice de Holthoir

Londres, J.M. Dent & Sons, 1935, p. 17.

30) "parmi les ombres infernales : in the depths".
   modulation : de l'obscurité à la profondeur ;
   concentration de "ombre" et de "infernales" en "depths" (165) ;
   l'omission de "infernal" en anglais ne paraît pas vraiment justifiée.
31) "sur Paris : over Paris"
   particularisation : l'anglais distingue entre "on" et "over"
32) "qu'on découvre : to be seen"
   passage de l'actif au passif qui supprime le subjectivisme du français (120, 121).
33) "du haut des : from"
   dépouillement (91)
34) "des collines illustres : hill-tops"
   l'omission de "illustre" ne se justifie pas. Cf. "storied".
35) "immensité confuse : immense wilderness"
   transposition conjuguée. Cf. note 24.
36) "en se penchant : by leaning out"
   aspect terminatif en anglais et particularisation, car "se pencher" traduit aussi "to lean over".
37) "enfouie à mi-corps : waist-high"
   modulation : passage de la profondeur à la hauteur.
38) "chaos rocheux : stony wreckage"
   "wreckage" suggère plutôt les décombres ou les débris ; "wilderness" serait préférable, mais il faudrait alors le remplacer plus haut par "jumble".
39) "et qui... : for... it"
   articulation en anglais qui fausse le sens du texte, car l'inachèvement de la Tour Eiffel n'a rien à voir avec son enfouissement dans le chaos rocheux.

TEXTE II

Non, je n'ai pas perdu la foi ! Cette expression de "perdre la foi" comme on perd sa bourse ou un trousseau de clefs m'a toujours paru un peu niaise. Elle doit appartenir à ce vocabulaire de piété bourgeoise et comme il faut légué par ces tristes prêtres du dix-huitième siècle, si bavards.

On ne perd pas la foi, elle cesse d'informer la vie, voilà tout. Et c'est pourquoi les vieux directeurs n'ont pas tort de se montrer sceptiques à l'égard de ces crises intellectuelles, beaucoup plus rares sans doute qu'on ne prétend. Lorsqu'un homme cultivé en est venu peu à peu, et d'une manière insensible, à refouler sa croyance en quelque recoin de son cerveau, où il la retrouve par un effort de réflexion, de mémoire, eût-il encore de la tendresse pour ce qui n'est plus, aurait pu être, on ne saurait donner le nom de foi à un signe abstrait, qui ne ressemble pas plus à la foi, pour reprendre une comparaison célèbre, que la constellation du Cygne à un cygne.

Je n'ai pas perdu la foi. La cruauté de l'épreuve, sa brusquerie foudroyante, inexplicable, ont bien pu bouleverser ma raison, mes nerfs, tarir subitement en moi — pour toujours, qui sait ! — l'esprit de prière, me remplir à déborder d'une résignation ténébreuse, plus effrayante que les grands sursauts du désespoir, ces chutes immenses, ma foi reste intacte, je le sens.

Georges Bernanos,
Journal d'un Curé de campagne
Paris, Plon, 1936, p. 137.

TRADUCTION DU TEXTE II

No, I have not lost my faith[1]. The expression[2] "to lose one's faith", as one might a purse[3] or a ring of keys, has always seemed to me rather foolish. It must be one of those sayings[4] of bourgeois' piety, a legacy[6] of those wretched priests of the eighteenth century who talked so much[7].

Faith is not a thing which one "loses"[8], we merely cease to[9] shape our lives[10] by it. That is why old-fashioned confessors are not far wrong in showing a certain amount of scepticism[11] when dealing with[12] 'intellectual crises', doubtless far more rare than people imagine.

1) "perdu la foi : lost my faith"
   particularisation du déterminant (95).
2) "Cette expression : the expression"
   transposition du démonstratif en article ; l'article anglais a une valeur démonstrative plus grande que celle de l'article français (95).
3) "Comme on perd sa bourse : as one might a purse"
   valeur représentative des auxiliaires anglais : "might : might lose"; transposition du possessif en article indéfini : le français estime que la bourse qu'on perd vous appartient ; cette précision, qui est sur le plan de l'entendement, paraît inutile en anglais. De toute façon on évitera inconsciemment la répétition "one... one's...".
4) "Ce vocabulaire : those sayings"
   modulation : de l'abstrait au concret ; d'habitude c'est l'anglais qui préfère le singulier collectif au pluriel.
5) "Bourgeois et comme il faut : bourgeois"
   concentration de deux qualificatifs en un seul, qui s'autorise sans doute de ce que "bourgeois" est plus frappant en anglais qu'en français, mais la retraduction révélerait une perte (178).
6) "Légué par... : a legacy of..."
   transposition qui évite l'emploi de "bequeathed" pour traduire "légué" et donne plus de coulant à la phrase.
7) "Si bavards : who talked so much"
   transposition d'un adjectif en relative ; le maintien de l'adjectif dans la traduction ne supprimerait d'ailleurs pas le recours à la relative : "who were so talkative".
8) "On ne perd pas la foi : faith is not a thing one loses"
   Il est assez caractéristique que l'anglais commence par "faith" alors que le français finit la proposition par le mot "foi" qui se trouve ainsi accentué presque autant que l'est son équivalent anglais au début de la phrase.
9. "Elle cesse de... voilà tout : we merely cease to..."
   animisme en français (188) ;
   c'est "merely" qui rend "voilà tout".
10) "La vie : our lives"
   particularisation en anglais au moyen du pluriel et du possessif (95).
11) "Se montrer sceptique : to show scepticism"
   transposition inverse qui aboutit à un substantif en anglais, mais à un substantif virtuel (89).
12) "A l'égard de : when dealing with"
   passage de l'entendement au réel, ou encore du virtuel à l'actuel.

An educated man may come[13] by degrees to tuck away his faith in some back corner of his brain, where he can find it again on reflection[14], by an effort of memory; yet even if he feels a tender regret[15] for what no longer exists and might have been, the term 'faith' would nevertheless be inapplicable[16] to such an abstraction, no more like real faith[17], to use a very well-worn[18] simile, than the constellation of Cygnus is like a swan.

No, I have not lost my faith[19]. The cruelty of this test[20], its devastation, like a thunderbolt[21], and so inexplicable, may have shattered my reason and my nerves, may have withered[22] suddenly within me the joy of prayer — perhaps for ever, who can tell? — may have filled me to the very brim[23] with the dark, more terrible resignation[24]

13) "Lorsqu'un homme cultivé en est venu... on ne saurait : an educated man may come... yet..."
   Ce qui est donné comme un fait en français est présenté comme une possibilité en anglais. La proposition initiale en français devenant une principale en anglais, une charnière (yet) est nécessaire pour introduire en anglais la proposition principale du texte français.
14) "Par un effort de réflexion : on reflection"
   concentration de "effort de réflexion" en "reflection" et implicitation de l'effort.
15) "Avoir de la tendresse : to feel a tender regret"
   remplacement du mot signe "avoir" par un mot plus imagé, "feel" (41).
   particularisation de "tendresse" en "tender regret", le mot anglais "tenderness" n'ayant pas autant d'autonomie et étant en fait un adjectif substantivé (47).
16) "On ne saurait donner le nom de foi à un signe abstrait : the term "faith" would be inapplicable"
   modulation actif-passif (120) ;
   le subjectivisme français disparaît dans la traduction (188).
17) "Qui ne ressemble pas plus à la foi : no more like real faith"
   transposition de la relative en adjectif (91) ;
   "real" compense la faiblesse de "like" par rapport à "ressembler à".
18) "Célèbre : well-worn"
   modulation contestable : du mélioratif au péjoratif ; "well-known" aurait suffi.
19) "Je n'ai pas perdu la foi : no, I have not..."
   juxtaposition, en français, de cette phrase par rapport à ce qui précède ; articulation en anglais en reprenant le "no" du début qui ferme le cycle des considérations auxquelles l'auteur vient de se livrer.
20) "L'épreuve : this test"
   Il s'agit de l'épreuve qu'on vient de subir. La fonction de rappel (210) est exercée par l'article en français, par le démonstratif en anglais.
21) "Foudroyante : like a thunderbolt"
   transposition de l'adjectif en une locution adjectivale pour combler une lacune (52).
22) "Ont bien pu... tarir : may have withered"
   modulation de cause à effet qui remplace l'idée de "tarir" par celle de "se flétrir" et aboutit à une adaptation. "Tarir" est d'ailleurs un mot difficile à traduire en anglais.
23) "Remplir à déborder : fill to the brim"
   modulation qui reste en deçà de l'original ;
   "to overflowing" est une variante possible.
24) "Une résignation : the... resignation"
   Le passage de l'article indéfini au défini ne se justifie pas.

than the worst convulsions of despair in its cataclysmic fall; but my faith is still whole, for I can feel it".

G. Bernanos, *The Diary of a Country Priest*. Traduction Pamela Morris, New York, Doubleday & Co., 1937, p. 95.

25) "Je le sens : for I can feel it"
changement de sens ; la traduction veut dire : "je sens ma foi" et non "je sens que ma foi reste entière".

TEXTE III

"Telling George" (A study in emphasis)

Dinah. Darling, you haven't kissed me yet.

Brian (taking her in his arms) I oughtn't to, but then one never ought to do the nice things.

Dinah. Why oughtn't you? (They sit on the sofa.)

5 Brian. Well, we said we'd be good until we'd told your uncle and aunt all about it. You see, being a guest in their house —

Dinah. But, darling child, what *have* you been doing all this morning *except* telling George?

Brian. *Trying* to tell George.

10. Dinah. (nodding) Yes, of course, there's a difference.

Brian. I think he guessed there was something up and he took me down to see the pigs — he said he had to see the pigs at once — I don't know why; an appointment perhaps. And we talked about pigs all the way, and I couldn't say, "Talking about

15 pigs, I want to marry your niece —"

Dinah. (With mock indignation) Of course you couldn't.

Brian. No. Well, you see how it was. And then when we'd finished talking about pigs, we started talking *to* the pigs —

Dinah. (Eagerly) Oh, *how* is Arnold?

20 Brian. The little black-and-white one? He's very jolly, I believe, but naturally I wasn't thinking about him much. I was wondering how to begin. And then Lumsden came up, and wanted to talk pig-food, and the atmosphere grew less and less romantic, and — and I gradually drifted away.

25 Dinah. Poor darling. Well, we shall have to approach him through Olivia.

Brian. But I always wanted to tell her first; she's so much easier. Only you wouldn't let me.

Dinah. That's *your* fault, Brian. You would tell Olivia that she
30 ought to have orange-and-black curtains.

Brian. But she *wants* to have orange-and-black curtains.

Dinah. Yes, but George says he's not going to have any futuristic nonsense in an honest English country-house, which has been good enough for his father and his grand-father and his great-grand-
35 father, and — and all the rest of them. So there's a sort of strained feeling between Olivia and George just now, and if Olivia were to — sort of recommend you, well, it wouldn't do you much good.

Brian. (Looking at her) I see. Of course, I know what *you* want, Dinah.
40 Dinah. What do I want?

Brian. You want a secret engagement, and notes left under door-mats, and meetings by the withered thorn, when all the household is asleep. *I* know you.

Dinah. Oh, but it's such fun. I love meeting people by withered
45 thorns.

Brian. Well, I'm not going to have it.

A.A. Milne, *Mr. Pim Passes By*, Act. 1.

Londres, Chatto and Windus,

Phoenix Library, 1921.

TRADUCTION DU TEXTE III

"Une demande en mariage" (Etude de la mise en relief)

D. Mon chéri, tu ne m'as pas encore embrassée !

B. (La prenant dans ses bras) Est-ce que ce n'est pas défendu ? C'est toujours défendu de faire les choses agréables !

D. Pourquoi serait-ce défendu de m'embrasser ? (Ils s'asseoient
5 sur le divan).

B. Tu sais bien que nous avons promis d'être sages jusqu'à ce que ton oncle et ta tante soient au courant de nos fiançailles. Mets-toi à ma place : en tant qu'invité chez eux...

D. Mais, mon chéri, je croyais que tu avais précisément passé la
10   matinée à mettre Georges au courant !

B. Oui, enfin, c'est ce que j'ai essayé de faire...

D. (Hochant la tête) Evidemment, il y a une nuance.

B. Je te crois ! Il a dû flairer quelque anguille sous roche et m'a
emmené voir ses porcs. Il a déclaré qu'il fallait absolument
15   qu'il aille voir ses porcs sur-le-champ, je ne sais trop pourquoi.
Un rendez-vous, peut-être. Et nous avons discuté porcs tout le
long du chemin. Je ne pouvais vraiment pas lui dire : "A propos de porcs, j'ai l'honneur de vous demander la main de votre
nièce" !

20 D. (Entrant dans le jeu) Il n'aurait plus manqué que cela !

B. Bien sûr. Enfin, tu vois ça d'ici. Après avoir épuisé tous les
sujets de conversation sur les porcs, nous leur avons adressé
la parole...

D. (intéressée) A propos, comment va Arnold ?

25 B. Le petit cochon noir et blanc ? Il se porte comme un charme,
à ce que j'ai cru voir ; mais je dois t'avouer que j'avais autre
chose en tête. J'essayais de trouver une entrée en matière quand
Lumsden est arrivé. Il s'est mis à discuter du régime alimentaire
porcin ; l'atmosphère devenait de moins en moins romanesque
30   et je... finalement, je me suis éloigné tout doucement !

D. Mon pauvre chou ! Eh bien, il faudra demander à Olivia de
tâter le terrain à notre place.

B. Mais c'est ce que j'ai toujours dit ! Il fallait lui parler d'abord.
Elle est bien plus facile à approcher. Mais c'est toi qui ne
35   m'as pas laissé faire...

D. C'est bien de ta faute, aussi. Qu'est-ce que tu avais besoin de
lui dire qu'elle devait choisir des rideaux orange et noir ?

B. Mais c'est elle qui veut des rideaux orange et noir !

D. Bien sûr. Mais Georges a déclaré qu'il ne tolérerait pas chez
40   lui ces absurdités ultra-modernes, que sa maison est une bonne
vieille maison anglaise qui fut assez bonne pour son père, son
grand-père et son arrière-grand-père... et toute la clique de ses
aïeux. De sorte que Georges et Olivia sont un peu en froid
actuellement, et si Olivia essayait de plaider ta cause, de te
45   faire mousser, quoi, je ne crois pas que ça avancerait beaucoup
les choses.

B. (Regardant D. d'un air songeur) Je te vois venir, toi ! Au
fond, je sais bien ce que tu voudrais.

D. Ce que je voudrais ?

50 B. Tu voudrais des fiançailles secrètes, avec des billets doux glissés sous le paillasson et des rendez-vous près de l'épine morte, quand tout le monde dort à poings fermés. Je te connais, va !

D. Bien sûr, c'est si amusant ! J'adore rencontrer les gens sous une épine morte !

55 B. Ça se peut ; mais avec moi, ça ne prend pas !

Notes sur le texte III

N.B. — Le double numérotage des lignes dans les notes qui suivent permet de se reporter à l'original et à la traduction.

A. La mise en relief

Le texte ci-dessus se prête particulièrement à l'étude de la mise en relief. Dans chacun des onze exemples que nous pouvons y relever, l'anglais utilise l'accent d'insistance, qui est à l'énoncé oral ce que les italiques ou le souligement sont au texte écrit. Nous avons vu (190 sq.) que le français n'emploie guère ce procédé et a plutôt recours à un étoffement lexical ou syntaxique. La variété des moyens que le français peut ainsi utiliser apparaît nettement dans les exemples suivants que l'on a essayé de classer méthodiquement.

lignes 29/36 That's *your* fault : C'est *bien* ta faute *aussi*.
19/24 How *is* Arnold? : *A propos*, comment va Arnold ?
7/9 What *have* you been doing... except :
A quoi as-tu *bien* pu passer ton temps... si ce n'est à...
Je croyais que tu avais *précisément* passé...
43/52 I know you : Je te connais, *va*
44/53 I *love* meeting people : J'*adore* rencontrer...
28/34 Only *you* wouldn't let me : Mais *c'est toi qui* ne m'as pas laissé faire.
31/38 She *wants* to have... curtains : *C'est son idée*, d'avoir...
38/47 I know what *you* want : Je sais ce que tu veux, *toi*.
Je te *vois venir*.
29/36 You would tell Olivia : Qu'est-ce que tu *avais besoin de* dire à Olivia... ? Tu avais *bien besoin* d'aller dire à Olivia...
18/22 We started talking *to* the pigs : Nous leur avons *adressé la parole*.
9/11 *Trying* : disons plutôt que j'ai essayé. *Oui, enfin, c'est ce que j'ai essayé de faire*.

Dans les quatre premiers de ces exemples le français se sert d'adverbes pour marquer l'insistance, ou d'un impératif qui écarte le doute. Dans le cinquième il emploie un superlatif lexical : "adorer". Dans les deux exemples suivants c'est la tournure "c'est... qui/que" qui obtient l'effet désiré. Le huitième utilise le pronom disjonctif. Enfin les trois derniers ont recours à des tournures de phrases qui seules permettent de rendre la valeur de "will" (marquant une tendance invincible), de la préposition accentuée et du verbe "try" s'opposant à "do".

En général notre mise en relief est moins mécanique, moins concise. Elle manque de souplesse en face de l'anglais qui peut déplacer l'accent le long de la phrase comme le curseur d'une règle à calculer. La gêne du traducteur est particulièrement sensible quand il s'agit de rendre l'opposition entre "talk about" et "talk to". Par contre les procédés français sont plus intellectuels ; ils expliquent davantage. Ici encore, nous sommes sur le plan de l'entendement.

B. Notes diverses

2/2 — Le passage de "oughtn't" à "c'est défendu" est une modulation explicative qui donne la cause pour l'effet. Le premier "ought" pourrait se rendre sans modulation par "devrais", mais le deuxième s'y prêterait moins : "On ne devrait jamais faire de choses agréables" est ambigu.

2/3 — "but then" n'est pas traduit. On aurait pu le rendre par "d'ailleurs".

4/4 — "...de m'embrasser" : nécessité pour le français de rétablir le verbe sous-entendu en anglais après les auxiliaires, et, d'une façon générale, de rappeler de quoi on parle.

5/6 — Ici encore une modulation explicative dégage de "say" une idée de promesse.

5/7 — "all about it" offre un exemple de pronom qui ne passe pas en français parce qu'on ne voit pas tout de suite à quoi il se rapporte (92). Le français transpose ce genre de pronom en nom : "fiançailles". Ceci nous amène à traduire "tell about" par "mettre au courant".

6/8 — "you see" ; la traduction littérale (tu vois) serait un rappel et non un traitement. C'est "tu comprends", ou encore "mets-toi à ma place", qui permet d'amorcer l'explication.

10/12 — "nodding" : nous n'avons pas de mot commode pour "nod" (52). Nous pouvons nous contenter d'une expression plus générale : "avec un signe de tête", le contexte indiquant clairement de quel signe de tête il s'agit.

11/13 — "Je te crois !" explicitation, qui d'ailleurs n'est pas absolument nécessaire.

11/13 — "flairer quelque anguille sous roche" : la traduction est plus pittoresque que l'original. On pourrait à la rigueur se contenter de : "Il a dû se douter de quelque chose".

12/14 — "il m'a emmené" : "down" n'est pas traduit. Le français (51) n'a pas le même souci que l'anglais de marquer les directions, il se contente d'indiquer la destination ou l'emplacement : "au château = up at the Hall".

12/14 — "il a déclaré" : utilisation des synonymes de "dire" par désir de précision. Cf. "mettre au courant" (lignes 5/7) et "promettre" (lignes 5/6).

15/18 — "J'ai l'honneur de vous demander la main de". Nous sommes ici dans le domaine de la métalinguistique. Les usages français exigent une formule plus cérémonieuse. Il en est de même du choix entre "toi" et "vous". Les fiancés vont-ils se tutoyer ? C'est une question d'époque et de milieu (172).

16/20 — "Il n'aurait plus manqué que cela !" La traduction littérale (Naturellement vous ne pouviez pas faire cela) n'aurait ni la même valeur ni la même force. Bon exemple d'un faux ami de structure (154) et du recours à l'équivalence. Que dirait une jeune Française dans la même situation pour manifester une indignation feinte ?

21/26 — "J'avais autre chose en tête" : modulation explicative (la cause pour l'effet : 220)

25/32 — "tâter le terrain" : "pressentir est la traduction exacte de "approach", mais nous avons ici l'occasion de regagner le terrain perdu dans le domaine du style familier. Exemple de compensation (171 sq.).

27/33 — "Mais c'est ce que j'ai toujours dit" : c'est-à-dire, "j'ai toujours soutenu qu'il fallait d'abord la pressentir elle". Remarquons que l'anglais mentionne simplement la constance d'une préoccupation. Le français souligne que cette préoccupation a pris la forme d'un avis réitéré. On pourrait arguer qu'il dépasse en cela l'intention du texte anglais, mais il ressort du contexte que Dinah connaissait le sentiment de son fiancé sur ce point et s'y opposait. Le français est plus explicite. — il l'est généralement dans le domaine de l'abstrait — et plus économe aussi (169) car le "c'est ce que" dispense de traduire "to tell her first".

27/34 — "Elle est bien plus facile à approcher" : nouvelle ellipse de l'anglais qui ne passe pas en français. Il faut dire en quoi Olivia est plus facile. Si nous voulions renforcer la note familière, nous pourrions dire : "Elle est plus malléable".

32/40 — "ces absurdités ultra-modernes" : cas étudié au paragraphe 103 du pluriel français pour rendre un singulier anglais à sens collectif.

35/42 — "toute la clique" : nuance péjorative que l'anglais n'exprime pas. On peut estimer que Dinah n'irait peut-être pas jusque-là, qu'elle pourrait se contenter de "et la kyrielle de ses aïeux" ou encore de "et ainsi de suite en remontant jusqu'aux croisades".

37/44 — "plaider ta cause, te faire mousser, quoi" peut paraître redondant par rapport au simple "sort of recommend you", mais l'hésitation que marque "sort of" est assez bien rendue en français par une répétition.

37/45 — "ça avancerait beaucoup les choses" : modulation qui remplace la personne par ses projets.

38/47 — "d'un air songeur" : explicitation où se retrouve le désir du français de caractériser les gestes et les attitudes.

40/49 — "ce que je voudrais ?" deviendra "Tu me vois venir !" si nous adoptons cette expression pour "I know what you want" à la ligne précédente

41/50 — "billets doux" : explicitation suggérée par la situation (150).

41/51 — "sous le paillasson" : le singulier est normal en français en pareil cas ; il ne peut s'agir que d'un paillasson à la fois.

43/52 — "à poings fermés" : intensif qui n'est pas dans l'original mais qui contribue à donner au dialogue un certain relief.

44/53 — "Bien sûr" : modulation qui remplace l'objection (Oh, but...) par une reprise vigoureuse de l'idée incriminée.

46/55 — "Ça se peut" : ici encore, comme à la ligne 5, la situation et en particulier l'intonation du "well" nous amènent à rejeter la traduction littérale : "eh bien" qui n'indique pas suffisamment l'opposition entre ce que Dinah aime et ce que Brian fera.

TEXTE IV

There is in the Midlands a single-line tramway system which boldly leaves the county town and plunges off into the black, industrial countryside, up hill and down dale, through the long, ugly villages of workmen's houses, over canals and railways, past churches perched high and nobly over the smoke and shadows, through stark, grimy cold little market-places, tilting away in a rush past cinemas and shops down to the hollow where the collieries are, then up again, past a little rural church, under the ash trees, on in a rush to the terminus, the last little ugly place of industry, the cold little town that shivers on the edge of the wild, gloomy country beyond. There the green and creamy coloured tram-car seems to pause and purr with curious satisfaction. But in a few minutes — the clock on the turret of the Coöperative Wholesale Society's Shops gives the time — away it starts once more on the adventure. Again there are the reckless swoops downhill, bouncing the loops: again the chilly wait in the hill-top market-place: again the breathless slithering round the precipitous drop under the church: again the patient halts at the loops, waiting for the outcoming car: so on and on, for two long hours, till at last the city looms beyond the fat gas-works, the narrow factories draw near, we are in the sordid streets of the great town, once more we sidle to a standstill at our terminus, abashed by the great crimson and cream-coloured city cars, but still perky, jaunty, somewhat dare-devil, green as a jaunty sprig of parsley out of a black colliery garden.

D.H. Lawrence, *England, My England.*
Londres, Martin Secker, 1924, Ch. II.

TRADUCTION DU TEXTE IV

Il est¹ dans les Midlands un petit tram² à voie unique qui s'élance³, intrépide⁴, du chef-lieu du comté à la conquête⁵ de la campagne toute noire d'usines⁶. Grimpant⁷ les collines, dévalant au fond des creux, il traverse d'interminables et laides agglomérations⁸ ouvrières⁹, enjambe canaux et voies ferrées, croise des églises haut perchées dominant noblement¹⁰ les fumées et les pans d'ombres¹¹, enfile de petites places de marché nues, froides, barbouillées de suie¹², laisse derrière lui, dans sa course folle¹³, cinémas et boutiques pour s'enfoncer dans la combe

1) **"There is : il est"**
   La tonalité du texte suggère "il est" plus littéraire que "il y a".
2) **"Tramway system : petit tram"**
   La note affective rendue par "petit" se justifie par le contexte. "System" est compris dans "tram" (concentration, 165).
3) **"Boldly : intrépide"**
   transposition (82).
4) **"Leaves... and plunges off : s'élance"**
   concentration (165) justifiée par le passage du réel à l'entendement.
5) **"Into : à la conquête de"** (var. : "pour s'enfoncer dans")
   étoffement de la préposition par un nom ou par un verbe (91).
6) **"The black, industrial countryside : la campagne toute noire d'usines"**.
   L'accumulation dans ce texte d'adjectifs antéposés, impossible en français pour des raisons structurales, oblige à des déplacements où le besoin de jugement causal du français (121) trouve son compte. Là où l'anglais juxtapose deux qualités (black, industrial) nous dégageons le rapport de cause à effet qui de toute évidence les unit. Transposition de "industrial" en substantif (86).
7) **"Up... down... through..." etc...**
   Toutes les prépositions utilisées par l'auteur pour décrire le mouvement du tramway seront rendues par des verbes en français (9) avec alternance possible entre le participe présent et l'indicatif présent. "Tilting away" est un exemple de chassé-croisé (88). On notera par ailleurs que le texte LA propose une coupure (virgule en anglais, point en français) pour introduire cette énumération de verbes.
8) **"Long ugly villages : d'interminables et laides agglomérations"**
   Le choix du polysyllabe, par opposition à "long", est un étoffement exigé par l'économie de la phrase. La présence de "et" s'explique par des raisons de structure.
9) **"Villages of workmen's houses : agglomérations ouvrières"**
   concentration (165) ; le terme "agglomération" est implicite dans la nomenclature du texte ;
   transposition de "workmen's" en adjectif.
10) **"Perched high and nobly over : haut perchées dominant noblement"**.
    La transposition (avec étoffement) de "over" en verbe entraîne un déplacement de "nobly : noblement", qui modifie "dominant" au lieu de "perchées".
11) **"The smoke and shadows : la fumée et les pans d'ombre"**
    amplification de "ombre" pour éviter l'ambiguïté (165).
12) **"Grimy : barbouillé de suie"**
    lacune de dérivation (53). "Suie" n'a pas d'adjectif.
13) **"Rush : course folle"**
    dilution du "rush" qui est plus intense que "course" ; d'où l'adjonction de "folle" qui fait compensation.

aux puits de mine, grimpe de l'autre côté, dépasse une petite église de campagne[14], se glisse sous un boqueteau de frênes pour se hâter, dans un dernier élan[15], vers le terminus, dernier petit bourg[16] industriel dont la laideur et la nudité frissonnent[17] aux confins[18] d'un pays sauvage et lugubre. Là, le petit tram vert et blanc crème semble reprendre haleine, et ronronne d'une étrange béatitude. Mais quelques minutes à peine se sont écoulées à l'horloge[19] de la petite tour des Magasins Coopératifs de Gros[20] — et voilà[21] le petit tram qui repart vers l'aventure ! Ce sont à nouveau des plongeons effrénés[22] du haut des collines[23], des bonds[24] à chaque voie d'évitement, de nouvelles attentes frileuses sur la place du marché tout en haut de la colline, des tournants à vous donner le vertige autour de la masse à pic de l'église, d'autres haltes patientes pour laisser passer le tram qui vient en sens inverse[25] et ainsi de suite, pendant deux longues heures, jusqu'à ce que la silhouette de la grande ville se dessine[26] enfin derrière les gazomètres obèses. Les étroits bâtiments des usines[27]

14) "A rural church : une église de campagne"
En français "rural" est surtout un mot intellectuel. Cf. faux-amis de la stylistique (55) et adjectifs de relation (109).
15) "In a rush : dans un dernier élan"
"dernier" est une charnière (210-211) qui annonce "terminus" et la fin de l'énumération. Il y a donc dilution anticipée de "terminus" en "dernier" et "terminus" (165).
16) "Place... town : bourg"
concentration qui prépare le remaniement de la caractérisation. Voir note 17 (165).
17) "Ugly... cold... shivers : dont la laideur et la nudité frissonnent"
transposition de deux adjectifs en substantifs, avec modulation de "froid" en "nu".
18) "On the edge of... beyond : aux confins de"
concentration de "edge" et de "beyond" en "confins" (165).
19) "In a few minutes the clock... gives the time : quelques minutes à peine se sont écoulées à l'horloge"
transposition de "in" en verbe (s'écouler) ;
dilution de "few", "quelques" étant renforcé par "à peine" ;
implicitation de "the clock gives the time" en "à l'horloge".
20) "The Cooperative Wholesale Society's Shops : la Coopérative de gros"
implicitation du titre.
21) "Away it starts : le voilà qui repart"
mise en relief de "away" rendu par "voilà" (189 sq.).
22) "Again there are the reckless swoops : ce sont les mêmes plongeons"
transposition de "again" par un adjectif.
23) "Downhill : du haut des collines"
modulation par renversement des termes (76).
24) "Bouncing : les bonds"
valeur collective de la forme en-"ing", rendue par un pluriel (103).
25) "Outcoming : qui vient en sens inverse"
explicitation par le contexte qui supplée à une lacune du français.
26) "Looms : se dessine"
aspect graduel (62).
27) "The narrow factories : les étroits bâtiments des usines"
dilution de "factories" en "bâtiments des usines" pour obvier au manque de souplesse de l'adjectif français qui tend à établir des catégories. Or il n'y a pas d'étroites usines.

se rapprochent ; nous voici dans les rues sordides du centre[28] et le petit tram vient[29] se ranger une fois de plus sur la voie du terminus, intimidé par la masse rouge vif et crème des grands tramways urbains[30], mais toujours fier, crâneur, un peu risque-tout, vert comme une pousse insolente de persil sur le fond noir d'un jardin de mineur[31].

28) "The streets of the great town : les rues du centre"
    modulation de la partie pour le tout pour éviter de répéter "la grande ville" (76).
29) "We sidle to a standstill : vient se ranger"
    verbe adjonctif (188).
30) "The great crimson and cream-coloured city cars : la masse rouge et crème des grands tramways urbains"
    dilution de "great" en "masse" et "grand" (165)
    transposition de "city" en adjectif (82)
31) "Out of a black colliery garden: sur le fond noir d'un jardin de mineur"
    dilution de "black" en "fond noir" avec modulation du rapport entre le persil et le jardin : "le persil" ne sort pas de..., il se détache sur...

TEXTE V

From a window in her office at the Shipyards Penelope Wain stood watching the evening draw in over the water. It was invading the Stream like a visible and moving body. It spilled over from the land and lapped the massive side of the graving dock and the hulls of vessels riding at anchor; it advanced westward from the hidden sea; and because fog was behind the darkness, the air was alive with the clanging of bells.

She stood quite still, alone in her unlighted office. This assembly of enormous and potent apparatus was so familiar she hardly noticed it. Yet even while she rested her eyes on the soft colours of the twilight, she was conscious of objects that the advancing darkness had partially covered. There was the long skeleton of the ship under construction, lying with its keel buried in the night and its ribs caged in the net of a great gantry. Flat in the open spaces of the yard under her window sprawled three bronze propellers waiting to be connected to their shafts. And there was a row of parked trucks and a line of freight cars standing on a siding, all part of her work. She handled none of them and had no immediate authority over their disposal, yet ultimately the results of her daily work became parts of the whole of which these also were parts.

Hugh MacLennan, *Barometer Rising.*
Toronto, Collins, 1941, Ch. II.

TRADUCTION DU TEXTE V

Debout à une fenêtre[1] de son bureau[2], aux chantiers de construction navale[3], Pénélope Wain regardait s'allonger[5] sur[6] l'eau les ombres du crépuscule[4]. L'obscurité[7] envahissait la baie comme une masse visible et en mouvement[8]. Elle débordait de la terre et venait[9] lécher la paroi trapue du bassin de radoub et les coques des navires à l'ancre ; venue[10] de la mer invisible[11], elle s'avançait vers l'ouest ; et parce que la brume s'y mêlait[12], l'air retentissait de la clameur des cloches.

Pénélope[13] restait[14] immobile dans la pièce assombrie[15]. Cet assemblage d'appareils[16] énormes et puissants lui était si familier qu'elle le

1) "From a window : Debout à une fenêtre"
   étoffement de la préposition "from" (91) et anticipation de "stood".
2) "in her office : de son bureau"
   grammaticalisation de la préposition en français, "dans" étant réduit à "de" (143).
3) "the shipyards : les chantiers de construction navale"
   contraste entre la simplicité du vocabulaire usuel en anglais et le caractère savant de beaucoup d'équivalents français.
4) "the evening : les ombres du crépuscule"
   amplification et variante stylistique suggérées par "draw in over the water" (176-177).
5. "draw in : s'allonger"
   modulation par changement d'aspect, l'allongement équivalant ici à un rapprochement.
6) "over : sur"
   le français ne marque pas la nuance entre "on" et "over".
   Cf. Texte I, note 31.
7) "Il was invading... : L'obscurité envahissait..."
   explicitation de "it" pour éviter l'ambiguïté de "elle" qui pourrait se rapporter à Pénélope. Voir note 13 (98).
8) "moving body : corps en mouvement"
   transposition aboutissant à un substantif (86).
9) "lapped : venait lécher"
   exemple de verbe adjonctif particulier au français (188).
10) "from the hidden sea : venue de la mer invisible"
   nouvel étoffement de "from".
11) "hidden : invisible"
   modulation : l'effet pour la cause (76).
12) "fog was behind the darkness : la brume s'y mêlait"
   modulation qui remplace la succession par la juxtaposition, la distance entre les deux phénomènes (nuit et brume) étant négligeable. La traduction de "It" par "l'obscurité" nous dispense de répéter ce mot ici.
13) "She stood... : Pénélope restait..."
   autre exemple d'explicitation due à l'ambiguïté des pronoms personnels en français — voir plus haut, note 7 (98).
14) "stood quite still : restait immobile"
   perte apparente en français, c'est-à-dire dans le cadre de la phrase (151). Le contexte nous apprend qu'elle était debout. "Immobile" suffit à rendre "quite still" (concentration : 165)
15) "unlighted : assombri"
   modulation qui remplace la cause par l'effet (76). L'anglais mentionne simplement le fait que la pièce n'est pas éclairée artificiellement. Nous en concluons qu'elle s'assombrit puisque la nuit tombe.
16) "apparatus : appareils"
   cas du collectif singulier anglais qui se rend par un pluriel (103).

remarquait à peine. Pourtant, tandis que son regard se posait[17] sur les teintes adoucies[18] du crépuscule, elle n'ignorait pas[19] la présence d'objets que l'ombre envahissante avait en partie recouverts. Il y avait le squelette allongé[20] d'un navire en construction, dont la quille disparaissait[21] dans la nuit et dont les membrures étaient enserrées dans le réseau des grues de cale. Posées à plat[22] sous sa fenêtre, dans les espaces libres des chantiers, trois hélices de bronze s'étalaient en attendant d'être fixées à leur arbre de couche. Il y avait aussi une rangée de camions[23] et une rame de wagons de marchandises[24] sur une voie de garage. Toutes ces choses se rattachaient à son activité[25]; elle n'avait pas à s'en occuper ; leur utilisation ne relevait pas directement de son autorité[26], et cependant, en fin de compte, les résultats de sa tâche quotidienne s'intégraient à un ensemble dont tout cela faisait partie.

17) "she rested her eyes : son regard se posait"
    animisme (188)
    double modulation a) le complément devient sujet,
                         b) l'action remplace la source de l'action.
18) "the soft colours : les teintes adoucies"
    dilution de "soft" qui se répartit sur "teintes" et sur "adoucies" les teintes étant moins tranchées que les couleurs. Le français marque l'aspect terminatif alors que l'anglais indique seulement le résultat. Cf. "yellow : jaune" ou "jauni" (64).
19) "was conscious of : n'ignorait pas"
    modulation par contraire négativé (224).
20) "long : allongé"
    autre exemple d'aspect terminatif (64).
21) "lying buried : disparaissait"
    "lying" est ici un mot image qui remplace le mot signe "being" dans la forme progressive. Le français est ici plus dynamique que l'anglais. Suivant l'expression de Marcel Cressot (1), il traduit dynamiquement un fait statique (66).
    "Disparaissait" marque aussi la tendance animiste du français (188).
22) "flat : posé à plat".
    explicitation de "flat" d'après le contexte (149). Le français tient à marquer qu'il ne s'agit pas d'une forme particulière, mais de l'aspect que prend l'objet du fait de sa position.
23) "parked..."
    n'est pas traduit ; exemple de passif tronqué qui ne peut se rendre en français dans le cas d'un verbe intransitif (stationner). "Park" peut aussi se rendre par "laisser" (où avez-vous laissé votre voiture ?) mais il semble inutilement long de dire : qu'on avait laissé là pour la nuit. Le contexte est suffisamment clair.
24) "standing..."
    autre omission. Le contexte indique clairement que les wagons sont immobiles.
25) "...all part of her work : Toutes ces choses se rattachaient à son activité"
    Cette apposition aurait pu être traduite par une relative telle que : "toutes choses qui". — Il est aussi simple de la rattacher à la phrase suivante.
26) "had no immediate authority over their disposal : leur utilisation ne relevait pas directement de son autorité"
    modulation par renversement des termes (223),
    transposition de "over" en verbe (relever)
                     de "immediate" en adverbe (directement).

(1) MARCEL CRESSOT, Le Style et ses techniques, P.U.F., 1947, p. 120.

TEXTE VI

A crack like a revolver shot from one of the great maples startled him back to where he stood shuddering with cold. It was mad for any flesh-and-blood creature to stand still an instant on a night like this, when the very trees were being frozen to the heart. Blowing on his hands, he started back down the road at his fastest walk. It was not for Aunt Lavinia's sake that he was hurrying; she had never sat up for him, she would have gone to bed long before he could reach the house. Yet he walked faster and faster and presently broke into a swinging trot, striking his numbed feet with all his might on the hard-beaten snow of the road to whip up his blood, almost congealed by that unwitting stand under the maples. How long had he been there dreaming? Too long. But he knew what to do; as he ran he beat his arms across his chest and breathed deeply although the thousands of frost-crystals in the air cut his lungs like little knives. The stars, very high above the tiny black figure running heavily down the winding white thread of the road, threw off malignantly from every frosty ray an inhuman killing cold.

Dorothy Canfield Fisher, *Seasoned Timber*.
New York, Harcourt Brace & Co., 1939, p. 191.

TRADUCTION DU TEXTE VI

Un craquement sec comme[1] un coup de revolver, parti[2] d'un des grands érables, le ramena brusquement[3] à la réalité[4], et il s'aperçut

1) "Like : sec comme"
   étoffement de "comme" par dégagement de la qualité commune aux deux choses comparées.
2) "From : parti de"
   étoffement de "from".
3) "Startled him back..."
   La traduction proposée s'appuie sur le découpage suivant :
   startled him / back to / where he stood / shuddering with cold/
       1   2   3   4
   le ramena / brusquement / à la réalité / et il s'aperçut / qu'il gre-
       2   1   3   1   4
   lottait de froid /
   "startled" qui dénote une brusque prise de conscience se dilue en a) brusquement, et b) il s'aperçut que. Le français marque cette prise de conscience d'une façon beaucoup plus personnelle, plus "intérieure", comme on pouvait d'ailleurs s'y attendre. Bon exemple de l'intériorité du français (186).
4) "Where he stood : à la réalité"
   transposition aboutissant à un substantif, passage du plan du réel au plan de l'entendement.

qu'il grelottait de froid. C'était de la folie[5] pour un être vivant de rester ainsi immobile[6], ne fût-ce qu'un instant[7], par une nuit pareille, alors que les arbres eux-mêmes étaient gelés jusqu'à la moëlle. Soufflant sur ses doigts[8], il reprit le chemin du retour[9] et redescendit la route à son pas le plus rapide. Ce n'était pas pour tante Lavinie qu'il se pressait ainsi[10] ; elle ne l'avait jamais attendu[11] et elle serait couchée depuis longtemps quand il arriverait à la maison. Cependant il marchait de plus en plus vite et bientôt il prit le pas gymnastique[12], martelant de ses pieds engourdis avec toute la vigueur dont il était capable, la neige tassée de la route pour ranimer sa circulation[13] qui s'était presque arrêtée[14] pendant qu'il s'était attardé[15] sous les érables. Combien de temps était-il resté ainsi à rêvasser[16]? Trop longtemps.

5) "Mad : de la folie"
   autre transposition aboutissant à un substantif (86).
6) "To stand still : de rester ainsi immobile"
   Négligeant de rappeler que le personnage est debout, le français insiste sur le fait qu'il prolonge sa station sous les arbres. L'idée de continuation est d'ailleurs impliquée dans les verbes de posture anglais employés sans particules : "to sit", "to stand", "to lie", etc. (58). L'adjonction de "ainsi" est conforme à la tendance du français de marquer l'articulation de l'énoncé. "Ainsi" est une charnière de rappel (210).
7) "An instant : même un instant" (variante : "ne fût-ce qu'un instant")
   adjonction de "même" suggérée, presque imposée, par le contexte.
8) "Blowing on his hands : soufflant sur ses doigts"
   modulation : la partie pour le tout (76).
9) "Started back..."
   Le découpage s'établit comme suit :
   started / back / down / the road /
      1   2   3   4
   prit le chemin / du retour / et se mit à / descendre / la route /
         1   2   1   3   4
   L'aspect inchoatif de "start" est rendu par a) prendre le chemin, et b) se mettre à (dilution) (165).
10) "He was hurrying : il se pressait ainsi"
    nouvelle adjonction de "ainsi" comme charnière de rappel, et nouvel exemple du besoin de cohésion du français.
11) "sat up for him : l'avait attendu"
    mot image en anglais, mot signe en français (41) ; "attendu" rend surtout "for", cf. note 6.
12) "Broke into..."
    utilisation du découpage suivant :
    broke into / a swinging / trot /
        1   2   3
    se mit à / courir / à longues foulées / ou : prit / le pas gymnastique /
       1   3   2   1   2 & 3
    Le substantif anglais "trot" est transposé en verbe dans la première traduction, mais "swinging" donne un substantif en français, et la phrase française est plus substantivale que son équivalent anglais. Elle le reste dans la deuxième traduction.
13) "His blood : sa circulation"
    modulation : le mouvement pour la chose en mouvement (76)
14) "Congealed : qui s'était arrêtée"
    modulation : la cause pour l'effet (76).
15) "By that unwitting stand : pendant qu'il s'était attardé"
    concentration de "unwitting" et de "stand" en "s'attarder" (165).
    transposition inverse du nom en verbe (89).
16) "Dreaming : à rêvasser"
    "rêvasser" reprend l'idée de "unwitting" ; il y a donc dilution de "unwitting" avec s'attarder" et le suffixe "-asser" de "rêvasser".

Mais il savait ce qu'il fallait faire ; tout en courant il battait des bras et respirait profondément malgré[17] les milliers de cristaux de glace suspendus[18] dans l'air qui lui lacéraient[19] les poumons comme autant de petites lames[20]. Dominant de très haut[21] ce petit point noir[22] qui dévalait lourdement le long fil blanc et sinueux de la route, les étoiles cruelles[23] dégageaient de leurs rayons glacés un froid inhumain et mortel.

17) "Although the frost crystals... cut... : malgré les cristaux de glace... qui... lacéraient..."
    transposition d'une conjonction en préposition (82).
18) "In the air : suspendus dans l'air"
    étoffement de "dans" (91).
19) "Cut : lacéraient"
    aspect collectif qui se dégage du contexte.
20) "Like little knives : comme de petites lames"
    modulation : la partie pour le tout (76).
21) "Very high above : dominant de très haut"
    transposition d'un adverbe en participe présent (82).
22) "The tiny black figure : le petit point noir"
    modulation que suggère le contexte ; vue des étoiles, cette silhouette n'est qu'un point.
23) "Malignantly : cruelles"
    transposition d'un adverbe en adjectif (82)

TEXTE VII

Rivers perhaps are the only physical features of the world that are at their best from the air. Mountain ranges, no longer seen in profile, dwarf to anthills; seas lose their horizons; lakes have no longer depth but look like bright pennies on the earth's surface; forests become a thin, impermanent film, a moss on the top of a wet stone, easily rubbed off. But rivers, which from the ground one usually sees only in cross sections, like a small sample of ribbon — rivers stretch out serenely ahead as far as the eye can reach. Rivers are seen in their true stature.

They tumble down mountain sides; they meander through flat farm lands. Valleys trail them; cities ride them; farms cling to them; roads and railroad tracks run after them. Next to them, man's gleaming cement roads which he has built with such care look fragile as paper streamers thrown over the hills, easily blown away. Even the railroads seem only scratched in with a penknife. But rivers have carved their way over the earth's face for centuries and they will stay.

This time we were to see the river not as a friend, but as an enemy; not at peace, but in revolt. We were to see it in flood, destroying the fertile plains it had once made, breaking dykes, carrying away villages, and covering valleys. We were to see it, a huge lake smiling catlike, horribly calm and complacent, over the destroyed fields and homes of millions of people.

Anne Morrow Lindbergh, North to the Orient.

New York, Harcourt Brace & Co., 1935, p. 200-201.

TRADUCTION DU TEXTE VII

Les rivières[1] sont peut-être les seuls traits physiques du globe[2] qui gagnent à être vus[3] du haut des airs[4]. Les chaînes de montagne, que l'on ne voit plus[5] de profil, se rapetissent à des proportions de fourmilières[6]; les mers perdent leurs horizons; les lacs n'ont plus de profondeur mais brillent comme des sous neufs[7] posés[8] à la surface de la terre. Les forêts deviennent une gaze ténue[9] et[10] éphémère, une mousse recouvrant une pierre humide et qu'un léger frottement suffirait à enlever[11]. Mais les rivières que, du sol, on ne voit d'habitude qu'en segments, comme un petit échantillon de ruban, les rivières,

1) "Rivers : les rivières"
   "Rivers" comprend à la fois les fleuves et les rivières. "Cours d'eau" serait donc plus exact, mais est un peu trop technique pour ce passage, et de toute façon ne pourrait guère s'employer dans le troisième paragraphe.
2) "the world : le globe"
   différence d'extension entre les deux termes ; détermination par le contexte du sens de "world" qui convient ici.
3) "are at their best : gagnent à être vus"
   transposition du superlatif en verbe (82) ;
   "vus" est une explicitation basée sur le contexte.
4) "from the air : du haut des airs"
   étoffement de "from" (91).
5) "no longer seen : que l'on ne voit plus"
   transposition en relative d'un participe passé qui est en fait un passif tronqué ; donc modulation actif/passif (120).
6) "to ant-hills : à des proportions de fourmilières"
   étoffement de "to" (91)
7) "look like bright pennies : brillent comme des sous neufs"
   dilution de "bright" en "brillent" et "neufs" (165).
8) "on : posés à"
   étoffement de "on" (91) ; voir infra "on : recouvrant"
9) "thin : ténue"
   différence d'extension entre les deux termes ; détermination par le contexte (la gaze) du mot juste.
10) étoffement par "et" de la virgule entre deux adjectifs.
11) "easily rubbed off : qu'un frottement suffirait à enlever"
    triple transposition d'un adverbe en verbe,
    d'un verbe en nom,
    d'une particule en verbe (82, 83).

sereines, s'allongent devant nous[12] à perte de vue. C'est alors que[14] les rivières prennent à nos yeux[15] leur vraie grandeur.

Elles tombent en cascade le long des montagnes. Elles serpentent à travers les plaines cultivées[16]. Les vallées les accompagnent, les villes les chevauchent ; les fermes s'y accrochent ; routes et voies ferrées les poursuivent. A côté d'elles, dans leur luisante blancheur[17], les routes cimentées que l'homme a construites avec tant de soin paraissent aussi fragiles que[18] des serpentins jetés par-dessus les collines et qu'un souffle pourrait emporter[19]. Même les chemins de fer ne semblent rien de plus qu'un tracé au canif[20]. Mais, depuis des siècles, les rivières ont creusé leur lit[21] à la surface de la terre, et elles sont encore là.

Cette fois-là, ce n'était pas en amie mais en ennemie que la rivière devait nous apparaître[22], non plus paisible, mais révoltée[23]. Nous allions la voir en crue, détruisant les plaines fertiles qu'elle avait jadis créées, rompant les digues, emportant les villages et submergeant les vallées. Nous allions la voir, tel un lac immense au

12) "serenely : sereines"
   transposition de l'adverbe en adjectif (82)
13) "stretch out : s'allongent devant vous"
   exemple de subjectivisme : le français marque la présence d'un spectateur (187).
14) "Rivers... : C'est alors que les rivières..."
   mise en relief qui marque l'aboutissement du développement et qui a donc la valeur d'une charnière (210).
15) "are seen in : prennent à nos yeux"
   autre exemple de subjectivisme (187)
16) "flat farm-lands : plaines cultivées"
   transposition de "farm" en adjectif (82),
   concentration de "flat" et de "lands" en "plaines", d'où économie (166).
17) "gleaming : dans leur luisante blancheur"
   dilution répartie sur "luisante" et "blancheur" par dégagement de l'idée de blancheur (ou de couleur pâle) que "gleam" suggère généralement (165).
18) "fragile as : aussi fragiles que"
   dilution de "as" répartie sur "aussi" et "que"
   (sans dilution, on pourrait dire : "fragiles comme")
19) "easily blown off : qu'un souffle pourrait emporter"
   autre exemple de triple transposition (voir note 1)
                de l'adverbe en verbe,
                du verbe en nom,
                de la particule en verbe,
   dilution de "easily" répartie sur "souffle" et "pourrait".
20) "seem scratched in with a penknife : ne semblent rien de plus qu'un tracé au canif"
   dilution de "scratch" répartie sur "rien de plus" et "tracé" ; transposition du verbe en nom (82).
21) "way : lit"
   modulation suggérée par "carve" (76).
22) "we were to see the river : la rivière devait nous apparaître"
   modulation par renversement des termes (76, 223) ; animisme (188).
23) "at peace : paisible", "in revolt : révoltée"
   transposition de locutions adjectivales en adjectifs.

sourire félin[24], terrifiante de calme satisfait[25], épandue[26] sur les champs ravagés[27] et les foyers anéantis de millions d'êtres humains.

24) "smiling catlike : au sourire félin"
    transposition du participe présent en complément descriptif construit autour d'un nom, d'où le caractère statique de l'expression française (86, 87).
25) "horribly calm and complacent : terrifiante de calme satisfait"
    transposition de l'adverbe en adjectif
    »   d'un des adjectifs en nom.
    L'expression française est plus serrée et porte un jugement de cause.
26) "over : épandue sur"
    l'étoffement de "over", nécessaire pour des raisons de structure, aboutit à un retour sur le plan du réel.
27) "destroyed : ravagés... anéantis"
    dilution qui permet d'accoler à chaque nom (champs, foyers) le qualificatif qui lui convient.

APPENDICE IV

INDEX

Les chiffres renvoient aux paragraphes et au commentaire des textes de la façon suivante : 35 : voir le paragraphe 35 ; IV-21, 24 : voir les notes 21 et 24 du texte IV. Les renvois séparés par une virgule au lieu d'un point virgule dépendent de la parenthèse qui suit.

BIBLIOGRAPHIE

La présente bibliographie a été considérablement augmentée à l'occasion de cette nouvelle réimpression. Même ainsi, elle ne prétend pas être complète et vise surtout à indiquer quelques-uns des ouvrages les plus utiles pour l'étude de la stylistique comparée et la pratique de la traduction.

1. Sources bibliographiques — Périodiques.

C.I.P.L. — *Bibliographie linguistique publiée* par le Comité international permanent des linguistes. [Rubrique *Traduction*, 1955 +] Utrecht-Anvers, Spectrum [annuel].

C.N.R.S. — *Bulletin signalétique*. 3ᵉ partie : Philosophie et Sciences humaines. [*Problèmes de la traduction*, 1955 +]. Paris, Centre national de la recherche scientique [trimestriel].

UNESCO. — *Index Translationum*. Répertoire multilingue, avec introduction en anglais et en français. Nouvelle série. Paris, UNESCO [vol. xiv (1963), 800 p.].

BROWER, R. A. (éd.). — *On Translation*, Cambridge, Mass., Harvard University Press, 1959. [Bibliographie abondante, pp. 273-293].

HATZFELD, H. et LE HIR, Y. — *Essai de bibliographie critique de stylistique française et romane* (1955-1960). Paris, P.U.F., 1961.

MOUNIN, G. — *Les Problèmes théoriques de la traduction*. Paris, Gallimard, 1963. [Bibliographie pp. 283-290].

Babel. Revue internationale de la traduction. Publiée par la Fédération internationale des traducteurs. Berlin et Munich, Langenscheidt. [Abondante bibliographie].

Journal des Traducteurs/Translators' Journal. Montréal, Beauchemin [Trimestriel : 1955 +. Voir en particulier la rubrique "Les Outils du traducteur"].

The Linguist/Le Linguiste. Organe de la Chambre belge des traducteurs interprètes et philologues affiliés à la F.I.T.

2. Grammaires et dictionnaires.

GREVISSE, M. — *Le Bon Usage*. 8ᵉ éd. Gembloux, Duculot, 1964.

CESTRE, Ch. et DUBOIS, M. — *Grammaire complète de la langue anglaise*. Paris, Larousse, 1949.

JESPERSEN, O. — *A Modern English Grammar*. Copenhague, Munksgaard, 1909-42.

ZANDVOORT, R. W. — *Grammaire descriptive de l'anglais contemporain*. Lyon, IAC, 1949.

FOWLER, H. W. — *A Dictionary of Modern English Usage*. Oxford, The Clarendon Press, 1926.

HORWILL, H. W. — *A Dictionary of Modern American Usage*. 2ᵉ éd. Oxford, The Clarendon Press, 1944.

Dictionnaire canadien. Français-anglais. Anglais-français. Toronto, McClelland & Stewart, 1962.

Dictionnaire moderne français-anglais. Paris, Larousse, 1960.

Harrap's Standard French and English Dictionary. London, Harrap, 1934-39.

The New Cassell's French Dictionary. New York, Funk and Wagnalls, 1962.

3. Ouvrages divers.

BALLY, Ch. — *Précis de stylistique*. Genève, Eggimann 1905.
Le langage et la vie. 3ᵉ éd., Genève, Droz, 1952.
Linguistique générale et linguistique française. Berne, Francke, 2ᵉ éd., 1944.
Traité de stylistique française. 3ᵉ éd., Paris, Klincksieck, 1951.

BARTH, G. — *Recherches sur la fréquence et la valeur des parties du discours en français, en anglais et en espagnol*. Paris, Didier, 1961.

BATES, E. S. — *Modern Translation*. Oxford, University Press, 1936.

BELLOC, H. — "On Translation", *The Bookman*, 74 (1931) : 32-39, 179-185.

BENDA, J. — *Du style d'idées*. Paris, Gallimard, 1957.

BLINKENBERG, A. — *L'Ordre des mots en français moderne*. Copenhague, Høst, 1928.

BOILLOT, F. — *Le vrai ami du traducteur anglais-français et français-anglais*. 2ᵉ éd., Paris, Oliven, 1956.

BONNEROT, L. ; LECOCQ, L. ; RUER, J. ; APPIA, H. ; KERST, H. et DARBELNET, J. — *Chemins de la traduction. Domaine anglais*. Paris, Didier, 1963.

BOURDON, B. — *L'Expression des émotions et des tendances dans le langage*. Paris, Alcan, 1892.

BRØNDAL, V. — *Le Français, langue abstraite.* Copenhague, Munksgaard, 1936.

BROWER, R. A (éd.) — *On Translation.* Cambridge, Mass., Harvard University Press, 1959.

BRUNOT, F. — *La Pensée et la langue.* 2ᵉ éd. Paris, Masson, 1929.

CARY, E. — "L'indispensable débat", in *La Qualité en matière de traduction* (voir ci-après).
"Pour une théorie de la traduction", *Diogène*, 40 (1962) : 96-120.
La Traduction dans le monde moderne. Genève, Georg, 1956.

CARY. E. et JUMPELT, R. W. — *La Qualité en matière de traduction/ Quality in Translation.* Actes du 3ᵉ congrès international de la F.I.T. Oxford, Pergamon Press, 1963.

CASAGRANDE, J. B. — "The Ends of Translation", in *Eight Papers on Translation*, recueil d'articles parus dans IJAL, 20. 4 (1954) : 335-340.

CATHERINE, R. — *Le Style administratif.* Paris, Albin Michel, 1947.

COHEN, M. — *Grammaire et style.* Paris, Editions sociales, 1954.

CRESSOT, M. — *Le Style et ses techniques.* 4ᵉ éd., Paris, P.U.F., 1959.

DARBELNET, J. — "La couleur en français et en anglais", *Journal des Traducteurs*, 2 (1957) : 159-161.
"Stylistique et traduction", in *Traductions*, Montréal, Institut de traduction, 1952.
"Communication et traduction" in *Colloque sur les problèmes de la communication.* Paris, UFOD, 1961.
"Valeurs sémantiques du verbe en français et en anglais », *Revue canadienne de linguistique*, 9 (1963) : 32-39.
Regards sur le français actuel. Montréal, Beauchemin, 1963.

DARMESTETER, A. — *La Vie des mots.* Paris, Delagrave, 1895.

DAVIAULT, P. — *Langage et traduction.* Ottawa, Imprimeur de la Reine, 1961.

DEROCQUIGNY, J. — *Autres mots anglais perfides.* Paris, Vuibert, 1931.

ETIEMBLE, R. — "De la prose française au sabir atlantique", *Les Temps modernes*, 8 (août 1952) : 291-303.
Comparaison n'est pas raison. Paris, Gallimard, 1963.
Parlez-vous franglais ? Paris, Gallimard, 1964.

FIRTH, J.R. — "Linguistic Analysis and Translation", in *For Roman Jakobson.* La Haye, Mouton, 1956 (pp. 133-139).

FRANÇOIS, A. — "Précurseurs français de la grammaire affective", in *Mélanges Bally.* Genève, Droz, 1939 (pp. 369-377).

FREI, H. — *La Grammaire des fautes.* Paris, Geuthner, 1932.
Le Livre des deux mille phrases. Genève, Droz, 1952.

GALICHET, G. — *Physiologie de la langue française.* 3ᵉ éd., Paris, P.U.F., 1961.

GALLIOT, M. — *Essai sur la langue de la réclame contemporaine.* Toulouse, Privat, 1955.

GIDE, A. — "Lettre sur les traductions", in *Préfaces*, Neuchâtel et Paris, Ides et Calendes, 1948.

GLENN, E. S. — "Semantic Difficulties in International Communication", *ETC*, 11 (1954) : 163-181.

GODIN, H. — *Les Ressources stylistiques du français contemporain.* Oxford, Blackwell, 1948.

GOWERS, Sir E. — *The Complete Plain Words.* Londres, H. M. Stationery Office, 1954.

GRAND'COMBE, F. de. — "American, the Mirror of the Americans", *Les Langues modernes*, 50 (1956) : 328-339, 377-388. "Réflexions sur la traduction", *French Studies*, 3. 4 (octobre 1949) : 345-350 et 5. 3 (1951) : 253-263.

GRAVES, R. — "Impenetrability or the Proper Habit of English", *The Fortnightly*, 120 (déc. 1926) : 781-792 et 121 (janv. 1927) : 59-73.

GUBERINA, P. — *Valeur et symétrie dans la phrase française.* Zagreb, Epoha, 1957.

GUIRAUD, P. — *La Stylistique.* Paris, P.U.F., 1954.

HOCKETT, C. F. — "Translation via Immediate Constituents", *IJAL*, 20. 4 (oct. 1954) : 313-315.

HOIJER, H. (éd.). — "Language in Culture", in *The American Anthropologist.* Mémoire n° 79, déc. 1954.

JUMPELT, R. W. — *Die Uebersetzung naturwissenschaftlicher und technischer literatur.* Berlin, Langenscheidt, 1961.

KENYON, J. — "Cultural Levels and Functional Varieties of English", *College English*, 10 (oct. 1948) : 31-36.

KŒSSLER, M. et DEROCQUIGNY, J. — *Les Faux Amis ou les pièges du vocabulaire anglais.* 5e éd. Paris, Vuibert, 1961.

LAING, E. J. — *Etude critique de trois traductions anglaises du premier volume des Thibault par Roger Martin du Gard.* Thèse de maîtrise, Université McGill, Montréal, 1948.

LARBAUD, V. — *Sous l'invocation de saint Jérôme.* Paris, Gallimard, 1946.

LE BIDOIS, R. — *L'Inversion du sujet dans la prose contemporaine.* Paris, d'Artrey, 1955.

LECOCQ, L. — "Stylistique et traduction", *Les Langues modernes*, 55 (1961) : 44-49.

LOUGH, J. et M. — *Twentieth Century Translation Passages, Prose and Verse.* Londres, Longmans, Green, 1953.

MALBLANC, A. — *Stylistique comparée du français et de l'allemand.* 2e éd., Paris, Didier, 1963.

MAROUZEAU, J. — "Deux aspects de la langue vulgaire : langue expressive et langue banale", *BSL*, 28 : 63-67.
"Langage affectif et langage intellectuel", *Journal de Psychologie*, (1923) : 560-578.
"Quelques aspects du relief dans l'énoncé", *Le Français moderne*, 13 (1945) : 161-168.
Précis de stylistique française. 3ᵉ éd., Paris, Masson, 1950.

MAUROIS, A. — "De la traduction des poèmes", in *Opéra* (21 avril 1948).

MOUNIN, G. — *Les Belles Infidèles.* Paris, Cahiers du Sud, 1955.
"La Notion de qualité en matière de traduction littéraire", in *La Qualité en matière de traduction*, q.v. sub Cary & Jumpelt.
Les Problèmes théoriques de la traduction. Paris, Gallimard, 1963.

MULLER-HAUSER, M.-L. — *La Mise en relief d'une idée en français moderne.* Genève, Droz, 1943.

MYERSON, I. — *Problèmes de la couleur.* Paris, S.E.V.P.E.N., 1957.

NIDA, E. — "Linguistics and Ethnology in Translation Problems", *Word*, 1 (1945) : 194-208.
"Principles of Translation Exemplified by Bible Translation", in *On Translation*, q.v. sub Brower.
Bible Translating. New York, American Bible Society, 1947.

PANNETON, G. — *La Transposition, principe de la traduction.* Thèse de maîtrise, Université de Montréal, 1946.

RITCHIE, R. L. et MOORE, J. M. — *A Manual of French Composition.* Cambridge, At the University Press, 1914.
Annotated Renderings of 100 Passages Selected from a Manual of French Composition. Cambridge, At the University Press, 1921.
Translation from French. Cambridge, At the University Press, 1963 [The Introduction].

RITCHIE, R. L. et SIMONS, C. — *Essays in Translation from French.* Cambridge, At the University Press, 1941.

RUYER, R. — *La Cybernétique et l'origine de l'information.* Paris, Flammarion, 1954.

SAUVAGEOT, A. — *Les Procédés expressifs du français contemporain.* Paris, Klincksieck, 1959.

SAVORY, Th. — *The Art of Translation.* Londres, Jonathan Cape, 1957.

SMEATON, B. — "Translation, Structure and Lexicography", *Journal des Traducteurs*, 3 (1958) : 122-130, 141-147, et 4 (1959) : 9-14.

SMITH, A. H. (éd.). — *Aspects of Translation.* Londres, Secker & Warburg, 1958.

SMITH, L. P. — *Words and Idioms.* Londres, Constable, 1925.

SPOLSKY, B. — Comparative Stylistics and the Principle of Economy", *Journal des Traducteurs,* 7 (1962) : 79-83.

STRAUMAN, H. — *Newspaper Headlines : A study in linguistic methods.* Londres, Allen et Unwin, 1925.

THÉROND, M. — *Du Tac au Tac.* Formules réflexes de la conversation française actuelle. Paris, Didier, 1955.

TRUFFAUT, L. — *Grundprobleme der Deutsch-französischen Uebersetzung.* Munich, Max Hueber, 1963.
Stylistique française. Exercices pratiques. Munich, Max Hueber, 1963.

ULLMANN, S. — *Précis de sémantique française.* 2 éd. Berne, Francke, 1959.

VACHON-SPILKA, I. — "La Traduction des charnières", *Journal des Traducteurs,* 7 (1962) : 3-8.

VESLOT, H. — *Les Epines du thème anglais.* Paris, Hachette, 1928.

VESLOT, H. — *Les Trois Clefs de l'anglais du roi.* Paris, Hachette, 1945.

VESLOT, H. et BANCHET, J. — *Les Traquenards de la version anglaise.* Paris, Hachette, 1922.

VINAY, J.-P. — "Les Déictiques", *Journal des Traducteurs,* 1 (1956) : 91-95.
"Déictiques graphiques et traduction publicitaire", *Journal des Traducteurs,* 2 (1957) : 53-56.
"Séries sémantiques et niveaux stylistiques", *La Revue canadienne de linguistique,* 8 (1962) : 9-25.

VINAY, J.-P. (éd.). — *Traductions.* Mélanges offerts en mémoire de G. Panneton (T. Taggart Smyth, G. Panneton, H. W. Mandefield, J. Darbelnet, J. Gaudefroy-Demonbynes, J.-P. Vinay). Montréal, Institut de Traduction, 1952.

VOSSLER, K. — *Geist und Kultur in der Sprache.* Heidelberg, 1925 (Traduction française, Paris, Payot, 1953).

WEIGHTMAN, J. G. — "Translation as a Linguistic Exercise", *English Language Teaching,* 5 (1950) : 69-76.

WHORF, B. L. — *Language, Thought and Reality.* New York, Wiley & Sons, 1956.

WHYTE, A. G. — *Anthology of Errors.* Londres, Chaterson, 1947.

TABLE DES MATIÈRES

Iᵉ PARTIE : LE LEXIQUE

IIᵉ PARTIE : L'AGENCEMENT

Notions préliminaires :

Chapitre I : La transposition.

Chapitre II : Stylistique comparée des espèces.

Chapitre VII : L'adaptation et la métalinguistique.

APPENDICES